Mira
Khazzam

I coralli

ISBN 978-88-06-21546-0

Paola Mastrocola

Non so niente di te

Einaudi

Avvertenza.

Mi sembra bene dirvelo all'inizio: questo è un romanzo storico impossibile. Impertinente. Parla del nostro presente, ma al passato, cioè da un futuro che fa diventare passato il presente. O, se preferite, parla di un passato che però per noi adesso è il presente e non può ancora in nessun modo farci da passato.

È come se il libro fosse scritto dopo il 2060 da un autore che sceglie di raccontare una storia ambientata nel 2011. Ogni tanto s'intromette: giudica e commenta il nostro tempo. E ogni tanto invece no: proprio quando dovrebbe dire – cosí ci svelerebbe un po' il futuro – se ne sta zitto.

Insomma, è un romanzo un po' presbite e un po' miope. Forse ho messo insieme due difetti della vista. Forse sentivo il bisogno, per veder meglio, di allontanare gli oggetti e poi di avvicinarli.

È un bisogno che viene, con l'età.

PAOLA MASTROCOLA

Non so niente di te

Un figlio deve abitare la nostra casa come un estraneo avventuroso e felice.

Pietro Citati

Ripudiavamo fermamente l'idea che la conoscenza utile fosse preferibile alla conoscenza inutile.

John M. Keynes

L'idea capitalistica del PIL che dice che tutto deve crescere porterà al disastro, mentre la legge della natura prevede una nascita, una crescita e un declino.

Andrea Zanzotto

Pecore al Balliol College

Erano seduti al tavolino d'angolo della piccola caffetteria di Broad Street, in vetrina; lui con un giaccone grigio, il colorito pallido appena un poco arrossato dall'aria del mattino e i capelli candidi ancora folti; lei con un montone dai risvolti crema, gli occhiali cerchiati d'oro a metà del naso. Davanti a loro, oltre lo spiazzo, l'imponente costruzione del Balliol College, col suo portone di legno scuro, i muri di pietra chiara, gli archi gotici e le torrette magre a cono che forano il cielo.

Lei stava dicendo a lui quanto il vento anomalo di quei primi giorni novembrini, ancora cosí tiepido, le intenerisse il cuore di nostalgia.

– Nostalgia di cosa, esattamente?

– Della vita che è passata, Burt, e di che altro?

– Oh sí... – sospirò lui.

Tagliando ognuno con il coltello il proprio *plain croissant*, imburrandolo e farcendolo con una punta di marmellata alle fragole, contemplavano assorti il grande albero al centro dello spiazzo, dolcemente scosso dal vento.

– Eh... – continuò lui. – Proprio vero che siamo come le foglie...

Judith a quel punto sorrise. La forchettina in aria, si trovò a ripensare a quei poeti antichi che aveva studiato in gioventú e che in versi straordinari avevano già mirabilmente espresso quella similitudine ormai vieta tra la vita umana e le foglie d'autunno che il suo amato Burt, tra un sorso e l'altro di *filter coffee*, le aveva appena richiamato alla memoria. Quand'ecco che un compatto gregge di pecore sbucò dall'angolo, invase a poco a poco la via e cominciò ordinatamente a entrare, animale dopo animale, nel portone del Balliol College.

– Sheep! – esclamò Judith.

– Oh my God! – le fece eco Burt, smettendo di sorseggiare il caffè.

Alle dieci e trenta di quel mattino di novembre, la sala piú capiente del Balliol College era già gremita da centinaia di persone che, compostamente sedute, aspettavano l'inizio della conferenza. Giovani studenti di varie nazionalità e professori di mezza e tarda età, dai capelli piú o meno grigi, sciarpe scozzesi strette al collo e morbide giacche di shetland.

Un vocio disciplinato animava la sala.

Il primo relatore, un giovane economista italiano già assurto a fama internazionale per i suoi studi sulla teoria dello sviluppo, arrivò puntuale, alle undici meno cinque. Era un ragazzo dalla capigliatura riccia scombinata e dall'aria timida e confusa. Una giacchetta corta, sgualcita. Salí sul palco, salutò il decano del college che lo avrebbe di lí a poco presentato; si sedette al tavolo e dispose fogli e computer davanti a sé. Si chiamava Jeremy Piccoli e l'università di Oxford lo aveva invitato a parlare della sua sorprendente scoperta, un particolare algoritmo, noto ormai al mondo accademico come algoritmo di Jerfil. Un procedimento di calcolo che forse, se opportunamente applicato, avrebbe potuto secondo alcuni cattedratici ottimisti favorire la ripresa della crescita degli Stati occidentali, fortemente provati dalla recente crisi dei mercati.

Il secondo relatore invece era in ritardo e nessuno lo conosceva. Il suo nome era stato aggiunto all'ultimo, perché Jeremy Piccoli aveva chiesto agli organizzatori della conferenza, come condizione imprescindibile, che fosse invitato anche lui a parlare, spiegando che si trattava di un suo brillante compagno di studi nonché amico, al quale doveva in massima parte l'invenzione dell'algoritmo.

Alle undici in punto Jeremy Piccoli si avvicinò al microfono. Annunciò che solo dopo l'arrivo del collega avrebbe cominciato, insieme a lui, l'esposizione dettagliata dell'algoritmo, e intanto iniziò a illustrare, attraverso il suo computer, lo schema introduttivo. Il pubblico seguiva sul grande schermo con attenzione, prendendo appunti.

Dopo qualche videata di PowerPoint, entrarono le pecore.

Si sentí dapprima un insolito trapestio provenire dall'esterno. Poi sulla porta, dietro al pubblico, apparve un giovane alto e bruno, con i capelli corti. Indossava un completo di fustagno grigio e, buttata per traverso, una sciarpa a righe con gli stemmi, stile college. Procedeva lento, le mani in tasca. E gli venivano dietro quelle pecore.

Cioè, a vederlo comparire per primo sulla porta, nessuno avrebbe fatto una piega: ecco l'altro giovane relatore, ma guarda che aria distinta, che bel vestito. Peccato che si portava dietro decine e decine di pecore. Bianche e lanose, ammassate le une alle altre: un gregge. Un gregge di pecore cinerine, per l'esattezza: una massa compatta di lana biancosporco da cui uscivano il muso nero e le zampe nere. Pecore di quella particolare razza, molto comune in area britannica, denominata Suffolk.

Centinaia di pecore Suffolk invasero dunque la sala conferenze del Balliol. Procedendo sempre ordinate, moderatamente belanti, cominciarono a occupare ogni spazio. Alcune già s'intrufolavano tra le poltrone, affollavano il proscenio; altre indietro, ancora sulle scale. Tutte comunque discrete, composte.

Jeremy Piccoli sbiancò e smise di parlare. Alle sue spalle, sul megaschermo, lampeggiava inerte l'ultima frase del suo discorso introduttivo.

Arrivato sotto il palco, il giovane in abito grigio salí

i pochi scalini, strinse la mano ai professori esterrefatti, abbracciò come nulla fosse l'amico e collega Jeremy e si sedette sulla poltrona lasciata libera, davanti alla quale, sul lungo tavolo, troneggiava la targhetta col suo nome: FILIPPO CANTIRAMI.

Il pubblico impiegò qualche minuto a rendersi conto di quel che stava succedendo. Dapprima tutti cominciarono ad agitarsi sulla sedia guardandosi l'un l'altro e chiedendosi se fosse vero quel che vedevano; poi, con l'avanzare delle pecore, alcuni decisero di alzarsi per uscire. Altri invece, la maggior parte, restarono seduti cercando di scostare le pecore piú vicine, piú ingombranti.

Intanto gli inservienti, i custodi, e gli altri professori del college richiamati dal frastuono accorrevano per far qualcosa ma, non sapendo cosa, finivano col rimanere ai lati, in piedi, impotenti e storditi dallo stupore. Alcuni di loro si misero a fare certi gridolini e gesti convulsi, come a fermare un evento terribile che si era appena materializzato e già non sembrava piú arrestabile, quasi un'invasione di marziani che, scesi dall'astronave, non fossero piú in alcun modo ricacciabili indietro, sul loro misterioso e lontanissimo pianeta.

Fu un attimo. Le pecore avevano occupato ogni centimetro quadrato, infilandosi ovunque tra le poltrone, le gambe e le cartelle degli astanti, in platea, sul palco, sulle scale, nelle toilette lasciate aperte; e fuori nell'atrio, nei vari cortiletti interni, sotto i portici, gli archi, nel chiostro quadrilatero, fin quasi nella piccola cappella, e nell'immenso parco interno con gli alberi secolari, sul praticello ovale antistante l'ingresso; e ancora fuori dal cancello, sui marciapiedi, davanti ai negozi di souvenir, in piazza, dove le ultime pecore ancora pressavano per entrare, per stare incollate alle altre.

Il giovane relatore in abito grigio, Filippo Cantirami, intanto aveva preso la parola, ringraziando per prima cosa l'amico che lo aveva invitato e il college che ospitava entrambi. Poi s'era addentrato subito nel vivo del discorso, raccontando dei suoi studi, della molto fruttuosa collaborazione con l'amico e di come insieme fossero arrivati a quella congettura che avevano quel giorno l'onore di presentare a quel prestigioso pubblico.

Tutti ascoltavano con un'attenzione cosí assoluta e un rapimento tale che sembrarono dimenticarsi delle pecore. La conferenza procedette come se nulla fosse. Jeremy Piccoli, superato lo sconcerto iniziale, seguendo l'impeto entusiastico dell'amico, si buttò insieme a lui a illustrare alla platea, con dovizia di particolari, la sorprendente invenzione, il fantastico algoritmo che prendeva la sua denominazione, come era a tutti evidente, dalle prime tre lettere dei loro due nomi di battesimo: Jerfil.

Parlarono per un'ora intera, come previsto. La gente aveva seguito affascinata ogni singolo passaggio. Alla fine l'anziano professore che moderava l'incontro diede la parola ai tre discussant i quali, secondo il turno prestabilito, esposero la loro opinione su quello che avevano appena finito di ascoltare e di apprezzare. Quindi venne data la parola al pubblico, che per mezz'ora buona infilò una domanda dietro l'altra. Infine il decano ringraziò i relatori, i discussant e il pubblico; i due relatori ringraziarono a loro volta il decano, i discussant e il pubblico. E la conferenza si chiuse, seguendo il rituale di ogni conferenza accademica secondo il quale il relatore parla, la gente ascolta, applaude e torna a casa, grata e soddisfatta delle conoscenze acquisite.

E le pecore?

Le pecore, una volta entrate, erano rimaste lí per l'intera durata dell'incontro. Buone e piuttosto ferme, dal momento che erano talmente tante che non avevano certo lo spazio per muoversi. E relativamente silenziose: a parte qualche timido belato, non avevano fatto alcun baccano. Sembrava quasi che ascoltassero anche loro le relazioni, interessate a quei temi importantissimi dell'economia mondiale. Chi può dirlo? Il silenzio di quelle pecore era un dato di fatto, ognuno lo interpreti come crede. Quel che è certo è che nessun quadrupede disturbò la conferenza, e questo sembra in ogni caso – a noi che ora, dopo cosí tanti anni, lo raccontiamo – qualcosa di stupefacente. Soltanto si avvertí un leggero brulicar sommesso, un lanoso ma delicato sommovimento interno, discreto, sinuoso. Una specie di coltre semovente. Immaginiamoci le terre artiche, per esempio un paesaggio tipo *Frozen Planet*, avete presente quella meravigliosa serie di documentari inglesi sul mondo dei Poli molto in voga all'inizio del terzo millennio, commentati dalla voce fascinosa del vecchio David Attenborough? Ecco, vedetevi davanti un'immensa distesa polare di neve e ghiaccio, e poi pian piano quella terra che si muove, ma non tanto: smotta solo leggermente, si scongela a tratti e a tratti resta intatta, e cosí sembra slittare via ma poi tornare ferma. Una cosa del genere, quel gregge. Se si fosse potuto veder dall'alto, naturalmente.

Soltanto alla fine successe una cosa insolita: il pubblico aspettò che per prime sciamassero le pecore, in un certo senso diede loro la precedenza. E le pecore uscirono sempre ordinatamente, una dietro l'altra, seguendo il loro eroe, quel Filippo Cantirami che intanto a sua volta rincorreva il collega amico Jeremy Piccoli come se volesse a tutti i costi parlargli, mentre l'altro andava avanti senza neanche voltarsi come se volesse a tutti i costi evitarlo.

– Jeremy, ti vuoi fermare? Jeremy, lascia che ti spieghi…

– Spiegare? Tu vuoi spiegare cosa? Non c'è niente da spiegare adesso, troppo tardi! – gli disse Jeremy fermandosi di colpo, deciso ad affrontarlo. – Tu… tu hai semplicemente rovinato tutto! Tu hai buttato all'aria il nostro accordo, Fil! Tu… Non so se ti rendi conto!

– Jer ti prego, non si poteva andare avanti all'infinito, a un certo punto…

– E ti sembra questo il modo? Adesso lo verranno a sapere tutti!

– Terrò spento il cellulare. E il computer.

– Ah, geniale! E pensi che cosí ti salverai? Che non ti troveranno?

– Sí… Jeremy, ti fermi? Ce la posso fare…

– Ah sí? Bravo! Peccato che troveranno me, Fil! Sei un genio!

Cosí si parlarono quel giorno per strada, due minuti di dialogo convulso (se si può chiamare dialogo). Poi Jeremy se ne andò veloce scomparendo dietro l'angolo, e Filippo rimase lí, immobile, lo sguardo perduto nel vuoto.

Nessuno udí quel che si dissero i due amici, quel giorno di novembre, davanti al Balliol College, attorniati da cento e piú pecore belanti che di nuovo invadevano completamente Broad Street, senza sapere ancora dove andare, aspettando che la loro giovane guida in abito grigio si decidesse a prendere una direzione, cosí da poterlo seguire, buone, sottomesse come solo le pecore sanno essere, umili, disposte a fare ancora una volta come sempre gregge.

Lí, dicevamo, in piena Broad Street, davanti a quella piccola deliziosa caffetteria dove due anziani signori, di nome Judith e Burt, facevano la loro solita colazione delle undici, sorseggiando adagio il *filter coffee* e imburrando bene i *plain croissants*, nonché farcendoli con una punta di marmellata alle fragole.

Intanto, in quel preciso momento, in una grande città del Nord Italia addossata alle Alpi occidentali, Margherita Cantirami, detta Gheri, riceveva dalla sua amica Cami i seguenti quattro sms di fila, come quattro colpi di mitraglia:

Ciao gheri sono a oxford!
Ho visto tuo fratello fil!!!
Ha portato delle pecore in un college…! Al Balliol! PECORE!!!
Fidati! da morir dal rideree!!!

Cami! Che non si faceva viva da mesi! La sua vecchia amica Camilla Bardi Saraceni, che era stata per cinque anni fidanzata di suo fratello Fil, e che da quando lui l'aveva lasciata, molti anni prima, continuava a perseguitarlo.

Gheri era a lezione. Stava seguendo Diritto commerciale, e certo che a quel punto si distrasse: con quella sberla di sms da non crederci! Cosa voleva dire? Si alzò scombinando una ventina di compagni che contrassero ginocchia e libri per farla passare, e sparí nell'atrio a smanettare sul telefonino, a chiamare quella Cami per parlarle a voce, per capirci qualcosa.

– Cami, si può sapere cosa diavolo t'inventi?

– Non m'invento proprio niente! Tuo fratello è a Oxford e si è portato dietro un bel gregge di pecore dentro al college!

– Ma che stai dicendo?

– Sto dicendo che c'ero, che l'ho visto con i miei occhi, Fil, con un centinaio di pecore belanti! Bianche. Bianche con il muso nero, per l'esattezza. Inglesi.

Allora.

Respiriamo. Contiamo fino a dieci.

Pecore.

Ha detto pecore.

Fil porta pecore a Oxford. Dentro un college di Oxford.

Ma Fil non era a Stanford?

– Cami, dove hai detto che è adesso Fil, a Oxford quale?

– Come quale?

– Dove?

– Oxford, Gheri, sveglia! Oxford UK...! Okay?

Gheri chiuse e chiamò subito suo fratello, le dita svelte sulla tastierina touch. *Il cliente da lei chiamato non è al momento raggiungibile...*

E adesso?

E come dirlo ai suoi?

Intanto, dirglielo o non dirglielo? Far finta di niente, che sarà mai? Ma si può non dire una cosa cosí? No, meglio dirglielo. Ma quando? Come? Andare in studio dal padre? Cercare la madre e interrompere una delle sue visite in cantiere? Chiamarli sul cellulare? Dire se vogliono farsi un caffè in centro? Ma no, che fretta c'è? Stasera. Stasera a cena. Ah no, c'è la cena di famiglia... Tutta quella messinscena di cena e di famiglia, come al solito. La cena a casa dei nonni, per salutare la zia. La zia che parte per l'America, accidenti!

Capitolo primo
La bavarese e il muso di Gheri

Quel mattino l'acqua vorticava sotto i ponti.

Un'acqua scura d'un color marrone grigio, denso; quasi una palude che si fosse stancata di star ferma e si mettesse allora ad andar veloce, sbattendo contro i piloni e gli argini, ma senza provocare quel rumore d'onde e vento che avrebbe fatto un mare. Un'acqua che turbinava zitta, nel silenzio piú totale.

Molti si fermavano sui ponti a fotografare il fiume. Non l'avevano mai visto tanto in piena. Scattavano foto a raffica, ognuno con il proprio telefonino, come si usava allora.

Era l'inizio di novembre e in pochi giorni, di colpo, sull'Italia intera si erano abbattute piogge violentissime che in certi punti avevano fatto esondare fiumi e torrenti, franare terreni, strade. Soprattutto in Liguria e in Toscana era stata una catastrofe, decine di morti e danni irreparabili. Un intero paesino, una delle perle della costiera ligure, era stato devastato. In tivú si vedevano immagini di distruzione e rovina, un enorme fiume di fango che si portava via le auto e le persone, inondava le abitazioni, una marea oscura che finiva poi in mare tingendolo di marrone, dopo aver allagato piazze e porti, e distrutto moli e barche. Ovunque gente che spalava, dissotterrava. E sui giornali e nei talk show, decine di esperti e opinionisti che dicevano la loro, criticando ora i meteorologi che non avevano saputo prevedere e allertare la popolazione con la giusta tempestività, ora i precedenti governatori

15

che avevano permesso una cattiva manutenzione degli argini e una cementificazione selvaggia, ora i sindaci che, forse doverosamente avvertiti, avevano sottovalutato la gravità del problema. Chi fosse insomma il colpevole – e se fosse il caso d'individuare sempre, anche per le cause naturali piú naturali e imprevedibili, un colpevole –, non era dato sapere. Cosí, si finiva col chiacchierare a vuoto e, come al solito, riempir l'aria di potenti e vacui luoghi comuni. Restavano le vere tragedie della popolazione, colpita da quella forza devastante. Tragedie che a poco a poco, abbandonate dalla luce dei riflettori, tornavano a essere quel che erano: fatti privati, dolori che riguardavano i singoli individui.

Nelle pianure del Nord, invece, il maltempo si era limitato a piogge abbondanti e fiumi ingrossati. E quel mattino, per l'esattezza il 9 novembre, proprio mentre suo figlio Fil portava un gregge di pecore dentro un college inglese e sua figlia Gheri riceveva il primo sms da Cami, Nisina Rocchi Cantirami si trovò a passare su uno dei ponti della sua città. Si fermò qualche secondo a contemplare la gorgogliante potenza del fiume e l'altezza spropositata ormai raggiunta dalle acque. Si chiese anche, nel segreto dei suoi pensieri, se nella giornata ci si dovesse aspettare l'onda di piena e in quale misura sarebbe potuta essere, eventualmente, disastrosa: in poche parole, se i ponti della sua città rischiassero o meno di crollare. Ma parendole l'idea del tutto irrealistica, smise di pensarci e affrettò il passo verso il luogo dove era diretta.

Intendeva fare giusto un salto da sua cognata Giuliana, per accertarsi che si ricordasse della cena di famiglia, fissata per quella sera. Sbadata com'è, aveva pensato, capace che mi cade dalle nuvole.

La trovò intenta a cercare disperatamente qualcosa. Eccola, ci risiamo, si disse. Chissà che ha perso questa volta.

– La sciarpa bella! – rispose Giuliana alla domanda neanche fatta, solo pensata, non smettendo di rovistare tra le sue cose e aggiungendo disordine al disordine naturale di quella casa.

– Quale sciarpa bella? Tu hai tutte sciarpe belle!

– Quella azzurro pervinca.

– Vuoi dire quella indiana fatta a mano, azzurra con i ricami beige? Ma sei matta!

Silenzio. La cognata non aveva l'aria di dar risposta.

– Quella che abbiamo preso insieme dal pakistano del cortile, e tu eri contorta dai sensi di colpa per quanto costava?

Silenzio.

– Giuliana! Cerca bene! Fa' mente locale! Quando l'hai messa l'ultima volta? Dove sei stata? Dove puoi averla lasciata?

– È quello che sto cercando di ricordare da un'ora. Non riesco a capire, Nisina. L'avevo addosso ieri tutto il giorno, perché figurati star senza sciarpa, col mio male al collo...

– E allora con calma, Giuliana, ragiona: qual è l'ultimo posto in cui sei stata ieri? Cerca di ricordare.

– Sono andata alla conferenza su Miró. Sai, uno spettacolo! Miró è... è... non so, Nisina, tutti quei suoi gialli rossi blu, quelle righe nere cosí nere, gli animalini strani che non sai mai se sono uccelli o cosa, e le donne senza titolo! Mi son sempre sentita una donna senza titolo. È bellissimo, te ne stai lí serena, sei dentro un quadro, una tela... e non hai nessun titolo! Bello, no?

– Lascia perdere Miró adesso. Dopo la conferenza sei tornata a casa?

– Sí. No. Non subito. Mi mancava il latte, cosí sono andata alla Coop. A proposito, ho trovato anche... sai quei biscottini al pepe, o alla cannella non so, che ci piacciono perché fanno Natale?

– Giuliana, per favore! E ce l'avevi la sciarpa alla Coop?

– Be', come faccio a ricordarmi? Credo di sí. Non è che uno si spoglia, quando fa la spesa al super...

– Bene! Allora su con lo spirito, cerchiamola!

Dopo un altro buon quarto d'ora di spasmodiche ricerche, Giuliana Cantirami, cognata di Nisina Rocchi, si abbatté spossata sulla poltroncina dell'ingresso, considerandosi definitivamente sconfitta.

– Va be', Nisina, pazienza, cosa vuoi farci...

– Come cosa vuoi farci? Non possiamo mica...

– Lo so. Ma vorrà dire che prima ce l'avevo e adesso non ce l'ho piú, tutto lí, Nisina, non mi sembra di doverne fare una tragedia.

Giuliana Cantirami era cosí. Pensava che perdere le cose non fosse grave. E di cose ne perdeva tante, anche preziose e di valore, perché non faceva attenzione a dove le metteva. Ad esempio le capitava di nascondere un gioiello prima di partire per un viaggio, e poi al ritorno non trovarlo piú. Magari passava anni a cercarlo, ma niente, era perduto per sempre. O perdeva gli occhiali da sole, appoggiandoli a un muretto per scattare una foto a quel piccione proprio nel momento esatto in cui mangiava un verme. E poi perdeva la macchina fotografica, perché in quell'attimo s'era voltata a salutare un'amica e poi s'era rialzata dalla panchina dimenticandosi d'aver mai avuto una macchina fotografica. E non tornava neanche a vedere se la ritrovava, no, la dava per persa e basta. Figurati se la ritrovo, diceva, l'avrà presa un passante. Non era sfiducia nella gente, la sua, o pessimismo morale. No, semplicemente pensava che se uno vede una macchina fotografica abbandonata su una panchina, la prende. La deve prendere. Cos'altro potrebbe fare di piú sano? Aveva una mente sana e semplice, Giuliana Cantirami: tra l'interpretazione piú complessa e la lettura piú scontata, non aveva dubbi, sceglieva la seconda. E passava quindi per una povera di spirito, una simpatica ma superficiale signora di mezza età. Una leggera farfalletta. Una bambina mai cresciuta, come diceva suo fratello.

Uscendo, ormai quasi sulla porta e con l'aria piú indifferente che poteva, Nisina Rocchi lanciò il messaggio per il quale era andata lí, dalla cognata:

– Ah senti, poi, Giuliana, a proposito... la cena, mi
raccomando!
– Quale cena?

Giuliana Cantirami aveva appena compiuto quarantotto
anni, era la sorella minore dell'avvocato Guido Cantirami,
marito di Nisina Rocchi. Viveva all'ultimo piano di un bel
palazzo del centro storico, e faceva la custode-guardarobiera alla Biblioteca Centrale.

Non aveva portato a termine gli studi perché, a suo
parere, erano troppo lunghi e lei a quel punto, cioè a ventidue anni, riteneva di aver già imparato abbastanza. Si
era fermata a pochi esami dalla fine di Architettura. La
famiglia al completo l'aveva presa come un'offesa personale. Solo il padre, il saggio e coltissimo notaio Gualtiero
Cantirami, sembrava possedere un certo qual saldo equilibrio, e con fare sornione soleva dire: «Non importa, è
una femmina, troverà marito». Lo disse all'incirca fino al
trentaduesimo compleanno di Giuliana, poi piombò in un
assordante stizzito silenzio, che tutti chiamarono riserbo.
Ma la scelta di lavorare in una biblioteca! Lei quasi laureata architetta! Lei figlia di uno dei notai piú rinomati della
città! I suoi genitori ne rimasero schiantati, alla lettera: come si schiantano al suolo con fragore in un minuto alberi
centenari che si sia deciso di abbattere, in un tranquillo
vialetto di campagna.

«Ma è la Biblioteca Centrale...» cercava vanamente
di spiegare.

«E allora?»

«E allora avete presente che panorama si osserva dal
mio gabbiotto?»

E lí faceva immancabilmente l'errore d'invitarli nel suo
personale gabbiotto, dove svolgeva la mansione di controllare che gli utenti della biblioteca depositassero debitamen-
te i bagagli negli appositi armadietti, onde non arrivare in

sala lettura con borse, borsette e cartelle in cui eventualmente nascondere, all'uscita, libri rubati. (Le biblioteche erano, allora, luoghi dove si conservavano *fisicamente* i libri, e dove le persone andavano *fisicamente*, con le proprie gambe, a consultarli). Un lavoro di una certa responsabilità, non c'è che dire. Ciò nonostante i suoi, a sentirsi invitare nel gabbiotto delle guardarobiere seppure della Biblioteca Centrale, andavano immancabilmente in bestia:

«Ma ti rendi conto? Non hai proprio rispetto...»

In realtà, se si fossero abbassati ad andarci, avrebbero potuto constatare quanto la loro figlia guardarobiera avesse ragione, cioè quale vista spettacolare si godesse da quel gabbiotto dotato di amplissime vetrate su tre lati: una specie di torretta d'avvistamento, una capsula spaziale completamente vetrificata per consentire la massima esplorazione dell'universo. Era una vista davvero unica, soprattutto per una ragazza quasi laureata in Architettura e quindi molto amante delle bellezze architettoniche in generale. La Biblioteca Centrale si trovava infatti in centro città, nel quartiere più antico, e anche in una delle piazze più belle, con palazzi settecenteschi, portici, colonnati, la statua bronzea di un famoso grand'uomo a cavallo e una meravigliosa pavimentazione a cubetti di porfido magistralmente disposti a comporre un mosaico stradale davvero unico.

Era proprio per quel pavimento in porfido che Giuliana Cantirami aveva scelto di lavorare lí: per poterne contemplare la bellezza, cubetto per cubetto, appollaiata in quel gabbiotto sei ore al giorno tutti i giorni della settimana, esclusa la domenica. Cosí almeno sosteneva lei, da anni e con un certo fervore anche leggermente difensivo, vista la protervia con cui i suoi, e soprattutto suo padre, le manifestavano quasi quotidianamente il loro disappunto.

Non c'era niente da fare, lei era la pecora nera della famiglia. E anche quella sera, per quanto si fosse ripromessa di non farlo, riuscí ad arrivare in ritardo alla cena organizzata apposta per lei. Un quarto d'ora esatto di ritardo.

È che, facendo la strada a piedi e godendosi il freschetto serale, il cielo con le nuvolaglie blu cupo sulle case, le luci dei negozi e il viavai colorato della gente sotto i portici, s'era imbattuta in un cane che giocava con un pinguino e non aveva potuto far altro che restarsene a contemplarlo.

Era un cane bastardo avvoltolato in una sudicia coperta scozzese, accanto a un altrettanto sudicio ragazzo barbuto, presumibilmente il suo padrone, che, buttato per terra sul marciapiede all'angolo di una strada trafficata, porgeva ai passanti una specie di scodella con su scritto SONO POVERO GRAZIE (cioè, sono povero e poi, alla riga sotto, grazie).

Con un suo personale fare allegrissimo e spensierato, il cane prendeva a morsi e zampate un piccolo pinguino di gomma. O almeno questo sembrava essere quel coso che stava tartassando giocosamente. E fu proprio per appurare quale animalino per l'esattezza fosse, che Giuliana era rimasta cosí tanto a guardare la scena: perché all'inizio le era sembrata una scimmietta, poi subito dopo una specie di orsacchiottino peloso, infine un pinguino rosicchiato qua e là che, a dire il vero, del pinguino aveva ben poco. Però sí, alla fine si era risolta per il pinguino, dato il manto nerastro e la pancia biancastra nonché un becco prominente che conservava un certo ricordo di giallo intenso, color beccopinguino appunto.

Dunque arrivò in ritardo. Ma non ci provò nemmeno a raccontarne la ragione. Si sedette in silenzio a tavola, contemplò divertita il segnaposto che quella sera era una piccola sagoma di legno a forma di civetta, fece alla madre i complimenti per l'ottima scelta, spiegò il suo tovagliolo ben disteso sulle ginocchia e si dispose a subire, con la piú grande serenità possibile, i rimbrotti del fratello.

L'avvocato Guido Cantirami non era cattivo. Era, anzi, di buon carattere. Un uomo colto, elegante, sobrio, che amava soprattutto la musica classica, il vino invecchiato e la campagna senese. Tanto che, quando riusciva ad avere qualche giorno di quiete se non proprio di vacanza, prendeva la sua comoda Audi A6 e se ne andava con la moglie in qualche agriturismo intorno a Siena. In agosto, per esempio, ci andava spesso. Conosceva certi posticini deliziosi, antichi casali ristrutturati con piscina, delicatamente posati su dolci declivi collinari. Lí lasciava l'auto alla sua consorte, che andasse a visitare i paesini intorno e si dedicasse agli acquisti di tendaggi, tovaglie ricamate, vasi di terracotta dipinti a mano, formaggi e salumi toscani, liquori. Quanto a lui, faceva esattamente le stesse cose di tutti i giorni, solo che non le faceva in ufficio ma all'aperto, magari sotto un albero o ai bordi della piscina, con la sua polo color pastello e uno dei costumi a fiori che gli comprava sua moglie: sbrigava la corrispondenza (elettronica e cartacea), sfogliava i maggiori quotidiani (italiani ed esteri), imbastiva lo schema di certe nuove pratiche, si studiava meglio certe gabole legali insidiose, e a volte, proprio quando si voleva concedere il massimo di libertà, si leggiucchiava avidamente i numeri arretrati di certe sue riviste giuridiche. Insomma, che lo lasciassero tranquillo, questo era il suo piú acceso desiderio, in vacanza nella campagna senese.

Non era sempre andata cosí. Era stato un giovane con la barba folta e i capelli lunghi, la sciarpa a quadrettoni e una specie di spolverino verdemarcio perennemente addosso, estate e inverno, di cotone da quattro lire, con l'interno di pellicciotto finto. Un capo di moda un secolo fa, che veniva chiamato eskimo e che indossavano i giovani ribelli che volevano fare la rivoluzione.

Guido Cantirami non era ribelle né voleva fare la rivoluzione ma, essendo di famiglia altoborghese, si era quasi automaticamente ritrovato a far parte della gioventú contestatrice che negli anni Settanta andava in giro per cortei a contestare, appunto, la società borghese alla quale perlopiú apparteneva.

Nisina Rocchi l'aveva incontrato lí, a uno di quei cortei. S'erano trovati accanto, a cantare insieme a squarciagola *Bandiera rossa*, agganciati per il braccio ad altre centinaia di giovani.

Di mattina andavano tutti a volantinare davanti a scuole e fabbriche, di sera si riunivano negli scantinati a fare assemblee. Nell'un caso e nell'altro, era per organizzare nuovi cortei, manifestazioni, scioperi.

Una sera Nisina e Guido restarono soli nella stanza del ciclostile (un vecchio sistema di stampa meccanico). S'erano entrambi offerti per quel servizio. E fra un ciclostile e l'altro, in mezzo a centinaia di fogli stampati male e macchiati d'inchiostro, si baciarono. Poi si rannicchiarono per terra e lí, con il ronzio della macchina che continuava a sputar fogli, fecero l'amore la prima volta. Per terra. Senza quasi spogliarsi.

Lui alla fine le regalò la sciarpa a quadri e le chiese se la domenica sarebbe andata a sciare con lui. Lei disse di sí, che amava la montagna, la neve, il freddo. Caricarono gli sci sulla Cinquecento rossa di lui, alle sei di mattina.

Si sposarono dieci anni dopo. Prima, erano troppo giovani. Il padre di Nisina, che era il direttore di una catena di supermercati, pretese che il giovane Cantirami consolidasse la sua posizione, cioè prendesse la sua brava laurea, andasse a perfezionarsi in America, e infine avviasse un suo studio legale. Quando ritenne che il futuro genero si fosse accaparrato un numero adeguato di clienti, diede il via libera al matrimonio. In chiesa, lei con l'abito color crema e lui in doppiopetto grigiotopo. Una bella e semplice funzione, la navata piena di fiori, i parenti commossi e, dopo, il rinfresco con duecento invitati.

Andarono subito ad abitare nella grande casa della famiglia di lui, in un appartamento che prendeva tutto il secondo piano. L'anno dopo nacque Filippo, e sei anni piú tardi Margherita, una bambina rosea e filiforme, con i capelli biondi fini che sembravano fili di rugiada. Una piccola fatina delle nevi, disse nonno Gualtiero, orgoglioso.

Era la sua prima, e ultima, nipote femmina. E diventò, nel momento stesso in cui nacque, la sua preferita.

Era il 1989, l'anno della caduta del muro di Berlino. La fine del Novecento, come scrisse lo storico Eric Hobsbawm nel libro che s'intitola, appunto, *Il secolo breve*. Un secolo che era iniziato con la grande guerra e che, finendo insieme ai mattoni di quel muro, era durato circa settantacinque anni. Un po' poco, per un secolo. Ma da lí iniziava un'altra epoca, un ventunesimo secolo anticipato, o qualcosa di diverso mai visto da nessuna parte della Storia ancora, un secolo troppo nuovo per essere immaginato. Un'era di progresso e civiltà, in cui le innovazioni sarebbero andate a una velocità supersonica e avrebbero in tempi record cambiato l'esistenza di milioni e milioni di persone sulla faccia della Terra. Migliorandogliela, quell'esistenza, naturalmente. O cosí almeno si pensava, sul finire del ventesimo secolo.

Furono invece gli anni, quei primi anni Novanta del Novecento quando Margherita andava all'asilo, in cui avvenne l'inversione storica per cui i Paesi poveri cominciarono lentamente a prendere il posto dei Paesi ricchi, nell'eterna ma non piú immutabile scacchiera del Potere. Iniziava il Tramonto dell'Occidente, America compresa.

Quando la bionda eterea Margheritina venne al mondo e i suoi genitori la videro per la prima volta, non ebbero dubbi: le diedero il nome di un fiore semplice e dimesso. Proprio come lei non fu mai, da grande: né semplice né dimessa. E finí che la chiamarono sempre in un altro modo, con quello strano diminutivo, Gheri, che ricordava il nome di certi attori americani del passato – Gary Cooper, Cary Grant... – e che per vie oscure, chissà come, finí poi per segnarla: cominciò da piccola a preferire i pantaloni e le scarpe da ginnastica, e a ventidue anni si vestiva ormai come un maschio, la giacca, la camicia, le scarpe allacciate scure. Molto stilosa. Spesso anche una cravatta allentata sul colletto, tipo gli studenti delle università del Nord

Europa, quando escono ubriachi persi da una festa che è già quasi mattino.

Le cene di famiglia erano all'ordine del giorno, nella famiglia Cantirami. Mai casuali, però, mai organizzate cosí, solo per la voglia di trovarsi a fare quattro chiacchiere. La regola era che ci dovesse essere sempre un motivo, qualche cosa di preciso da festeggiare. Un anniversario, o anche solo la fine di un anno scolastico, un bel voto, il ritorno da un viaggio o i saluti prima di una partenza. Com'era quella sera, appunto, che si salutava Giuliana che partiva per l'America.

La famiglia al completo rasentava il numero di venti membri tra zii, cugini, nipoti e rispettivi eventuali fluttuanti fidanzati e fidanzate, quindi, moltiplicati i pretesti per venti, si arrivava a un numero davvero impressionante di cene all'anno.

Il fatto è che la signora Nella Passi, da cinquantasette anni moglie del notaio Gualtiero Cantirami, aveva frequentato nella vita, a partire dalla sua remota giovinezza, infiniti corsi di cucito, ricamo, cucina, preparazione vasi di fiori, decorazione porcellane, vetrate, nonché manifattura cuscini e fodere per divani. Sapeva fare quindi un sacco di cose, e sarebbe stato un peccato non mettere a frutto le sue conoscenze. E in quale modo migliore, se non allestendo cene di famiglia?

Inoltre, la signora non sapeva bene come passare le giornate. A parte le lezioni all'università della terza età, i tè con le amiche, le mostre, le aste, il tempo le sembrava scivolar troppo lento. La tivú la guardava poco, perché a star ferma le si anchilosavano le gambe. Leggere manco a parlarne, dopo l'operazione bilaterale alla cataratta.

Le costava molto non leggere piú, soprattutto i giornali, cosí se li faceva dire ogni tanto dalla fidata Lencia, per non sembrare quella che sta indietro con le notizie e con gli editoriali di punta. «Dire i giornali» era un'espressione che usava solo lei. «Mi faccio dire i giornali e poi se ne parla», diceva ai familiari. Voleva sempre «parlarne», le piaceva essere al corrente, sapere l'ultima, discutere di come stava andando l'Italia, l'Europa, di quanto presto secondo lei la Cina e l'India ci avrebbero bagnato il naso. Cosí diceva: «Ci bagneranno il naso, cinesi e indiani e tutti quelli lí!» Che cosa intendesse con «tutti quelli lí» non era chiaro, ma si capiva che erano gli altri, quelli che non appartenevano alla vecchia, adorata Europa.

La Lencia le leggeva anche due giornali al giorno, paziente, con quella sua voce roca sempre un po' intasata di catarro. Poi andava a scuotere i tappeti. «Mi prendi freddo! – la rimproverava la signora Passi. – Ti dico di non scuoterli fuori, che bisogno c'è? Abbiamo mica un cane! Usa il Folletto».

Il Folletto era un aggeggio casalingo molto in uso a quei tempi, una specie di aspirapolvere multifunzione: andava bene per tutto, dai tappeti alla moquette, dagli angoli dei divani ai libri impolverati.

E la Lencia annuiva lenta, com'era lenta a leggere i giornali. Ma i tappeti fuori li scuoteva lo stesso, e il Folletto non lo usava.

Era al servizio della signora Nella da una trentina d'anni almeno, e se lo ricordava il giorno che era arrivata dal suo sperduto paesuccio di provincia mezzo sprofondato nell'acqua dei canali, pieno solo di prati piatti e di zanzare e rane, afoso, schiacciato da una nebbia spessa come la purea di patate. S'era presentata con tre valigie piú grosse di lei. «E come se l'è portate appresso, santo Dio? Quante ne ha di braccia?» Questo le aveva detto la signora e lei aveva risposto con un sorriso largo e muto, cosí lungo che non se ne voleva andare piú da quel volto scarno. Di raccontare come ce l'aveva fatta con le tre valigie non ci pensava neanche, ce l'aveva fatta e basta, era abituata alle fatiche.

26

La Lencia non si chiamava affatto Lencia. Il suo nome era Adelaide Bartolini, da sposare. Il nome da sposata non lo usava piú da anni per l'arrabbiatura, da quando il suo Gianfranco se n'era andato per un tumore allo stomaco lasciandola da sola come un calzino spaiato, a trentadue anni. «E cosa me ne faccio adesso della vita?» diceva, con quella sua arrabbiatura che non le passava. La chiamava lei cosí: l'arrabbiatura. «S'è perforato lo stomaco a forza di grappini, quel disgraziato!» E imprecava sulla foto del marito, ma poi la lustrava con il dorso della mano. «Adesso dove me lo trovo un altro?» diceva appena rimasta vedova, giovane come l'aglio, spolverando i mobili, stirando le camicie, lavando i vetri con la carta di giornale. Ma non era vero. Se solo avesse voluto, ne avrebbe trovati quanti ne voleva di mariti, bella com'era. Il fatto è che non lo voleva un altro marito, diceva solo cosí per dire, perché era affezionata al suo. «E se è morto tanto peggio, uno non è che smette di volere bene solo perché l'altro non è piú su questa Terra. Si può ben essere affezionati ai morti, no?» Parlava da sola di continuo, e la signora Nella ascoltava da lontano quei suoi sproloqui al vento. S'era legata a lei con un affetto tale che non l'avrebbe lasciata andare per nessuna cosa al mondo.

«Lencia che non sei altro!» le diceva da una camera all'altra, passando mentre lei faceva le pulizie. E lo sapeva solo lei cosa voleva dire *lencia* (forse stava per *lenza?*), ma si capiva che era una parola buona.

La cena era appena cominciata, quella sera di inizio novembre. La Lencia stava portando il vassoio con il secondo antipasto, grosse foglie di lattuga annegate in una salsa di maionese e capperi (versione vegetariana del vitel tonné), quando un cenno della vecchia Cantirami l'aveva fermata: Giuliana aveva chiesto un brindisi collettivo. Si era alzata con il bicchiere in mano e aveva solennemente annunciato alla famiglia una novità, che solo al momento del dolce avrebbe svelato.

Chissà mai cos'avrà in testa, pensò tra sé suo fratello, non presagendo nulla di buono dalle parole di quella sorella strampalata, carina e simpatica quanto ti pare, ma matta come un cavallo, una cosa a metà tra Don Chisciotte e la Bella Addormentata.

Qualcosa del genere, del resto, pensarono anche gli altri parenti, che quella sera erano ben ventidue. Di solito qualcuno non poteva, doveva far altro o si dava malato. Invece a quella cena erano venuti tutti, ed essendo in cosí tanti nonna Cantirami aveva preso un catering. Il che le aveva consentito di dedicarsi con calma alla preparazione del dolce, che era l'unica cosa che teneva a fare con le proprie mani a ogni cena di famiglia, cascasse il mondo. Aveva preparato una bavarese metà fragola metà vaniglia, su cui poi aveva sistemato uno striscione in marzapane, con la scritta: BUON VIAGGIO, ZIA GIU! Per far festa. Perché era l'augurio di tutti. Perché poi, alla fine, tutti amavano Giuliana Cantirami, detta zia Giu da suo nipote Fil. Tutti la amavano, anche se tutti scuotevano la testa rassegnati. Come si poteva non amare una donna che se ne infischiava degli affari di famiglia, disinteressata al denaro e al potere, stralunata e in disparte? Ma, altrettanto, come si poteva non scuotere la testa di fronte a una donna di quarantotto anni occupata solo a giocare e disperdere il suo tempo in attività inutili quali, ad esempio, contemplare cubetti di porfido dal gabbiotto di una biblioteca o, la domenica, dipingere a pois bottiglie vuote d'acqua minerale?

«Nana, dissipatrice del tuo tempo!» le diceva da sempre il fratello. L'unico a non chiamarla né Giuliana né Giu, l'unico a non sopportare una persona cosí inconcludente, in poche parole una sorella cosí diversa da lui. Una sorella minore, che da giovane per giunta se n'era andata in uno sperduto paesino delle Puglie con uno sconosciuto, un tal pittore di vetri cattedrale, senza dir niente a nessuno, nemmeno a lui, il fratello, e poi s'era ripresentata cinque anni dopo, sola come un cane, senza aver mai spiegato i motivi del suo amore fallito o non fallito. L'unica cosa certa è che erano ormai passati vent'anni da quella storia e lei non aveva piú avuto amori, o se li aveva avuti se li era tenuti per sé. Muta e sola, ma perennemente giocosa, sorridente e svagata. Cosí svagata che affidarle anche soltanto una bolletta da pagare era pura follia. Cosí bambina (una bambina mai cresciuta, ripeteva il fratello sconsolato), che a Natale per vederla sorridere dovevi regalarle peluche, babaccetti di stoffa colorati, macchinine e soldatini da collezione; se le regalavi una borsetta o una pianta d'arredamento dovevi poi sorbirti un'aria cosí affranta che ti si stringeva il cuore.

E adesso eccola lí, che aveva appena richiesto un brindisi preannunciando chissà quale nuova follia, e nel frattempo finiva di rimpinzarsi di tartare.

– Allora, Giuliana, si può sapere questa sorpresa?

– Eh... dopo... dopo...

Il momento del dolce arrivò. La Lencia aveva finito di sparecchiare. Aveva tolto per prima cosa i piatti, poi le salse, la saliera, le bottiglie, le caraffe, e i pezzi di pane rimasti sulla tavola. Quindi era tornata con la spazzola raccoglibriciole e con mosse rapide e precise s'era messa a ripulire la tovaglia, cosí che non restasse neanche mezzo frammento di mollica. E finalmente entrava in sala portando trionfale il vassoio del dolce. Lo depose in centro tavola. La ciambella bavarese rosa e bianca, gigante, ora troneggiava un po' tremula, come di dovere. Accanto, un bricco di cioccolato fuso ancora caldo da versare sopra, e una ciotolina di nocciole sminuzzate, per chi volesse strafare.

Era il momento. Giuliana scostò la sedia e si alzò da tavola. Andò in un angolo della sala, dove aveva appoggiato un borsone da ginnastica. Ne estrasse un leggio pieghevole di metallo e si mise a montarlo, nel silenzio generale. Solo qualche bisbiglio divertito, tra i nipoti. Infine piazzò certi suoi fogli sul leggio, e cominciò.

Cominciò a cantare.

Cantare, zia Giuliana non lo aveva fatto mai. Nemmeno da bambina. Era troppo timida, non le riusciva. Ma cantare quel che stava cantando adesso, davanti ai familiari esterrefatti, questo proprio non era neanche lontanamente immaginabile.

Cantava *The Sound of Silence*.

In inglese.

Giuliana Cantirami, a quarantotto anni, in quella sera novembrina del 2011, a una delle tante cene di famiglia, cantava in inglese *The Sound of Silence*. Dei mitici Simon & Garfunkel. Lei, che non sapeva l'inglese.

Una volta finito, si mise a ripiegare i fogli. Un po' gliene erano caduti, li raccolse. Poi iniziò a smontare il leggio. Intanto sorrideva, con lieve imbarazzo.

– Ecco, era questo, – disse. – Era questa la sorpresa: che ho imparato l'inglese, ecco! Volevo dirvelo.

Corse un attimo d'incertezza tra i commensali. Poi partí un applauso, blando ma buono, allegrotto, affettuosetto: il segno di una volenterosa accondiscendenza. Aveva cantato bene? Aveva cantato male? Non era questo il punto. Aveva cantato in inglese.

Quando si risedette e tutti cominciarono a cospargere di cioccolato e noccioline la propria fetta di bavarese, lei se ne uscí con il racconto esagerato di quanto entusiasmante fosse stato per lei imparare quella canzone.

– Ma lo sapete? Questa canzone cosí amata, che avremo sentito novantamila volte, sulle cui note abbiamo ballato centinaia di lenti con i nostri fidanzati, questa straordinaria canzone che conosciamo tutti da quanti anni?… Non so, ditemelo voi, millenni? Ecco, questa canzone che fa cosí parte di noi, che… Io non ne avevo mai capito una parola!

Mai-una-sola-parola.

Mi capite? Zero.

Ze-ro.

Sempre ascoltata come il suono di una cascata, una sinfonia di Mozart, un vento tra le foglie. Mai chiesta se voleva dir qualcosa. No. Pura musica, stop. E invece c'erano le parole. Le parole! C'erano le parole, e volevano dire qualcosa, e io adesso le capisco! *Hello, darkness, my old friend!* Capite? È uno che si rivolge al buio, lo chiama per nome e il suo nome è *darkness*! Le parole! C'è uno che sta dicendo: «Salve, Oscurità, mia vecchia amica!» Dice mia vecchia amica all'Oscurità! È pazzesco quanto è bello. E io è una vita che ascolto senza capire, ma come si fa, come si fa? Quanto mi sono persa! *And the vision that was planted in my brain still remains... still remains*, capite? Non se ne va! Dunque c'era una visione! Sí, io la sentivo la parola *vision*, ma mi restava lí sospesa nel nulla, cosa voleva dire? Adesso so che quella visione gli era stata piantata nel cervello – *planted in my brain* – e so che *still remains*: rimane, persiste. Perdura! *Within the sound of silence.* Dentro il suono del silenzio.

Dentro-il-suono-del-silenzio.

Non è... non è... bellissimo?

La bavarese non è facilissima da fare. Ci vuole pazienza, e arte. Occorre la colla di pesce, quindi, non foss'altro che per questa ragione, è un dolce di un gradino superiore. Devi saperla trattare, la colla di pesce.

La signora Nella Passi Cantirami era soddisfatta di sé, s'era gustata la sua perfetta bavarese cucchiaio dopo cucchiaio. Anzi, mezzo cucchiaio per volta per lasciare che la crema le si sciogliesse in bocca meglio. Aveva *sorseggiato* il suo dolce, se si può dir cosí di un dolce. Solo, ecco, forse... avrebbe messo un po' piú di vaniglia. Proprio una punta, un'inezia.

A parte la nonna che pensava alla sua personale bavarese, e il nonno, il notaio Gualtiero Cantirami che, in quanto padre di Giuliana, era da secoli rassegnato alle follie della figlia, tutti erano stati affettuosamente compresi dell'eccezionale performance che Giuliana Cantirami aveva regalato alla famiglia.

Tutti? No, non tutti: alcuni.

Alcuni s'erano veramente commossi, altri meno. E altri addirittura un po' irritati. Benevolmente irritati, ma irritati. E sí, perché in fondo, a ben guardare, tanto sbandierato candore poteva anche suonar fastidioso. Bisogna pensare che c'era gente, seduta a quel tavolo, che nel mondo ricopriva ruoli di grande responsabilità, aveva incarichi di prestigio, era abituata a esercitare il potere. Gente che, tipo il fratello e il cognato di Nisina per esempio, maneggiava milioni, girava il globo, era sempre in aereo, e quando non era in aereo era ficcata in una di quelle riunioni d'affari col tavolo ovale e quaranta persone intorno, ognuno con microfono davanti, bicchier d'acqua e bloc-notes; o collegata in conference call con qualche altro tavolo ovale di qualche altra parte del pianeta. Insomma, gente che l'inglese figurarsi come lo sapeva... E adesso questa loro parente mal cresciuta di mezza età veniva a sbandierargli che aveva imparato l'inglese...! E che nelle canzoni c'erano anche le parole...! E che volevano dire addirittura qualcosa...! Ma via! Ma per piacere! Ma come si fa a sopportare? Sí, d'accordo, si sopporta anche. Però commuoversi proprio no.

E poi c'era Gheri, che aveva tenuto il muso tutta la sera.

Un muso imperscrutabile e imperforabile: un muso-muro, una muraglia cinese di pietroni fitti senza un buco, un varco, una crepa, una fessura. Niente. Contratta sulla sedia peggio di un merluzzo essiccato, Gheri non aveva proferito mezza sillaba, non aveva mosso mezzo muscolo facciale. In compenso, proprio mentre la zia canterina si esibiva, s'era alzata da tavola di botto, senza chiedere permesso. Ed era tornata poi ancora piú intrufagnita, se possibile, piú scura, intorbidata, aggrovigliata.

I suoi avevano passato la sera a osservare con mal trattenuta stizza il muso che teneva. Altro che godersi la cena, la bavarese e i canti di zia Giu! Gli era andato per traverso tutto il cibo. Avessero potuto, l'avrebbero fatta in briciole quella loro figlia, che era cosí da quando era nata: musona, indispettita, critica, scettica, cinica. Che brutto carattere. Sempre sversa col mondo intero. Sempre a criticare. Ma rovinare l'aria della cena di famiglia... In macchina, tornando a casa, gliene avrebbero dette quattro.

Gheri, dal canto suo, non ne poteva piú. Aveva questo groppo del fratello che invece di essere in America era in Inghilterra, e che invece di fare l'economista s'era messo a fare il pastore, o cosa? Non era un groppo da poco. E non poteva certo tenerselo, doveva sputare il rospo il prima possibile. Ma quando? Quando sarebbe mai finita quella cena? Ci mancava solo la zia che cantava in inglese... Basta, doveva alzarsi da tavola e riprovare a chiamare Fil. Ma niente, dava sempre irraggiungibile. E allora certo che aveva il muso. Non è che lo faceva: lo aveva e basta.

Le occhiatacce, poi. Le occhiatacce che sua madre e suo padre le mandavano... Da un angolo all'altro della tavola. Due incrociatori che la prendevano a cannonate. Sempre in guerra, niente da fare. Con gli occhi. Lanciafiamme. E non sapevano niente...

Finita la cena, in macchina, tutti e tre silenziosi. Guido Cantirami al volante, nella notte ancora umida di pioggia, i semafori non piú in funzione, il giallo lampeggiante a intermittenza. Sua moglie Nisina accanto, Gheri sul sedile dietro.

– Si può sapere cosa avevi?

Silenzio.

– Non hai detto una parola.

Silenzio.

– Non ti sei degnata di dire una parola.

Silenzio.

– Per tutta la sera. Dico tutta.

– Ma Guido, ti stupisci ancora? – interviene Nisina.

– Non sai com'è fatta? Lei è cosí, degli altri se ne fa due baffi. C'è una cena di famiglia? E allora? Mica è tenuta a parlare, a intrattenere rapporti...

– Non va bene cosí, Margherita, – dice Guido.

– Niente, è come se non le avessimo insegnato niente, – riprende Nisina, che a una cosa teneva in particolare nella vita: alla forma. – Una zulú. Una completa zulú.

– E poi alzarti da tavola... credi che non l'abbiamo notato? L'hanno notato tutti. Mentre cantava tua zia, dài! D'accordo che era discutibile. Ma lo sai com'è la zia, no? Lo sappiamo, stiamo zitti, no?

– Guido però, anche tu! Lo sai che Gheri non la sopporta. Tutto quello che fa la irrita. È sempre stato cosí. Tua sorella irrita nostra figlia, punto.

– Lo so, Nisina. Irrita anche me, se è per questo. Ma dobbiamo accettarla per quel che è. In fondo fa male a qualcuno? No. E allora basta!

– Cami è a Oxford.

Finalmente Gheri ha parlato. Ha emesso un suono. Il suono: «Cami è a Oxford», addirittura quattro parole. Gheri si è degnata d'intervenire, interferire, interrompere: insomma parlare!

– Cami?

– E cosa c'entra adesso Cami?

Cosa c'entra Cami non è facilissimo da spiegare a quei due genitori imbufaliti. Ma Gheri ci prova.

– Cami è a Oxford.

– L'hai già detto, Gheri. La domanda è cosa c'entra Cami.

– Cami è a Oxford e Filippo è a Oxford.

Punto.

– Cosa c'entra Filippo adesso? – dice il padre.

– Ma non era a Stanford? – dice la madre.

– Chi, Cami?

– No, Filippo...

– Sí, Filippo era a Stanford...

– Be', ovunque sia, salutacelo tanto, – dice la madre a Gheri, cercando di stare calma, dicendo mentalmente a se stessa che non c'è problema, se suo figlio è a Oxford ci sarà ben una ragione, si tratta solo di capire meglio. – L'hai sentito oggi?

– Ho sentito Cami.

Ah già, Cami.

– Ok. Che dice Cami?

– Dice che Fil è a Oxford.

– Questo l'abbiamo capito, Gheri. Spiega, vai avanti! Cosa stai dicendo? – scalpita il padre.

– Ma come a Oxford? Cosa fa di bello Fil a Oxford? – chiede ancora la madre.

– Ha appena tenuto una conferenza in un college.

– Che bravo! Ma Guido, com'è che non lo sapevamo? Avremmo potuto andare a...

– Mamma. Filippo s'è portato dietro un gregge, in quel college, a Oxford.

– Cosa s'è portato?

– Un gregge.

– In che senso un gregge? Ha portato i suoi amici?

– Pecore, mamma. Un gregge è un gregge di pecore. Centinaia di pecore... Un enorme, gigantesco gregge di pecore.

– In che senso pecore?

– Pecore nel senso di pecore, mamma. Hai presente quegli animali lanosi che fanno beeee?

Quando poco prima, al momento del dolce, Giuliana aveva annunciato ai familiari d'aver imparato l'inglese, tutti, nel segreto del proprio animo, avevano pensato che lo aveva imparato per andare a trovare l'amato nipote Filippo, che da anni aveva lasciato l'Italia, era stato a Londra per un po' e adesso studiava a Stanford.

Il fatto è che si trattava di un amore un po' speciale. Un amore fortissimo tra zia e nipote, perfettamente reciproco.

Per Filippo, lei non era Giuliana Cantirami sorella di suo padre; non era Nana, era la zia Giu, anzi, Giagiú.

Quando Giagiú arrivava, il piccolo Filippo, qualsiasi cosa stesse facendo, smetteva di farla e correva da lei con urletti di pura gioia. Giuliana, addirittura, saltava ogni convenevole, non salutava neanche il fratello o la cognata e andava dritta in camera di Fil, a giocare. Ogni volta gli portava un camioncino nuovo. Filippo collezionava camioncini mignon, li teneva tutti in fila sulla mensola sopra il letto. Immobili, in attesa. Perché quando arrivava Giagiú si animavano, cozzavano, si ribaltavano, facevano piroette bellissime.

Il problema era solo che a un certo punto la zia doveva andarsene. Per quanto a lungo si fermasse, arrivava sempre il momento in cui doveva andar via, e per Fil si trattava di un fatto tragico del tutto incomprensibile. Quindi, nella fallace speranza che la tragedia non si compisse, Fil usava chiederle di far andare piano i camioncini. Piano, *molto* piano. Cosí la zia s'impegnava *moltissimo* in quell'impresa impossibile, di far andare piano un camioncino lanciato a tutta velocità contro un altro.

Quando nacque Margherita, nulla cambiò. Zia Giu rimaneva a giocare sul tappeto con lui, e riservava alla nuova nata solo qualche carezza distratta.

Era il preferito, lui lo sapeva benissimo, non c'era bisogno di tante parole. E crescere con questa certezza gli aveva dato qualcosa d'impagabile nella vita, che ben pochi ricevono: la fiducia che, comunque andassero le cose, per quanto il mondo fosse vasto e complicato, c'era una persona, foss'anche quella sola, che tra tutti i milioni e milioni di esseri umani, senza condizioni né ricatti, lo amava piú di tutti, lo anteponeva a qualsiasi altro. Che meraviglia.

«Fil, mio piccolo Fil... – gli diceva zia Giu cantilenando quando entrava in camera a giocare per terra. – Tu sei un Fil di seta, mio esile Fil!»

Fil di seta, Fil di lana, Fil di luce, Fil di campo, Fil di

mare… In tutti i modi possibili lo chiamava quella zia che, avesse mai dovuto spiegare perché lo amava cosí tanto, non avrebbe saputo trovare nemmeno mezza parola.

Ma ci sono forse ragioni oggettive per preferire, nell'amore, qualcuno? No. E quanto alle ragioni soggettive, è molto difficile parlarne perché non si conoscono mai davvero bene. Ad esempio, sarebbe facile pensare che per zia Giu Fil fosse un po' il figlio che non aveva mai avuto. Facile, ma non esatto. C'era qualcosa di piú sottile, di meno ovvio, che, appunto, restava inconoscibile. Affinità, particolari sintonie… Chiamiamole come ci pare, restano comunque imperscrutabili cause che non potranno esser mai chiarite.

Fil di grano, Fil di sole, Fil di fiori… E Fil rideva, rideva a crepapelle con quella zia distesa sul tappeto a ricamare parole.

– Bisognerebbe avvertire zia Giu… – disse Gheri.

– Di cosa?

– Che Fil non è a Stanford.

– E perché?

– Perché lei sta andando a Stanford, no?

– Sí, ma non mi sembra il caso, – disse il padre, perentorio.

– Come sarebbe che non ti sembra il caso, papà?

– Sappiamo tutti com'è Nana, le fa piacere andare, ha preso i biglietti da un sacco di tempo, ha perfino studiato l'inglese… Lasciamo che ci vada, si fa un bel viaggio, si distrae… Va bene cosí, va bene cosí.

Capitolo secondo

Primi tormenti

Ognuno ha il suo modo di non dormire, la notte, il suo stile, le sue tecniche di insonnia. C'è chi accetta il fallimento e si fa arrendevole, prende quel tempo notturno come qualcosa in piú, da sfruttare al meglio, e allora si alza, gironzola, ascolta musica, si fa un bicchiere di latte e zucchero, legge qualcosa. E c'è chi si ribella, non ammette, non concepisce che possa capitare a lui, è ostile, sbuffa, sbraita, finge di dormire, strizza gli occhi perché il sonno arrivi, si sforza di non pensarci e ci pensa sempre di piú, finendo per restare a letto teso come una corda di violino.

Quella notte i coniugi Cantirami avevano un'ottima ragione per non dormire, e infatti entrambi non chiusero occhio. Rimasero insonni, ognuno a suo modo.

Guido passò le ore a fissare un punto buio sul soffitto, sempre quello. Immobile, per tutta la notte non mosse un solo arto sotto le lenzuola. Non si chiedeva cosa fosse capitato a suo figlio, non ci provava neanche a capire un fatto tanto incomprensibile. Era attraversato da ben altri pensieri: stava preparando un piano per l'indomani, si chiedeva cosa fare di operativo, quali mosse compiere. Quali telefonate fare per prime, a chi, e chiedendo cosa esattamente. Non voleva commettere errori, dire troppo. Ma non poteva nemmeno stare sulle generali, o aspettare che altri scoprissero una verità che aveva tutta l'aria di rivelarsi poco digeribile per lui, per l'avvocato Cantirami, del prestigioso studio Fanti & Cantirami. Sí, c'era anche una notorietà da difendere, una fama da tutelare, sua e dei

suoi soci. E se poi, a causa del figlio scriteriato, i clienti
avessero cominciato a diminuire? Avrebbero dato la colpa
a lui, in quanto padre? Ma no. Perché si sarebbe dovuta
venire a sapere una cosa tanto... tanto... innocua, e stupida? Una bravata. Una sciocchezza da ragazzi, di quelle
fatte per essere raccontate vent'anni dopo, tra amici, una
sera di memorie liete. Sí, ma Fanti... Lo preoccupava soprattutto lui, il socio fondatore, l'amico di un tempo che
un giorno, erano ancora cosí giovani, davanti a una birra nel solito scantinato gli aveva detto: dài, mettiamo su
uno studio insieme. Poi l'aveva messo su lui, lo studio, e
per anni aveva fatto soldi da solo. Ma a un certo punto
gliel'aveva ridetto, quella volta sul serio: diventa mio socio. Era una buona proposta, visto che lo studio Fanti era
uno dei migliori della città. Anche per Corrado Fanti però
era un ottimo affare, dal momento che lui, Guido Cantirami, era uno dei piú bravi penalisti sulla piazza. Avrebbero fatto tutti carte false per averlo come socio. Insomma,
aveva accettato. Adesso erano il top, venti collaboratori,
quattro segretarie, una sede di lusso in un attico del centro, con il giardino pensile. E forse prima o poi sarebbe
riuscito ad anteporre il suo, di nome, al nome dell'amico e
socio. Sí, covava quel sogno come si cova un uovo: sognava che lo studio diventasse, un giorno, Cantirami & Fanti.
E questa storia delle pecore... Un figlio che si porta dietro un gregge! Ma cosa voleva dire? Possibile che fosse
vero? Chi era poi questa Cami? Dovevano credere a una
ragazzina solo perché era stata la fidanzata di suo figlio?
E se si fosse inventata tutto? Sí, si era di sicuro inventata tutto. Una visionaria. Una matta. E loro ci erano cascati come pere. Appena arrivato in studio avrebbe fatto
lui un paio di telefonate giuste, per sapere come stavano
realmente le cose.

Nisina invece non ci provò neanche a coricarsi. Non
riusciva a star ferma. S'era tolta le scarpe e andava avanti e indietro a piedi scalzi, telefonando. Cioè provando a

chiamare suo figlio. Quarantadue tentativi. Tutti a vuoto.
Lo avesse avuto vicino, gli avrebbe spaccato la testa a quel
figlio che staccava il telefono. Quante volte l'aveva fatto in
tutti quegli anni! E lei sempre brava a sopportare. Pazienza,
si diceva, avrà da fare, studia tanto, poverino, lasciamolo
in pace. Altro che in pace! Avrebbe dovuto cercarlo sempre, tutti i giorni, a costo di dargli fastidio. Eh, ma lei no!
Lei aveva paura di fare la madre ansiosa, il genitore invadente… E cosí ora come lo rintracciava? A chi chiedeva?
Chi poteva chiamare? A quell'ora di notte, poi… Domani. Domani ci avrebbe pensato. Adesso meglio andare un
po' a dormire, riposarsi. C'era tutto il tempo. Lo avrebbe
sentito domani. Di notte ovvio che era staccato. Anche
se… in America non era giorno? Non ci capiva mai niente
con quelle ore sfasate. Sí, certo che in America era giorno.
E allora perché non rispondeva? Ah, certo, non rispondeva perché non era in America. Era a… era a… Dov'è che
era? Oxford? Oxford! Ma perché mai a Oxford? Proprio
vero che la notte è nera. Porta solo pensieri neri, foschi.
Una valanga. Perché mai? E se fosse tutto falso? Capace
che non è vero niente, che s'è inventata tutto Gheri. Per
invidia. No, non invidia. Competizione, ecco. Un po' lo
patisce, quel suo fratello bravo, amato, simpatico, un ragazzo d'oro… Anche lei d'oro, per carità! Ma meno. Cosí
forse ha voluto vendicarsi e ha pensato a questa cosa delle
pecore. Domani le avrebbe parlato con calma. L'avrebbe
presa da parte, con le buone. Magari si facevano un panino in centro, due passi, un po' di shopping, una bella
chiacchierata. Ma sí! Figurarsi se Fil si traina un gregge
di pecore! Lui che odia gli animali! Cioè, non che arrivi a
odiarli, ma insomma, non si può certo dire abbia uno spirito campestre! Pastorale. Pastorizio. Come diavolo si dice? Fil con le pecore, ma per piacere! Che quando gli si
avvicina un cane storce il naso e lo accarezza proprio solo se deve e poi corre subito a lavarsi le mani. Schizzino-
so com'è, mettersi centinaia di pecore in casa! In casa…

quale casa, poi? Dove? Dove diavolo è suo figlio adesso, si può sapere? Aiuto! Dov'è finito Fil? Dov'è mio figlio?

Il mattino dopo Marisa, che non sapeva niente, arrivò alle otto. Puntuale. Aprí casa, si mise il grembiule e cominciò a spazzare la cucina. Poi andò di là a rifare i letti, e trovò i Cantirami ancora lí. Coricati sotto le coperte, al buio.

Certo che erano ancora a letto: avevano cercato di addormentarsi sino all'ultimo e alla fine, verso le sei, c'erano riusciti. Ma come dirglielo a Marisa? E poi, perché mai dirglielo? E dirle cosa, che non hanno chiuso occhio perché pare che il loro figlio porti a spasso centinaia di pecore in Inghilterra?

Si alzarono, prima lui poi lei.

Nisina tirò su le tapparelle. Mattino pieno. Il sole. Bene, la pioggia era finita finalmente.

Sarà stata la luce, chissà. Di notte ognuno aveva cercato, con le proprie ragioni, di negare. Di non credere a una cosa tanto incredibile. Facile, persino ovvio che uno non ci potesse credere. Ma adesso che era mattino si resero conto che la cosa era vera. Tutti e due se ne resero conto. Cioè, lo sapevano. Lo sapevano dentro di sé, ognuno a suo modo. Non se lo dicevano, ma lo sapevano. Sarà stata la luce. La luce del mattino rivela le cose per quel che sono, non c'è scampo. Non concede piú alla nostra mente di cullarsi nelle dolci ombre dell'inverosimile notturno. La luce, inutile dirlo, fa luce.

Si ritrovarono in cucina dopo un quarto d'ora, ognuno a farsi la sua tazza di cereali, lui quelli di crusca, lei di riso con i pezzetti di frutti rossi essiccati che sembrano di carta tanto son leggeri, inconsistenti.

– Marisa, ordini lei la spesa. Non mi chieda. Non dica niente. Patate, melanzane, capretto, ananas, ossibuchi… Quello che le pare. Faccia lei. Va tutto bene. Buona giornata.

41

Gheri dormiva. Certo che dormiva, lei. Che pensieri aveva? Suo fratello va a spasso con le pecore e lei dorme. Svegliarla? E per dirle cosa?

Finirono i rispettivi cereali e uscirono con le loro cartelle. Senza dirsi un bel niente. Tanto sapevano come sarebbe stata la giornata l'uno dell'altra, quale inferno.

– Ci vediamo a cena.

– Sí. Compra del vino.

– Quale?

– Fai tu.

Nisina non andò in ufficio quel mattino, non ci pensò neanche. Prese l'agenda, guardò i suoi impegni e li annullò tutti. A cominciare dalla signora Passerenti, con cui aveva un appuntamento alle dieci in cantiere per decidere il colore delle tende. La chiamò subito e le disse che proprio non poteva. La signora Passerenti si stizzí parecchio: come avrebbe fatto adesso?

– Signora, guardi che la sua casa è ancora in costruzione, devono ancora dare l'intonaco e fissare le imposte, direi che abbiamo tutto il tempo...

– Sí, ma lei sa benissimo che bisogna ordinare la stoffa, e prima che arrivi e poi la confezione, e tra una storia e l'altra andiamo alle calende greche! Al negozio m'han già detto che magari aspetto un mese...

Ecco, aspetti un mese, signora, che problema c'è? Vedrà che non casca il mondo se lei rimane senza tende qualche giorno, i problemi sono altri, sapesse i miei... Vorrebbe dirle cosí, Nisina Rocchi Cantirami, ma deve tacere. È il suo lavoro. Arredatrice d'interni. Negli anni ha messo su una bella clientela, mica può rovinarsela per le sue preoccupazioni.

Va detto che erano tempi di magra, quelli, ci mancava solo che ci si mettesse a trattar male gli unici sparuti clienti che restavano: nessuno spendeva piú una lira per l'arredamento, al massimo si faceva una puntatina in un posto bizzarro e divertente molto di moda in quel periodo, che si chiamava Ikea, una specie di ipermercato svedese dove con pochi soldi si riusciva a rinnovare un angolo di casa, comprando anche solo un cuscino o uno scolapiatti verde pisello; e si poteva pure far pranzo, tra un acquisto e l'altro, un rapido economico ma sostanzioso pranzetto self-service, ci si portava i bambini apposta la domenica, soprattutto per il piatto di polpettine di cervo e patate bollite, polpettine che, veramente, erano di carne normale, ma potevano benissimo essere di cervo, perché no?, cervo che si portava dietro l'immagine di nevi e foreste e laghi gelati, il tutto condito con una salsa rossa che aveva dentro qualcosa come dei mirtilli mai diventati neri, ma in compenso ben caramellati, che forse non erano per niente mirtilli ma riuscivano a conferire al piatto un aspetto decisamente scandinavo. Una vera lussuria nordica, nell'insieme, andare all'Ikea; uno ne usciva corroborato nella sua europeità, se cosí si poteva dire. Ecco, in quel periodo di crisi la gente andava all'Ikea, se proprio voleva spendere soldi per la casa. Ma chiamare l'architetto d'interni o l'arredatrice proprio no, non veniva in mente quasi piú a nessuno. Nisina Rocchi pensava perciò che bisognasse spremere a tutti i costi gli unici scarni limoni che si avevano per le mani, e tenerseli molto cari. Quindi cercò di calmare la signora delle tende:

– Signora Passerenti, la richiamo presto, prestissimo, abbia pazienza e mi scusi ancora tanto… – le disse al cellulare.

E si acquattò in un portone, al riparo dai rumori, a ritelefonare a Fil, forsennatamente, una chiamata dopo l'altra. Faceva il numero. Niente. Rifaceva il numero. Niente. Allora provava con i messaggi. Digitava, inviava. Aspettava. Niente. Scrisse anche una mail. Aprí Skype (un vecchio sistema di videotelefonate). Inutile. Tutto taceva. Sull'icona di Skype le venne da piangere. Guardava quella sagomina vuota, quel microscopico mezzobusto grigio che non diventava mai verde, mai! Suo figlio Fil non c'era. Non

era in linea. Lo sarebbe mai piú stato, in linea? Nisina ebbe un attacco di panico: e se non lo avesse piú ritrovato?

Si chiese perché ci affidiamo cosí tanto ai telefonini,
alle mail, a tutte quelle diavolerie elettroniche, perché dia-
mo loro in pasto cosí totalmente le nostre vite. Perché non
gli aveva chiesto un numero fisso, a suo figlio, quand'era
partito per l'America, un altro recapito, un qualcosa, un
qualcuno, un accidenti dove adesso poter chiamare? Niente, non lo aveva fatto. Lei, madre premurosa, non lo aveva
fatto. Tanto ha il suo telefonino, ha la mail, lo pesco quando voglio. Cosí aveva pensato. La rete, il digitale, il wire-
less! Meglio i tamburi, piuttosto, o i piccioni viaggiatori...

Si sentí disarmata e vuota. Senza mezzi per comunicare.
Come se le avessero tolto la voce. O meglio, gliela avevano
lasciata, la voce, ma inutile: di là, ad ascoltarla, non c'era
nessuno. Allora sentí il bisogno di parlare comunque con
qualcuno. Qualcuno di vicino, anzi qualcuno che recentemente fosse stato vicino a suo figlio.

Le venne in mente la sua ex fidanzata. Quella Cami che
il giorno prima aveva mandato a Gheri il famigerato sms
da cui era cominciato tutto.

Sí, avrebbe chiamato Cami. E magari anche i suoi genitori, visto che Filippo, ai tempi del fidanzamento, andava spesso da loro a pranzo o a cena. Anche dopo la rottura aveva continuato ad andarci, magari solo una volta o
due all'anno, ma ci andava, e lei trovava molto bello che
lo facesse.

– Pronto, Cami? Sono la mamma di Filippo.

Era gentile, Cami. Un po' stupita, giustamente, ma gentile, mentre le raccontava per bene quel che aveva visto.
Alla fine ebbe pietà, le disse:

– Non si deve preoccupare, signora. Fil mi sembrava a
posto, sereno. Stava bene, ecco. Addirittura m'è sembrato un po' ingrassato...

– Ma cosa vi siete detti, Cami?

– Niente. L'ho salutato da lontano. Ma lui non mi ha

44

neanche vista. Ero andata cosí, avevo letto che lui c'era, mi sembrava carino fare un salto, ma niente di che.

– Ma come niente di che? Adesso non potresti chiedergli per favore che cosa...

– Ma signora, io adesso sono in Francia!

– Ah, non sei piú lí...

– No...

Cami non era piú a Oxford. L'unico contatto possibile era sfumato. Le chiese se sapeva per caso dove abitasse Fil, o se glielo poteva chiedere. No, non sapeva proprio dove abitasse. E avrebbe preferito non chiederglielo, per non sembrare cosí invadente...

– Non trova, signora? Comunque, non si preoccupi, ogni tanto ci si sente per sms.

Già, per sms. In effetti si erano lasciati quanti anni fa, tre, quattro, sei? E adesso certo che si sentivano per sms, Cami e Fil. Ma lei? Lei come si sentiva con suo figlio?

Telefonò ai genitori di Cami. Non c'entravano niente. Lo fece in modo impulsivo. Caddero un po' dalle nuvole, poverini, ma la invitarono a cena quella sera stessa. Cos'altro fare? Erano stati cosí contenti al tempo del fidanzamento, avevano fatto una cosí bella festa, nel loro casale di campagna. Una cosa che non si usava piú, una festa di fidanzamento. Con tanto di scambio di anelli. Cioè. Lui aveva regalato l'anello a lei. E lei i gemelli a lui. A proposito, dov'erano finiti? Non glieli aveva mai visti addosso, quei gemelli, a Fil.

Sembrava una vita fa.

Va bene, accettò di andare a cena dai Bardi Saraceni. Avrebbe cercato di capire qualcosa in piú di suo figlio, chissà. Aveva frequentato tanto la loro casa... Magari le davano qualche notizia, anche solo un punto di vista diverso.

Riprese a camminare. Non voleva andare in nessun posto, solo camminare a vuoto. Voleva distruggersi di fatica, e infatti la schiena iniziava a farle male. Aveva male dappertutto, ma soprattutto all'anima.

Chiamò Gelsa. Inutile fare i duri, sentiva di non farcela. La sua amica Gelsa. L'unica veramente amica. In casi come questi ci si accorge che di amici veri ne abbiamo sempre solo uno. Un solo nome che ci affiora. Quel che chiamiamo in genere l'amico del cuore. Banale, sí. Ma comunque è a lui che ci affidiamo.

Non le venne in mente, per esempio, di chiamare il fratello: troppo occupato con gli affari, con il golf. Nemmeno la sorella Carletta, tanto buona e cara, ma sempre piantata in quel suo studio a cavar denti. Bastava vedere come aveva allevato le due figlie, che adesso, in quell'ingrata e insopportabile età intorno ai vent'anni, non erano neanche avvicinabili tanto erano odiose e piene di sé. Le sentiva lontane come la Patagonia.

Gelsa rispose subito. Nisina le raccontò ogni cosa, perdendosi in mille particolari.

– Non lo so, Gelsa, è un figlio che non trovo. Lo cerco, lo cerco, ma lui non c'è. Non è dove dovrebbe essere, e non solo da ieri. È come se… è come se si fosse reso introvabile… introvabile, mi capisci? Oppure io che sono sua madre non sono capace di cercarlo, mettiamola cosí, non so… Io ho un figlio introvabile… Io sono una madre incapace…

Anche Gelsa era per strada. Con tutti i rumori del traffico, non aveva inteso bene la faccenda, non capiva per esempio cosa c'entrassero le pecore e perché la sua amica non poteva cercarlo a Oxford, suo figlio, dove probabilmente era, dato che lo avevano visto lí. Ma non chiese altri dettagli, la sentiva disperata, meglio vederla di persona. Le diede appuntamento a pranzo, si sarebbero parlate con calma.

– Siamo tutti introvabili, Nisina, – le disse intanto, salendo su un autobus pieno di gente, cosa che non le impedí di snocciolarle al telefono qualche barlume di filosofia. Lí, su due piedi, tanto per tirarla un minimo su. – Tutti noi, – le disse, – tutti noi. Se ci pensi bene, passiamo tutti un numero piú o meno enorme di anni qua sulla Terra e nessuno ci trova mai. La cosa buffa, e tragica, è che non ci siamo mai nascosti. Il fatto è che nessuno cerca, e sai perché? Perché tutti pensano di sapere già tutto, ecco qual è il guaio. E invece nessuno sa niente di nessuno. Nisi, ci vediamo all'una e un quarto da me, ciao.

Per l'avvocato Cantirami l'unica cosa certa era il Balliol College. Da lí bisognava partire.

Che la ragazza, quella Cami, si fosse inventata tutto, adesso che era mattino, alla luce del giorno, non gli sembrava piú possibile. Uno non se le inventa certe cose.

Quindi quel maledetto college di Oxford era l'unico dato sicuro, l'unico fatto, l'unico indizio di un avvenuto passaggio: Fil era passato di lí. Con un gregge sterminato di pecore. Da quel punto bisognava cominciare.

E da quel punto l'avvocato Cantirami, che era un uomo concreto, cominciò. Telefonò al Balliol College.

Ma prima dovette sbrigare alcune ineludibili incombenze.

Per esempio i fiori. Tra le dodici cose importanti in agenda per quel giorno novembrino c'era: mandare i fiori alla moglie dell'ingegner De Sfera, familiarmente detto, in studio, Nosferatu. E quella cosa non poteva per niente al mondo dimenticare di farla, era in gioco una certa carica istituzionale... una certa poltrona molto appetibile, duecentomila euro l'anno e forse piú, se andava bene, se l'ingegner De Sfera metteva o non metteva una parolina... Entrò quindi in studio alle nove e mezza del mattino e fu la prima cosa che disse alla segretaria:

– Bisogna mandare i fiori alla moglie di Nosferatu.

E la segretaria, la signorina Elettrica, immobile come una statua:

– Già fatto, avvocato. Già fatto, non si preoccupi. Avvocato, non deve preoccuparsi.

L'avvocato Cantirami quel mattino si preoccupava eccome. Non certo per i fiori, ovviamente; come sappiamo, si preoccupava per il figlio. Ma spesso è piú facile trasferire le nostre preoccupazioni su oggetti di passaggio. Dai figli alle pecore, dalle pecore ai fiori. Quindi ripeté una seconda volta a Elettrica di farlo presto, prestissimo, subito.

– Li ho già mandati, avvocato, li ho già mandati, – rispose quella gentile, esile fanciulla appena assunta e già cosí, per natura, tanto diligente e ossequiente, dritta come un filo a piombo su quella sua sedia ergonomica che s'era portata da casa il secondo giorno di lavoro, dicendo che non poteva far senza: otto ore immobile, pausa caffè e pranzo a parte, doveva tenere la schiena eretta, i gomiti a novanta gradi quasi adagiati sulla tastiera per non arcuare le spalle, l'occhio in linea perfetta col video onde non forzare i muscoli del collo, secondo i precetti per una corretta postura.

La signorina Elettrica si chiamava in realtà Eleonora Triché, da cui il corto circuito mentale. Era il vezzo dell'avvocato cambiare i nomi alle persone, il suo gioco, l'unica follia che si concedeva. «Buongiorno, signorina Elettrica...» la salutava ogni mattina, compiacendosi del suo umorismo. Aveva cambiato il nome anche a sua moglie che da Annalisa era diventata, Dio solo sa come, Nisina. A sua figlia Margherita che tutti ormai chiamavano Gheri, e anche alla migliore amica della moglie, Gelsomina Cherubini, detta Gelsa. Era il suo gioco, e la cosa sorprendente era che tutte le persone intorno a lui, poi, lo giocavano, adottando pari pari quei nomignoli. Per il resto, nella sua vita, nessun altro guizzo di una qualche eccentricità: l'avvocato Cantirami vestiva completi grigioferro con scarpe allacciate nere, chiari impermeabili di gabardine in primavera e autunno, e cappotti blu di cachemire in pieno inverno.

– Può sembrare una sciocchezza, ma i fiori alla signora sono indispensabili, – le disse ancora, per chiarire ciò che era già perfettamente chiaro.

– Non si preoccupi, avvocato, capisco.

Bene, i fiori erano sistemati. Passò quindi a preoccuparsi della riunione delle undici perché non poteva in alcun modo saltarla. La preparò nei minimi dettagli ed entrò in sala alle 11,03 in punto, con mezzo metro di cartelle sotto il braccio. Fanti lo aspettava al varco. Era una causa difficile il caso Beltramini, e toccava a lui fare la parte del leone. Nessun problema, preparava l'arringa da mesi. Si trattava solo di prendere gli ultimi accordi con i colleghi. Era nervoso e distratto, ma fu molto bravo a dissimulare, e Fanti non si accorse di nulla.

Quando si liberò, era ora di pranzo. Disse che non aveva fame, lasciò che Fanti andasse al solito ristorantino con i giovani dello studio e le segretarie. Finalmente solo, chiuse la porta, si distese sulla poltrona, guardò il soffitto. Poi prese il telefono.

Primo problema: al Balliol College non conosceva nessuno. Chiamò il suo amico De Coltris, che insegnava alla Cattolica e conosceva mezzo mondo. Grazie al suo aiuto, si mise in contatto con il direttore di dipartimento. Gli chiese se per caso il giorno prima avessero... sí, se avessero avuto problemi con certe pecore. Era imbarazzante, ma tanto valeva andare subito al cuore della faccenda. Si permise solo una piccola innocente omissione: non disse di essere il padre di uno dei due relatori, si finse un funzionario di un ente preposto al censimento dei laureati all'estero.

– Oh sí! È stata una cosa alquanto... come dire, disagevole? imponderabile?... Sí, certo, sono state qui tante pecore, centinaia di pecore... Oh sí! Abbiamo ancora i segni del loro passaggio, se desidera possiamo accompagnarla a vedere, come dire, cacche per terra, ciuffi di lana...

– Grazie, molto gentile, ma non mi trovo dalle vostre parti. Può invece farmi il favore di dirmi il nome dei relatori coinvolti? – chiese, tagliando corto.

Non fu immediato. Il direttore dovette fare qualche ricerca e richiamarlo. Jeremy Piccoli e Filippo Cantirami, questi erano i relatori. Con pecore al seguito.

Bene, aveva fatto centro. Ora aveva la certezza che si trattasse proprio di suo figlio, e che le pecore le aveva portate per davvero. Perfetto.

Perfetto?

Chiese di poter avere l'indirizzo dei due relatori. Gli sembrava la cosa piú naturale del mondo che l'università che invita qualcuno a tenere una conferenza possegga i suoi dati anagrafici. Ma si sentí rispondere – sempre con infinita cortesia – che erano spiacenti: avevano l'indirizzo solo di uno dei due, il Piccoli, perché il Cantirami non lo avevano invitato loro.

– Va bene, mi dia l'indirizzo del Piccoli.

– Haltor Hotel, 29 Crossman Road.

– Ma come un hotel?

– È dove lo abbiamo alloggiato, sir.

– Ma io dicevo l'indirizzo di casa!

No, per quello avrebbe dovuto attendere qualche giorno, non c'era il responsabile e lui non sapeva dove mettere le mani. Anche sul Cantirami stavano prendendo informazioni, che stesse pure tranquillo perché era nel loro interesse adesso rintracciare chi aveva causato quel certo, come dire?, pecorale, pecoraceo? scompiglio. Avrebbero fatto delle ricerche e gli avrebbero quanto prima comunicato i risultati. Era probabile che la polizia, che in effetti aveva condotto l'operazione di contenimento del gregge nel traffico cittadino, avesse gli estremi del giovane pastore.

Pastore? A sentir dare del pastore a suo figlio, all'avvocato Cantirami per poco non venne un colpo. Ma non era il caso di farsi abbattere da una stupida semplice parola adesso, con tutto quello che doveva fare.

Aveva pianificato una seconda mossa ben precisa: chiamare Stanford. Ovvio: se Filippo era a Oxford, non era a Stanford. Quindi si trattava di capire come mai non fosse nel luogo dove doveva essere: a frequentare l'ultimo anno di dottorato in Economia presso l'università di Stanford.

Al professor Quinsley, la terza persona che gli passarono al telefono dopo averlo rimpallato da un ufficio all'altro, Cantirami chiese dritto sparato se poteva metterlo in contatto con suo figlio. Gli disse chi era, dove pensava si dovesse trovare, la data del suo arrivo che, se lo ricordava molto bene, era esattamente il 5 settembre del 2008.

Ma non c'era nessun Filippo Cantirami a Stanford: non risultava nei loro archivi, non era mai stato lí.

Ottimo.

Non lo avevano disturbato per tutto il pomeriggio. Aveva dato ordine a Elettrica di non passargli chiamate e di non fare entrare nessuno. Doveva lavorare al caso Beltramini, come ben sapevano. Invece aveva passato il tempo a pensare, tenendosi la testa tra le mani.

Suo figlio non era a Stanford. Non aveva mai iniziato il dottorato. Ma lo aveva almeno vinto?

A quel punto aveva chiamato Londra. La tattica giusta era fare il percorso a ritroso, ripercorrere una per una le tappe che suo figlio aveva compiuto. O meglio, le tappe che avrebbe dovuto compiere ma non era piú certo che avesse compiuto.

Era stato durante il master alla London School of Economics che Filippo aveva vinto il dottorato a Stanford. Si ricordava la sera in cui era arrivata la notizia e avevano brindato, tutti e tre in cucina – lui, sua moglie e Gheri –, a quel figlio lontano cosí bravo che vinceva un dottorato in America.

Bisognava chiamare la London School. Se il dottorato a Stanford non l'aveva mai fatto, magari anche quel meraviglioso master a Londra era inesistente.

Gli dissero che un tal Filippo Cantirami risultava iscritto da loro, a un master, nell'anno 2006. C'era l'iscrizione, le quote pagate, la registrazione degli esami sostenuti... Mancava solo il finale: l'ottenimento effettivo del master, il titolo, la votazione. Niente. Nessun master conseguito negli anni successivi. Erano spiacenti. Di piú non sapevano dirgli.

Quando uscí dallo studio, era buio. C'era quel blu scuro tipico delle giornate terse, quando scende la sera. L'avvocato Cantirami, oppresso dai pensieri, affondò gli occhi in quel colore intenso, dove, in alto, comparivano, ancora chiare, le prime stelle.

Elettrica lo chiamò in quel momento sul cellulare per dirgli che la signora De Sfera aveva ricevuto i fiori e ringraziava tantissimo. Sperava di non averlo disturbato, ma le premeva comunicarglielo subito sapendo quanto ci teneva.

– Grazie, Elettrica, molto gentile.

Prima di spegnere definitivamente il cellulare, chiamò la moglie. Le fece un breve riassunto di tutte le telefonate, le disse di non aspettarlo per cena, e che poi le avrebbe raccontato meglio. Lei rispose che andava benissimo perché stava andando a cena dai Bardi Saraceni. Lui si stupí, ma non fece commenti.

Aveva deciso di non cenare, non aveva la minima fame. Sarebbe andato un po' in giro, cosí, tanto per far qualcosa. Attraversò il ponte con passo flemmatico, guardando l'acqua del fiume ancora marrone.

Capitolo terzo
Chi è mio figlio?

A pranzo da Gelsa, quel giorno, Nisina arrivò con mezz'ora di anticipo. La trovò al tecnigrafo, china su certi fogli enormi su cui tracciava righe.

– Piove, – le disse Gelsa vedendola entrare.

– No, cosa dici? C'è un sole che spacca i sassi.

– Piove qui nel disegno, Nisi, devo fare la pioggia. Appena finisco, pranziamo.

Ecco cos'erano tutte quelle righe fitte parallele.

Tra le amicizie sue e di Guido, Gelsa era l'unica persona diversa. Gli altri appartenevano tutti, chi piú chi meno, a una stessa casta, quella dei professionisti affermati, benestanti e potenti. Gelsa Cherubini no, faceva la disegnatrice di fumetti e non era né affermata né benestante né potente.

Quel che si vedeva dal di fuori, era che Gelsa stava bene com'era. Viveva in un bell'appartamento molto luminoso, al quinto piano di un condominio vicino al fiume. Abitava lí ormai da tanti anni, da quando aveva sposato il professor Alvise Torre, insegnante di filosofia in un liceo del centro. Non avevano avuto figli e non sembravano soffrirne. Gelsa un giorno le aveva confidato, forse dieci anni prima, che i figli arrivano dove devono e, se da loro non erano arrivati, c'era di sicuro una ragione. L'idea che massimamente governava la sua vita, infatti, era quella di un equilibrio universale che ci sovrasta e che, se Dio vuole, proprio in quanto equilibrio, sa lui cosa deve fare e non fare. A noi umani non tocca altro che stare un po' a vedere, come fossimo tutti quanti alla finestra.

E alla finestra Gelsa amava stare delle ore, lí, in quel suo quinto piano sul fiume da dove – diceva lei – si dominava l'universo.

«Non hai idea delle cose che vedi da una finestra, – le diceva. – Inutile uscire di casa, Nisi. Anzi, se esci perdi la visione dall'alto, vedi molto meno, non ti conviene».

Del pranzo, naturalmente neanche l'ombra. Almeno in apparenza. Era sempre cosí da Gelsa, sembrava che non pensasse a nulla se non ai suoi disegni. Invece poi veniva fuori che aveva pensato a tutto. E anche quel giorno, di là in cucina era tutto pronto: una pasta al forno solo da riscaldare, l'insalatina con il suo corredo di salse, due fettine di prosciutto a testa, la macedonia e il crème caramel.

– Grazie, Gelsa, se non ci fossi tu.

– Adesso però mi racconti meglio.

E Nisina riversò sull'amica tutto il fondo del suo cuore, i suoi dubbi, le sue angosce, il fatto che non capiva cosa fosse successo veramente e non sapeva cosa fare.

– Davvero non riesci a parlare con Fil? Sarebbe la cosa piú semplice.

– Grazie, lo so anch'io. Ma è appunto questo il guaio: non riusciamo a metterci in contatto con nostro figlio! Non so se mi spiego.

– Ti spieghi. Lasciami pensare. Intanto ti faccio il caffè.

Sparí di là a fare il caffè e ricomparve dopo un po' con le tazzine piene sul vassoio.

– Io andrei a Oxford.

– A Oxford?

– Sí, vai a cercarlo, vai in quel diavolo di college, segui le tracce. L'unica è andare di persona a vedere con i tuoi occhi. Per capire bisogna vedere, Nisi, vedere!

Dopo il caffè, quando Nisina uscí di lí, non andò di certo a Oxford, bensí al liceo dei Santi Padri Augustini. Pensava che la sua amica avesse ragione: bisognava andare a Oxford al piú presto. Ma intanto aveva un pomeriggio libero, meglio usarlo bene. Poi col marito avrebbero deciso quando partire.

Un tarlo la rodeva sempre piú profondamente: il tarlo di non aver mai capito niente di suo figlio. Chi era veramente, quali erano i suoi pensieri, la sua visione del mondo, la sua vita. Cosa ne sapeva lei? Cosa ne sa una madre? Ci sono genitori che per natura sono piú vicini ai figli, sono piú in sintonia. E genitori che lo sono meno, o non lo sono affatto. Non vuol dire che siano cattivi genitori o che non amino i loro figli, vuol dire che sono meno affini, e quindi fanno piú fatica a capirli, e spesso non se ne rendono neanche conto, credono di conoscerli bene. Finché un giorno non accade qualcosa di cosí clamoroso che di colpo li rende coscienti della loro assoluta ignoranza. L'irruzione di un gregge di pecore, ad esempio.

Nisina adesso voleva recuperare di botto il tempo perso, in un pugno d'ore capire chi era suo figlio, fare un corso accelerato, andare indietro, fino alla primissima infanzia se necessario. Parlare con chi lo aveva conosciuto magari meglio di lei, quel suo figlio ora introvabile e perduto nel nulla. Parlare. Conoscere, ricostruire.

Per questo decise di andare al liceo che Fil aveva frequentato per cinque anni.

Ebbe fortuna. Incontrò in corridoio la Salgemmi, la vecchia professoressa di latino e greco che Fil aveva avuto al triennio. Le chiese se aveva un momento e la seguí in biblioteca. La Salgemmi si ricordava di lei, era contenta di vederla e le chiese subito di Fil.

– Fa Economia. All'estero… – Nisina cercò di mantenersi sulle generali. Ma era difficile riuscire a sapere qualcosa senza rivelare niente. – Sí, è sempre molto bravo. Però…

– Però?

– Ma niente, professoressa, s'è perso…

– Come s'è perso? Cos'è successo? Mi dica…

– Ma no, è che oggi combinazione non lo trovo al telefono... Niente, sa come siamo noi mamme... Passavo di qua e ho pensato che sarebbe stato bello rivedere qualcuno dei suoi insegnanti, cosí, anche per ringraziarli... Si ricorda di quanto Fil era contento di studiare qui, e...?

– Oh certo che mi ricordo! Filippo è uno degli allievi indimenticabili per me. Era cosí... cosí... caparbio e nello stesso tempo distratto!

Ecco, forse aveva abboccato. Ora sarebbe bastato aiutare i suoi ricordi, indirizzarle un po' la memoria.

– Ah, lei dice? Ma studiava, andava bene, era bravo...?

– Bravissimo, certo. Però, a parte i voti ottimi, vede, quel che mi piaceva di lui era la sua... come dire? indifferenza...

– Indifferenza?

– Sí, non saprei come spiegare... quella sua lontananza...

– Lontananza?

– Ma sí, ad esempio mi ricordo una volta che diedi una versione particolarmente difficile, lo feci apposta perché la classe studiava poco e volevo scuoterla. Filippo fu l'unico a prendere nove, o dieci – non ricordo. Ebbene, mi chiese di non segnargli il voto sul registro. Filippo era cosí, deciso e lontano, come le dicevo: distaccato. Un vincente a cui non importava vincere. Sembrava sempre che non gli importasse essere bravo. Non so se mi sono spiegata, non vorrei fraintendesse...

Era una brava donna, la Salgemmi. Onesta, colta. Si vedeva che viveva per gli studi, ma anche per i suoi allievi. Aveva però un'aria sempre un po' mortificata, come di una persona ai margini, che la corrente viva della vita avesse lasciato sulla sponda. Ma forse era solo quella biblioteca, con le mensole cosí piene di polvere; e quel golfino abbottonato, che si buttava sulle spalle come fosse uno scialletto. Chissà. Sta di fatto che a Nisina venne una incontenibile voglia di andar via.

– È stata molto gentile, professoressa. La ringrazio, e spero di rivederla presto...

– Sí, magari con Filippo, glielo dica di passare. E me lo saluti tanto!

Filippo era considerato un genio, in famiglia. Da sempre. O almeno dalla terza elementare, da quando per la prima volta si era distinto in modo netto negli studi, portando in classe una ricerca sulla respirazione delle mosche. Un plico di cinque pagine protocollo fitte fitte in bella grafia con relative illustrazioni a colori tratte da un libro di figurine, e una copertina in cartoncino che riproduceva, fotocopiato e incollato, un disegno astratto di Braque che con le mosche non aveva nulla a che vedere ma che secondo lui ci stava a pennello.

Aveva frequentato sempre, rigorosamente, scuole private, perlopiú cattoliche. I Cantirami non erano cattolici praticanti. Andavano di rado a messa, quasi esclusivamente a matrimoni e funerali. Nisina pregava ogni tanto, la sera, prima di addormentarsi. Si girava sul lato esterno, faceva il segno della croce e diceva: Gesú, per piacere, fa' che tutto ci vada bene, proteggi mio marito e i miei figli, grazie. E rifaceva il segno della croce, al buio, in silenzio. Poi dormiva piú o meno beata, a volte con l'aiuto di qualche goccia di Lexotan. L'avvocato Cantirami non faceva nemmeno questo. Dormiva subito e basta, senza nessun segno della croce al buio.

Ma quando si era trattato di scegliere la scuola dei loro figli, non c'erano stati dubbi: scuole cattoliche, gesuiti se possibile. Va bene essere progressisti e votare un partito democratico di centro-sinistra. Va bene che la scuola dovrebbe essere pubblica e va malissimo che lo Stato sovvenzioni le scuole private. Però ne andava del futuro dei propri figli, poche storie, non c'era posto per le idee che è bene avere, bisognava solo avere idee buone: che i ragazzi ricevessero un'istruzione come si deve.

Filippo quindi frequentò per otto anni una scuola di suore e poi venne iscritto al miglior liceo classico della città, il liceo dei Santi Padri Augustini, appunto.

E d'estate, i doverosi corsi d'inglese. Un mese a Bristol tutti gli anni, a luglio. Inglese e scuole cattoliche, cosí pensavano i Cantirami e, insieme a loro, a quei tempi, quasi tutte le famiglie altolocate della città, nonché di tutta Italia.

Facendo a piedi la strada verso casa, Nisina si ricordò di quei pomeriggi in cui portava Filippo e il suo migliore amico di allora, Enrico Tanghi, a giocare a pallacanestro in una piccola palestra del quartiere. Dovevano avere otto anni o giú di lí. Che bel periodo... Come giocava bene, Filippo... Lei non gli staccava gli occhi di dosso per tutta l'ora. Aveva un senso della squadra, una generosità verso gli altri... E poi si vedeva che la pallacanestro gli piaceva proprio. A un certo punto avevano anche pensato di farlo continuare. La mamma di Enrico, con cui erano diventate buone amiche, aveva pure insistito: «Dài, fallo rimanere in squadra, cosí vanno avanti insieme...»

Ecco! Ecco con chi poteva parlare ora, con la mamma di Enrico! Com'è che si chiamava? Corse a casa a guardare la rubrica. A, B, C, D... Sí, D. Daniela Tanghi. Perfetto! Fece il numero.

– Daniela? Ciao, sono Nisina. Non so se ti ricordi...

– Nisina, ma certo... Ma che piacere! Non sai quante volte...

– Anch'io, non sai quante volte ho detto: adesso la chiamo, adesso la chiamo, e poi sai come vanno queste cose...

– Ma sí, non dirmi... E come stai? Dimmi di voi, di...

– Di Filippo? Bene, stiamo bene, e voi?

– Sí, anche noi. Sai, Enrico è militare. Ma sí, ha preso quella strada... È stato all'ultimo anno di liceo, ha detto: mah, io provo a far domanda, vediamo come butta. E ha

58

buttato bene, l'hanno preso. Cosí ha fatto l'Accademia a Modena. Adesso è già ufficiale.

– Ah che bello! E gioca sempre a pallacanestro?

– Certo! Come no? Ti ricordi quanto gli piaceva? Il tuo Filippo invece… Enrico lo trascinava ma…

– Lo trascinava…?

– Ma sí, sai com'era Filippo… Era bravo per carità, s'impegnava… Ma certo, avesse potuto farne a meno…

Come sarebbe farne a meno? A Nisina morí la voce in gola. Si sedette e pensò a cosa dire. Doveva assolutamente farla parlare, quindi fece finta di niente:

– Ma sí, certo che mi ricordo…

– Poveretto… Non gli piaceva proprio la pallacanestro, si vedeva lontano un miglio…

Come sarebbe si vedeva lontano un miglio? Si vedeva cosa? Cosa le stava dicendo quella donna che non frequentava da anni, che non conosceva per niente suo figlio, che… S'erano viste solo per portare i figli in palestra, quand'erano piccoli, e adesso montava su certe arie di sapere tutto lei…

– Ma sai, Daniela, non era poi cosí chiaro cosa volesse fare…

– Come non era chiaro? Le madri, sempre cosí, finisce che sono le ultime a sapere. A noi lo diceva eccome che era stufo, che lo faceva solo per farvi contenti, che voi ci tenevate un sacco. Era cosí carino Filippo… Comunque, Nisina, dài, acqua passata. Ma che piacere…

– Sí… già… Ma a voi diceva cosa, esattamente?

– Ma niente, adesso non mi ricordo. Comunque le volte che li andavo a prendere io, saltava agli occhi: Filippo era sempre in panchina.

– Come in panchina?

– Ma sí! Non giocava. Chiedeva all'allenatore di non giocare. Preferiva stare in panchina. E l'allenatore lo accontentava, figurati! Volevano sempre giocare tutti, per uno che si metteva da parte, gli facevano ponti d'oro!

Quando finí la telefonata, Nisina era esausta.

Si levò le scarpe, si fece un tè.

Non trovava la forza neanche di farsi una doccia. Maledetto il momento in cui le era venuto in testa di prendere quell'impegno con i Bardi Saraceni! Adesso non aveva la minima voglia di andarsi a infilare in quella casa. Immaginava il sussiego, i rituali, la sceneggiata cui avrebbe dovuto partecipare. E lei invece con quell'idea di un figlio che da piccolo giocava a pallacanestro e odiava la pallacanestro e a sua madre non l'aveva mai detto, ma che razza di figlio era?

Intanto, come vestirsi? Optò per un vestito nero corto e un giacchino di velluto beige. Scarpe décolleté basse, di vernice nera.

Gheri non c'era. Aveva lasciato un biglietto: VADO A STUDIARE DA ELDA. FORSE DORMO LÍ. NON ASPETTATEMI.

Si mise sdraiata sul divano, a luci spente. Dieci minuti almeno di requie. Marisa non aveva chiuso le persiane, dai vetri entravano i bagliori dei fari delle auto. E i rumori del traffico, qualche stridio di ruote, un fischio, una sirena, un clacson. Le piaceva abitare in centro, nel mezzo della vita pulsante. Le pareva di essere piú viva, e ancora giovane. Le dava l'illusione di avere una vita davanti, che invece non aveva piú. I figli erano cresciuti, suo marito ancora qualche anno e sarebbe andato in pensione. Quel che avevano saputo fare, l'avevano fatto. Fine.

Chiamò Gelsa. Aveva l'anima che traboccava.

– Gelsa, a Fil non è mai piaciuta la pallacanestro! E al liceo era lontano!

– Lontano?

– Sí, lontano, Gelsa, lontano! Non si faceva registrare i voti!

– E allora? Cosa vuol dire? Ma poi, chi te l'ha detto?

Nisina le raccontò il suo pomeriggio. Gelsa le chiese se era pazza, e cosa stava facendo, se le pareva il caso di andare a parlare con tutta quella gente vent'anni dopo, cosa s'era messa in testa di fare? Il gambero? Fil era quello che era, ma soprattutto era suo figlio, lei lo sapeva benissimo che figlio aveva, e che la smettesse di andarlo a chiedere agli altri, camminando all'indietro, poi, era il colmo!

– Io non so per niente che figlio ho.

– Non è vero, Nisi, non dire cosí...

– È vero invece. E tu non hai figli, non puoi saperlo.

Quando Nisina arrivava a mettere la sua amica di fronte al fatto che non aveva figli, era il segno che si erano impantanate da qualche parte.

– Scusa, Gelsa. Volevo solo dire che non so se ti rendi conto: Filippo ha giocato per sei anni nella squadretta di pallacanestro! Sei anni! Credevo gli piacesse. Credevo andasse matto per la pallacanestro! Ti rendi conto?

– Be', d'accordo, non te l'ha detto. Ha omesso. O magari con gli anni ha cambiato idea, prima gli piaceva e poi no. A quel punto, perché dirtelo? È stato gentile, direi! Vedeva che a te faceva piacere e gentilmente...

– A me faceva piacere cosa?

– Che lui giocasse a pallacanestro.

Silenzio.

– Nisi... ti faceva piacere o no?

– Sí, mi faceva piacere. Sí, a una madre fa uno stramaledetto piacere che il figlio giochi a pallacanestro, è normale!

– D'accordo, è normale. Allora ok, va bene.

– No, non va bene un accidenti. Forse non doveva piacermi che lui giocasse a pallacanestro. Forse doveva piacermi che lui suonasse la chitarra. O facesse nuoto. O cantasse in un coro di voci bianche...

– O non facesse niente... Chi può dirlo?

– Ecco, è appunto questo: nessuno può dire niente perché nessuno sa mai niente! Lo capisci questo?

– Lo capisco, sí.

– Va bene. Adesso devo andare. Grazie, Gelsa. Ti chiamo poi.

Dopo cena, i Bardi la fecero accomodare in salotto. In uno dei loro tre salotti, quello piú grande, dove c'erano tre divani di foggia e colore diversi. Consolle, tappeti, ninnoli sparsi ovunque. Cineserie, elefanti africani in corno, argenteria varia.

Nisina fermò l'occhio sulla serie di numeri di «Abitare», ordinatamente impilati a cubo sul cristallo del tavolino piú basso. Rimase a riflettere su quanta cura mettevano tutti loro a impilar riviste nei salotti, riviste che poi in genere nessuno sfogliava ma che era cosí bello tener lí, a portata. Faceva parte dell'arte di arredare le case – lei lo sapeva bene, era il suo mestiere –, di renderle belle con un niente, confortevoli, amiche. Anche lei aveva disposto le sue belle pile in casa: almeno venti numeri di «AD» e una quindicina di «Meridiani» in bella mostra sul tavolino in mogano, tra i portacandele in cristallo e il posacenere in ceramica di Bassano. Bello. Commovente, anche. Ma come tutto ora le sembrava inutile, e insignificante, comprese le pile di riviste.

– E cosí il nostro Filippo sta facendo il dottorato... – cominciò la signora Bardi.

– Ma sí... è molto impegnato. Ci sentiamo cosí poco, in verità. Sa, questi ultimi anni...

– Capisco, ma dov'è adesso di preciso? Perché sa, noi pensavamo... Sí, non era in America? Invece la nostra Cami ci ha detto... insomma sí, la nostra Cami l'ha visto...

– A Oxford? – completò il marito.

– Ma guardi... a dire il vero, questi ragazzi...

– Ma sí, ma sí, non c'è da preoccuparsi... sono ragazzi!

Nisina cercava di dire senza dire, di glissare sui dettagli, di portare il discorso altrove. Ma non era facile: era capitata nella tana del lupo, e per colmo aveva deciso lei di capitarci. Quindi il lupo mostrava gli artigli, nella fattispecie la signora Mariapia Bardi Saraceni non si trattenne dal toccare la notizia del secolo:

– E questa storiella delle pecore? Divertente! No, sa,

quando Cami ce ne ha parlato non le volevamo credere... Pensi che ci ha chiamato apposta per raccontarcelo... Filippo! Non l'avessimo conosciuto...

Nisina non sapeva cosa dire. Doveva immaginarselo. Per fortuna il dottor Antonio Bardi Saraceni le porse un pallido sostegno:

– Ma sono ragazzate, queste, Mariapia! Neanche da parlarne.

A Nisina venne da ringraziarlo. Ma meglio astenersi. Ormai, la frittata era fatta. Continuava a chiedersi come le fosse venuto in mente d'incontrare quei due. Che cosa si poteva aspettare dai genitori della ragazza che suo figlio aveva scaricato? Ma come aveva potuto? Proprio vero che una madre disperata arriva a tutto.

E invece qualcosa di buono ne ricavò alla fine, perché la madre di Cami, che non per niente faceva la psicologa, a un certo punto si mise a parlare del suo lavoro, dei suoi pazienti, di certi giovani che hanno la psiche rovinata:

– E si capisce, – cominciò a dire, – basta guardare i genitori, come si occupano dei figli. O li lasciano allo sbando, senza una dritta, un'attenzione, o peggio ancora li massacrano di richieste, e fai questo e fai quello, e guai a uscire dai binari... Una babele, signora Cantirami, una vera babele! Non come vostro figlio. Filippo sí che sa cosa vuole! Determinato, deciso. Uno che se ne fa anche due baffi della famiglia, se decide...!

Come sarebbe se ne fa due baffi della famiglia? Cosa mi vuol dire questa psicologa del piffero? Nisina balbettò:

– Ma... a noi pare che veramente... Filippo è sempre stato... un ragazzo come si deve...

– Sí, come si deve, certo, – intervenne il padre. – Molto come si deve. Infatti, quando ha proposto a nostra figlia di andare a vivere in Australia, io ero ben d'accordo, solo che poi...

– Ha proposto cosa, mi scusi? – chiese Nisina, non trattenendosi.

– L'Australia. Non mi dica che non sapeva… No, perché sarebbe il colmo, era un progetto con tutti i crismi, con tanto di programmi dettagliati, prenotazioni… Avevano già anche affittato casa, mi pare, non è vero, Mariapia? Ma lei, signora Cantirami…

– Sí sí, sapevo, certo… Sapevamo eccome, mio marito ed io…

– Ecco, vede, io la trovavo un'ottima idea. Non so poi perché sia andato tutto a monte. Fatti loro. Ma si sa, i giovani sono cosí volubili, cosí incostanti… Vero, Mariapia? Ecco, se posso permettermi una critica al nostro caro Fil, ecco, forse è un po' troppo… un po' troppo… ballerino!

Ballerino? Ma cosa diavolo… cosa voleva mai dire ballerino? Come si permetteva? Nisina voleva replicare, ma non le fu possibile: la Bardi Saraceni s'era lanciata in una risata fuor di misura, spropositata, gutturale, con tanto di lacrime. Non riusciva a controllarsi e, nel delirio ridarolo, farfugliava:

– Infatti… com'è vero… le pecore… le pecore per l'appunto… come dire! Oh com'è vero, ballerino, sí! Davvero ballerino…!

Nisina non ce la poteva fare. S'inventò lí per lí un mal di testa, non le venne niente di piú originale. Salutò, ringraziò, e uscí al piú presto da quella casa. Aveva bisogno di pensare. E di aria.

Alle dieci e mezza era per strada e decise di andare a piedi. Da quando aveva smesso di piovere il giorno prima, c'era un sereno persino esagerato. Un buio blu, gelido. Camminò piano. Tanto, inutile aver fretta: sapeva che anche quella notte non avrebbe dormito. Troppi nodi che le si ingarbugliavano dentro.

Tentativi di fuga. Ecco. Non è che suo figlio aveva piú volte nella vita cercato di fuggire? L'Australia cos'altro mai poteva voler dire? Era stata solo la sua ultima pensata, l'ultima di tutta una serie. Era cosí. D'accordo. Ma perché? Altro che determinato e deciso! Che cosa non andava

64

nella vita di suo figlio? Che cosa non gli piaceva, a tal punto da spingerlo a scappare, fino in Australia addirittura?

Cosa gli era mancato? Non l'affetto, certo. Non potevano dirle che a suo figlio era mancato l'affetto, né suo né di suo marito. Loro c'erano stati come genitori. Lei aveva cominciato a lavorare tardi apposta, e il suo lavoro era così flessibile... Prima di tutto venivano loro, i figli. Poi il lavoro, *poi*! E per suo marito era la stessa cosa, poverino. Anche lui prima i figli e *poi* il lavoro. Nonostante avesse un bel daffare con lo studio, le cause, gli appuntamenti. Però telefonava sempre, anche tre volte al giorno per sapere dei figli. E la domenica andava alle partite di Fil, non se ne perdeva una. E li portava al ristorante almeno una volta alla settimana, i figli. E a sciare. E in moto. E in barca. Una volta – Fil era ancora piccolo – gli avevano affittato un pezzo di spiaggia dei bagni Lido e caravelle perché voleva giocare a fare il naufrago. Cosa avevano fatto di sbagliato? Perché il loro figlio primogenito voleva fuggire? Ma voleva veramente fuggire?

E dov'era lei? Lei, sua madre, dov'era quando Fil mandava questi segnali? Ma segnali di cosa? Cosa dovevano essere i genitori, dei semiologi? Dei crittografi? Degli esperti di egittologia, capaci di decifrar geroglifici?

Lei era convinta che suo figlio stesse bene, tutto lí. Benissimo. Che fosse un ragazzo fortunato e senza una sola crepa. Come quei vetri perfettamente lisci, ecco. Brava! Che ottima madre era stata... Sí, un'idiota!

L'altra cosa che le si faceva ormai chiara era che suo figlio con loro non aveva mai veramente parlato. Non aveva mai detto quel che pensava, quel che gli piaceva e non gli piaceva. Aveva fatto finta che tutto andasse bene. Perché? Anche questo era colpa loro? O non era, piuttosto, un difetto del suo carattere, una debolezza? Ecco, sí, una debolezza. Forse avrebbe dovuto portarlo dallo psicologo. Almeno qualche seduta. Aiutarlo con qualche farmaco. Ma esistevano i farmaci anti-finzione? Delle gocce che tu dai a tuo figlio ogni sera cosí smette di far finta che gli piaccia la pallacanestro? Per quanto tempo aveva finto Fil? Anni? Da sempre? Da quando era nato?

Possono i neonati fingere? A quale età si può cominciare a fingere? E perché un figlio dovrebbe fingere proprio con i suoi genitori, con coloro che lo hanno generato e che lo amano incondizionatamente? Quale molla perversa può scattare nella mente di un figlio, di un figlio buono, poi, studioso, gentile, obbediente? Quale scoglio si frappone di colpo tra lui e loro? O tra lui e il mondo rappresentato da loro? Quale invalicabile incomprensione?

Con quanta gioia adesso gli avrebbe parlato.

Voleva solo questo: telefonargli, sentire la sua voce, parlargli. Parlare con lui per ore. Tutte quelle ore in cui, in ventotto anni, non gli aveva parlato abbastanza.

Un gesto cosí semplice, telefonargli! Prendere il telefono, cliccare su Fil, ascoltare il suono della linea, dire pronto. Un gesto cosí semplice e cosí difficile! Impossibile! Ciò nonostante, lo fece ancora una volta, quel gesto. Lo sapeva che era inutile, ma prese il telefono, cliccò su Fil, rimase in attesa.

Il cliente da lei chiamato non è al momento raggiungibile. La invitiamo a richiamare piú tardi.

Tardi quando? Tardi quanto?

Per la prima volta nella vita Nisina Rocchi sentí la mancanza di suo figlio. Una mancanza sorda, che le stringeva il petto in una morsa.

Fil era fuori casa da cinque anni e lei solo quella sera, per la prima volta, ne sentiva la mancanza. È che a una madre non sembra lontano un figlio lontano, quando sa con precisione dove si trova, cosa fa, quali luoghi e quali persone frequenta. Fino a che ha almeno un barlume della sua vita concreta. Lontana, ma concreta. Piú sa con precisione, meno patisce. Lo colloca. È in grado di collocarlo in uno spazio definito, un ambiente, un tempo. Anche solo sapere che il mercoledí sera va al cinema con Giovanni, per dire, o che a pranzo c'è il bar sull'angolo che gli fa i panini speciali ai peperoni: anche solo pochi dettagli come questi, un Giovanni, due peperoni, servono a una madre, le bastano a posare suo figlio da qualche parte, in qualche modo. E quel solo fatto, di posarlo e quindi di poterlo vagamente immaginare, glielo rende piú vicino.

Quella sera, Nisina avvertí di colpo la lontananza di Fil perché di colpo non lo collocava piú.

Allora si sentí spossata.

Le piombò addosso il peso non solo di quella giornata dura e angosciante, ma il peso di tutti quegli anni. Il peso di essere stata madre cosí a lungo senza quasi accorgersene. Di colpo le gravò sulle spalle, quel peso, sulle mani e sullo stomaco.

Appena arrivata a casa, si allungò sul divano, al buio. Chiuse anche gli occhi, perché il buio fosse totale.

Poi sentí la chiave nella toppa. Meno male, Guido. Si avventò su di lui, prima che potesse togliersi il cappotto:

– Bisogna chiamare la polizia.

– La polizia?

Guido posò le chiavi. Si tolse il cappotto blu di cachemire. Andò in bagno, tornò.

– E perché mai la polizia?

– Guido, abbiamo perso un figlio! Non sappiamo dov'è. Loro ce lo trovano. Fanno quello di mestiere, alla polizia, no? Trovano le persone scomparse.

Guido girava in tondo in cucina, apriva il frigo, lo richiudeva.

– Devi dire a Marisa che non mi nasconda i limoni.

– Nessuno ti nasconde i limoni. Devi smetterla con i limoni. E comunque, rispondimi.

– C'era una domanda?

– Ci sono mille domande, mille…

– Nisina, calmati. Vieni, mettiamoci seduti.

La prese sottobraccio, la portò di là, in salotto. Si sedettero accanto, guardando ognuno davanti a sé. Lui le raccontò la sua giornata, tutto quel che aveva saputo attraverso le sue ricerche, le sue telefonate, per filo e per segno, nei dettagli. Alla fine le disse:

– Nisina, Fil ci ha tradito. Mente con noi da anni, ti è chiaro? Anni! La polizia non c'entra. Non ha mai fatto il dottorato a Stanford. Non è mai stato a Stanford. Sono tre anni che noi pensiamo che sia lí, ma non è vero. Non è lí. Non sta facendo quel che noi pensavamo facesse. E non è dove noi credevamo fosse. Ci ha mentito. Ci prende in giro da anni. La polizia non può farci niente, lo capisci?

– Ma non è possibile, Guido…

Guido andò a farsi un caffè, e aspettò di là che venisse su. Se ne versò un tazzone e tornò a sedersi, in salotto, questa volta dirimpetto a sua moglie. Rimase ad ascoltarla, muto.

– Guido, pensaci un attimo: non è possibile che Filippo menta da tre anni. Lo sentiamo almeno una volta alla settimana! Lo vediamo regolarmente su Skype. Risponde regolarmente alle nostre mail. Le ho tenute tutte, Guido. Le leggevo e le stampavo. Di là ho una cartellina spessa mezzo metro! Se vuoi la vado a prendere. Non è possibile. Non ci siamo inventati tutto.

– Noi no…

– Ma non si può inventare una vita, Guido, cosa dici? Ci racconta tutto quel che fa. I minimi dettagli, i corsi, gli amici, le ragazze, le gite a San Francisco, le foche… Ti ricordi le foche? Ci ha detto che va in quel posto, sul molo… Come si chiama già? Tutte le domeniche a guardare le foche. S'è innamorato delle foche, Guido! Non è possibile! Non dirmi che s'è inventato anche le foche!

Guido taceva. Sua moglie aveva ragione. Non avevano mai perso i contatti, con Filippo. E lui tornava. Almeno due volte l'anno, a Natale e d'estate. D'estate si fermava due mesi, anche tre se poteva. Non è poco tre mesi a casa.

68

E in quei tre mesi raccontava di Stanford, faceva vedere le foto. Cos'erano, fotomontaggi?

Tutta la sua vita era un fotomontaggio? No, non ci poteva credere. Ci doveva essere una spiegazione, magari semplicissima, banale. Spesso la realtà ci stupisce proprio per la sua banalità. Magari un dettaglio, un minuscolo particolare che ci sfugge e con il quale invece saremmo a un passo dal capire l'universo...

Nisina sparí di là un momento e tornò con aria trionfante, mostrandogli una felpa di Fil, azzurro cielo:

– Guarda! C'è stampato il logo dell'università di Stanford! E ha anche delle magliette cosí, e un berrettino con la sciarpa uguale! Guido, non ce lo siamo sognato! Nostro figlio *è* a Stanford! Ci dev'essere un errore. Qualcuno che non ci dice la verità. Guarda!

E gliela metteva sotto il naso quella felpa, gridando. Guido non l'aveva mai vista tanto agitata. Faceva quasi paura, quella donna cosí mite, elegante, mai scomposta, che lui aveva sposato tanti anni prima sicuro di amarla per tutta la vita, e infatti l'aveva amata, la amava ancora da morire e avrebbe fatto di tutto per non vederla cosí, le avrebbe raccolto i capelli, che ora le si erano scompigliati e le facevano un alone brutto sulla fronte, un'ombra. Non voleva che sua moglie avesse ombre, voleva che tornasse il sole nella loro vita. Cos'era stato? Un buio passeggero, un attimo. Andava tutto bene. Sarebbe andato, di nuovo, tutto bene. E quello era solo uno stupido intoppo, un filo che si era aggrovigliato, ecco, che ci vuole? Con pazienza, adesso, piano piano lo avrebbero sgrovigliato insieme.

– Andiamo a dormire, Nisi. Ci facciamo solo del male, cosí.

Capitolo quarto
Secondi tormenti

È incredibile come i farmaci, anche i piú efficaci in generale, perdano completamente il loro potere di fronte alla durezza incontrastabile di certi casi della vita. Dovrebbero scriverlo sui bugiardini, le industrie farmaceutiche; dopo le Indicazioni, le Dosi e gli Effetti collaterali, dovrebbero scrivere anche gli Effetti nulli: in quali casi si verifichi, insomma, che il farmaco non abbia il benché minimo effetto, e come possa, questa carenza assoluta di effetti, almeno in parte venire contrastata. In quella seconda notte infatti, nonostante avesse preso le sue solite gocce, la signora Cantirami riuscí a non dormire neanche un minuto.

Andò ripetendosi per tutto il tempo i colloqui che suo marito le aveva riferito, soprattutto quello con Oxford. Se lo era già riascoltato mentalmente almeno venti volte, come su un nastro, e ogni volta si fermava su un punto che le rimaneva oscuro, che proprio non riusciva a capire. Erano tutti punti oscuri, a dire il vero: nodi, viluppi spinosi, arbusti senza neanche il bene di un lampone, non uno che spuntasse col suo rosso velluto a darle un po' di allegria, coraggio o speranza. Comunque, il punto oscuro su cui non faceva che incagliarsi quella notte era forse il piú banale e superficiale, ma era ostico, non si lasciava districare, se ne stava raggomitolato in una palla di filo ingarbugliatissimo, ed era piú o meno questo: ma perché diavolo un'università come l'università di Oxford invita un giovane dottorando promettente economista, se questo giovane non è dottorando e dunque forse non può neanche dirsi un promettente economista?

C'era qualcosa che le sfuggiva. C'era tutta la vita di suo figlio, in particolare gli ultimi anni, che le sfuggivano. C'era suo figlio che le sfuggiva, dall'inizio alla fine.

Ripensò al giorno in cui era nato. Un giorno cosí tiepido di inizio estate. La sera prima avevano fatto tardi con gli amici, erano andati a dormire alle due. Nella notte, ricordava d'aver sentito un gufo, o una civetta. Non era mai stata capace di distinguerli. Ma era un suono allegro, per niente lugubre. Le aveva tenuto compagnia, e lo aveva interpretato, poi, come una specie di annunciazione: suo figlio veniva al mondo preannunciato da un canto notturno ritmico, beneaugurante.

Al mattino aveva preso la valigia ed era entrata in ospedale, serena. Sapeva che sarebbe stato un figlio buono. Da cosa lo sapesse, non avrebbe potuto dirlo. Certe cose si sentono dentro, hanno delle loro ragioni arcane ma nettissime. Sarebbe come chiedere alle nuvole perché sono cosí certe di portare la pioggia, o al mare perché continua a fare le onde quando arriva sulla spiaggia. Certe cose sono, e basta.

Quando Fil era piccolo, lei non lavorava. Lo avevano deciso insieme, con Guido, che avrebbe fatto la mamma.

«Non me lo voglio perdere, mio figlio», aveva detto.

Poteva permetterselo, Guido guadagnava bene. Avevano una colf e una baby-sitter, che stava anche la notte se loro erano via. Era stata una vita molto bella. Poi era arrivata Margherita, e lei aveva continuato cosí, piú che mai ferma nella sua decisione di fare la mamma a tempo pieno. Portava i figli ai giardini, in piscina. Organizzava le feste per i loro compleanni, si vedeva per un caffè con le altre mamme. D'inverno li portava a sciare qualche settimana, e d'estate due mesi al mare perché prendessero aria buona, facessero sport, crescessero belli e sani. Ci avrebbe pensato poi a un lavoro. Non era un problema, quando i figli sarebbero stati piú grandi, si era detta, si sarebbe inventata un lavoro. Era una cosa che le donne del suo ceto facevano spesso in quegli anni, a un certo punto dicevano: adesso magari m'invento un lavoro. Poteva essere dipingere acquerelli, compilare voci di enciclopedia, dare lezioni di catechismo.

E anche lei se lo era inventata, il lavoro: era diventata arredatrice. Arredava le case degli altri, dava consigli sulle stoffe, i mobili, i tappeti, se spostare o non spostare una lampada. Le piaceva, ci voleva passione, e anche inventiva.

Filippo comunque lo era stato davvero, un bambino buono. Un bambino che mangiava e dormiva, giocava con gli altri bambini, non faceva capricci. Quieto e silenzioso. Forse un po' solitario. Per esempio aveva quella mania degli alberi cavi: appena lo portavano in campagna o sui monti, subito correva a infilarsi in un tronco cavo. Non lo trovava piú nessuno, e dopo un po' lo andavano a cercare con pazienza albero dopo albero. Tanto lo sapevano che era lí, dove altro doveva essere? Eh, bei tempi quelli! Quando le fughe di Fil erano cosí facili da scoprire.

Non aveva mai dato problemi, da bambino. E neanche da ragazzo. Forse si poteva dire che non era mai stato un adolescente. Aveva come saltato quella fase burrascosa e cupa chiamata adolescenza, che, quasi fosse una catastrofe, si abbatte a un certo punto sulle case di tutti. Semplicemente, era cresciuto. Ogni anno un po'. Gli era venuto un velo di barba, i peli sulle gambe. Come a tutti i ragazzi della sua età. Ma non c'erano state scene, né questioni. Studiava, si faceva qualche giro in moto, certe sere usciva con gli amici, aveva ogni tanto una ragazza e la domenica faceva andare i suoi aerei telecomandati. Una vita normale.

E adesso?

Dove s'era inceppato il meccanismo, e perché?

Ma s'era inceppato?

Nella testa di Nisina passavano tutti questi pensieri, quella notte, uno sull'altro, scomposti, o meglio dotati di un loro ordine casuale ma, in qualche miracoloso modo, logico. Non ci poteva credere che il suo Fil li avesse ingannati fino a quel punto. Non ci poteva credere perché non ne vedeva il senso, non ne capiva le ragioni. E continuava a vederselo da piccolo, un bambino roseo e paffuto che le sorrideva da lontano andandole incontro, che raccoglieva fiorellini per darglieli la sera a cena, che arrossiva se faceva qualcosa di sbagliato e poi, quando lei lo perdonava, le buttava le braccia al collo dicendole che era la mamma piú bella del mondo.

Dove aveva sbagliato? Che cosa aveva fatto di male? C'era qualcuno lí nei paraggi che poteva dirglielo, che poteva aiutarla? Era cosí assurdo che la madre di un figlio di ventotto anni, adesso, avesse bisogno di un po' di aiuto?

Guido Cantirami quella notte, invece di cominciare anch'egli un personale lacerante esame di coscienza, su di sé come padre e sui propri eventuali errori educativi, si fece un whisky, andò nel suo studio, accese il computer.

Aveva deciso di scrivere al figlio. Perché no? Il fatto che non rispondesse alle mail non significava che non le leggesse. Nel caso le avesse lette, bene, avrebbe saputo che cosa suo padre pensava di lui, che cosa aveva urgenza di dirgli. Al massimo sarebbero state parole a vuoto. Messaggio nella bottiglia, affidato al mare. Come va, va.

La verità è che era furente. Aveva dentro una rabbia sorda, che non trovava sbocco e cresceva ramificandosi. Doveva sfogarsi. Scrivere a Fil era un modo, il solo che gli venisse in mente e fosse alla sua portata, di scaricare tutto quel dolore. Niente di meglio che battere su una tastiera tutta la notte.

S'era messo a pensare che Fil fosse diventato un ribelle, questo era il suo rovello. Un rivoluzionario. Che avesse aderito a una setta religiosa o a un partito politico estremista. Che la sua non fosse soltanto una provocazione contro i genitori, e neanche uno sberleffo alla società. Poteva essere qualcosa di piú. Lo immaginava vestito da terrorista, o in uno scantinato umido e buio a tramare piani di guerra e costruire bombe. Le pecore erano soltanto un diversivo, era chiaro. Un escamotage per deviare l'attenzione, un diabolico inganno.

Cominciò a scrivergli parole di fuoco. Gli venivano giú come meteoriti incendiate a contatto con l'atmosfera, e sperava che producessero buche profonde, voragini sulla crosta terrestre, nell'animo del figlio.

Poi, piú o meno dopo le due di notte, il tono gli si andò addolcendo. Verso l'alba, ormai esausto, scriveva frasi senza un ordine preciso, piene di comprensione, sensi di colpa, richieste di aiuto. Sí, richieste di aiuto. Lui, il padre, chiedeva al figlio di aiutarlo, di farsi vivo, di spiegargli…

Gli venne alla fine una lettera cosí patetica che non la mandò. Non la salvò nemmeno nelle bozze, lasciò che sparisse, inghiottita chissà dove nell'etere. Cosa se ne poteva mai fare, suo figlio, delle parole di un padre che evidentemente aveva perso la lucidità? Non lo sapeva piú. Guido Cantirami non sapeva nemmeno piú se lo aveva, un figlio… Si addormentò sul computer che faceva chiaro, le braccia distese sulla tastiera, la testa abbandonata sopra, pesante. Non fu un vero sonno. Fu piú che altro una resa.

Quando si riscosse, era ora di andare al lavoro. Si sentiva stordito, ma in un certo senso anche sereno, pensava di aver passato comunque nel migliore dei modi quella notte. Che non avesse mandato nessuna mail a suo figlio non importava per niente: era stato con lui. Scrivergli per tutte quelle ore aveva significato stargli vicino. O almeno, non cosí lontano.

Inoltre, stranamente, quella notte insonne e laboriosa gli aveva fatto bene: ora aveva una lucidità mentale nuova, imprevista. Gli vennero delle idee, elaborò altri piani. Quando incontrò sua moglie in cucina che si faceva la solita ciotola di cereali, la salutò con un piglio quasi brioso. Sapeva cosa fare. Era compiaciuto di sé, e fiducioso.

Intanto Gheri non era sparita nel nulla, come pensava sua madre.

Non era affatto indifferente al caso del fratello, anzi, era molto preoccupata. Anche lei lo aveva cercato innumerevoli volte, invano. Anche lei si chiedeva dove fosse sparito e cosa diavolo stesse combinando.

La sua amica Elda, da cui si era effettivamente fermata a dormire, le stava dando una mano. La confortava, dicendole che di Fil non ci si doveva preoccupare: si sapeva benissimo che tipo era, ci si poteva fidare. Si trattava solo di capire, una spiegazione ci doveva pur essere.

Si fece persino venire un'idea. Balzana, è vero, e che risultò del tutto inefficace, ma era pur sempre un modo per far sentire l'amica meno sola, in tanta oscurità.

Le stava parlando di politica, tanto per cambiare. Lo faceva anche per distrarla, per portarla su altri binari. Le stava dicendo di certi ridicoli lavori part time, di redditi da fame, di quanto fosse difficile per tutti ormai trovare uno straccio d'impiego anche temporaneo, e fu allora che se ne uscí con l'idea: perché non ti rivolgi ai sindacati? Cosí le disse, di colpo illuminata, Elda.

– Quali sindacati, sei impazzita? – ribatté Gheri.

– Non lo sai? Esistono i sindacati degli studiosi.

– Ma cosa dici?

– Ecco, vedi? Non le sa mai nessuno le cose! Vivete tutti su una nuvola. Non fate un accidenti di niente, pensate solo al vostro ombelico…

– E basta con questo ombelico delle palle, Elda!

Quando l'amica se ne usciva con le sue sparate e finiva con quella stupidaggine dell'ombelico, Gheri non ci vedeva piú. Si sentiva sotto attacco, indifesa. Va bene, era di famiglia benestante, aveva i vestiti che voleva, studiava senza dover lavorare, e allora? Doveva sentirsi in colpa tutta la vita? Quanto alla politica, votava un partito di sinistra moderata, andava alle manifestazioni e appendeva alle finestre la bandiera con scritto PACE. Ma Elda avrebbe voluto ben altro, che facesse qualcosa di piú concreto, ad esempio la rivoluzione.

Erano amiche. Ma avevano due teste, e due vite, diverse. Elda Circassi era figlia di due ex barricaderi. Era stata portata ai cortei fin da quando aveva tre anni, e giocava sul tappeto del salotto mentre i suoi, fumandosi una sigaretta dopo l'altra, discutevano di politica fino alle quattro del mattino con gli amici, tutti compagni. Si era iscritta all'Accademia di Arte Drammatica a Roma, ma si dedicava perlopiú al Movimento dei no-global e alle riunioni femministe. Voleva molto bene a Gheri, erano state compagne a un corso di danza, poi Elda se n'era andata perché preferiva correre allo stadio comunale. Cosí si erano perse di vista per qualche anno. Si erano ritrovate una sera in un seminterrato, a vedere un gruppo appena nato che recitava *Dio* di Woody Allen. E di lí erano diventate amiche. Probabilmente Elda pensava di dover salvare Gheri dalla sua anima qualunquista. E Gheri pensava che avrebbe potuto far qualcosa per arginare l'inevitabile trombonismo verso cui vedeva andare Elda.

– Esiste il sindacato per gli universitari, sappilo. Si chiama FLC.

– Ma non era la CGIL?

– Sí, è lo stesso. FLC-CGIL. Federazione Lavoratori della Conoscenza.

– Lavoratori della conoscenza? E cosa vuol dire?

– Quelli che lavorano con la testa: libri, studio, scuola, ricerca... Sveglia!

– Va bene, ma cosa c'entra mio fratello?

– Non è un universitario, tuo fratello? Uno che fa ricerca? Se non lavora con la testa lui...

– Sí, Elda. Ma cosa c'entra il sindacato con le pecore

di mio fratello? Noi abbiamo un problema preciso, Eldina: le pecore! Ti è chiaro o no?

– Be', diciamo che tuo fratello è un lavoratore della conoscenza che momentaneamente si è perso... Potrebbero aiutarti a ritrovarlo, ecco. E aiutare lui a ritrovarsi...!

– Modello pecorella smarrita, Elda?

– Fa' come vuoi, io te l'ho detto.

Gheri si fece dare l'indirizzo, le sembrava gentile verso l'amica.

Ma poi non ci andò. Le mancò il fegato. Non sapeva proprio cosa dire. Si faceva e rifaceva nella testa il film di cosa avrebbe potuto dire, ma ogni volta era un disastro. Camminò un po' per le strade del centro, alla fine svicolò in un bar. Ordinò una cioccolata, poi un'altra, e un'altra ancora, e se ne rimase a sorseggiarsele lenta, pensando.

Il film mentale era piú o meno questo: lei che va alla FLC, entra e dice: Buongiorno, volevo chiedere se potete aiutarmi. Ci dica, signorina, qual è il problema? Il problema è questo: io ho un fratello che lavora nella conoscenza, sí, insomma, rientra nel vostro ambito... Questo mio fratello è un grande studioso di Economia, sta facendo un dottorato a Stanford, ma nel frattempo è andato a Oxford a governare un gruppo di pecore. Volevo dire un gregge. Gregge di pecore, non gruppo. Bene, cosa possiamo fare per lei, signorina? Sempre che, in questi uffici della FLC poi diano del lei. No, probabilmente danno del tu a tutti, difficile che un sindacato dia del lei alla gente. Rifare la scena. Bene, compagna, cosa possiamo fare per te? Ma niente, mi chiedevo se potete rintracciare mio fratello e chiedergli se per caso si è bevuto il cervello.

No, chiaro che non andava. Per quanto gentili potessero essere alla FLC, per quanto si occupassero – come diceva la loro incredibile sigla – di lavoratori della conoscenza, per quanto suo fratello, almeno fino a qualche giorno prima, potesse di diritto ascriversi a quel gruppo umano, o meglio sociale, di lavoratori un po' speciali, be', difficilmente sarebbero riusciti ad aiutarla. Al piú le avrebbero detto: Ma saranno fatti di tuo fratello, questi, o no? Se vuol governare pecore, che lo faccia! Cosa c'entriamo noi?

Gheri in quel momento si rese conto che era inaiutabile. I-na-iu-ta-bi-le. E fu lí che, uscendo da quel bar con una leggera nausea da eccesso di cioccolate, incontrò Girolamo Noce detto Giro.

Era un aitante quarantacinquenne senza arte né parte che era riuscito ad avere un contratto a Scienze della comunicazione per un corso di quaranta ore sulla Storia della Rai. Inoltre, se la tirava da giornalista perché ogni tanto riusciva a piazzare un articoletto di cinema su un giornaletto di provincia. Gheri lo aveva conosciuto a un seminario di Storia del cinema, in cui s'era infiltrata e da cui poi era scappata per noia. Ma intanto lui le aveva messo gli occhi addosso. Le aveva anche fatto il filo, per qualche tempo, credendo di avere in scacco la preda per il solo fatto che lei per due volte di seguito era andata al cinema con lui. In realtà, era solo che le aveva proposto il film giusto nella serata giusta, quando lei non aveva di meglio da fare. Ma questo lui non lo sapeva, e pensava che il lavoro di corteggiamento era stato solo momentaneamente interrotto. Quindi, quando quel pomeriggio se la ritrovò davanti per strada, bella come una rosa, con quei suoi lunghi capelli biondi, quella sua giacca scura un po' maschile e un cravattino semislacciato sulla camicia semisbottonata, decise di riprenderlo, quel suo lavoretto. E cominciò subito a tessere la tela, da buon ragno laborioso e cocciuto.

– Stavo andando al giornale, mi accompagni? Cosí ti mostro il reportage che sto pianificando e mi dai un consiglio, – le disse.

Gheri avrebbe seguito chiunque in quel momento, anche un beduino sul cammello nel deserto, tanto era stanca e depressa. Salí dunque su quel cammello. Cioè accompagnò Girolamo Noce al giornale.

78

Lui le presentò i quattro colleghi incollati ai monitor dei loro computer, le mostrò delle foto sue scattate in certe aree industriali dismesse – era questo il reportage che aveva in mente – e iniziò a parlarle della serie di interviste che intendeva fare, quando si accorse che lei non stava ascoltando nemmeno una parola.

– Cos'hai? – le chiese.

In meno di due minuti, Gheri sfrittellò a quel beduino nel deserto tutta la faccenda del fratello.

Che sbaglio! Confidarsi con uno che si credeva un giornalista! Girolamo Noce la condusse subito dal caporedattore, un ragazzone rossiccio con la barba rada e una giacchetta in tweed anni Settanta piú piccola di almeno due taglie, che si chiamava Leone.

– Leone, senti un po' qua! – e gli fece in un minuto il riassunto, con tanto di Oxford, pecore, Stanford, Economia, la Bocconi e il precariato.

– Scusa, Giro, cosa c'entra il precariato? – disse Gheri, stravolta.

– Leone si occupa di precariato. Sta facendo un lavoro straordinario, ieri ha intervistato gli insegnanti supplenti quarantenni, un gruppo di operaie del tessile appena licenziate e dei ragazzi appena assunti in un call center a tempo super-determinatissimo, due mesi e un calcio in culo. Verrà fuori una bomba, sta' a vedere!

– Sí, ho capito, ma cosa c'entra mio fratello col precariato?

– Perché, non è un precario?

– Be'… no. Non direi…

– Ma non mi hai detto che ha perso il lavoro? – disse Leone a Girolamo.

– Sí, infatti. Era professore a Stanford e adesso lo hanno licenziato e lui vende bestiame in giro per… – cominciò a spiegare Girolamo.

– Ma che caspita state dicendo? – reagí Gheri. – Ve l'ho raccontata io una panzana simile? Non mi pare proprio! Si può sapere perché dovete sempre inventarvi tutto, voi giornalisti?

– Ma non hai detto che si è portato appresso un gregge? E allora, cosa vuoi che faccia se non commercio? Trovami un'altra spiegazione. Non è che adesso gli economisti girano con le pecore al seguito, mi pare! O no? Comunque, se mi sbaglio, dimmi tu com'è. Dimmi cosa sta facendo tuo fratello. È ovvio. Con la crisi che c'è nelle università. Posti che si contraggono, ragazzi meritevoli precari a vita… Ovvio che tuo fratello se la sfanga con le pecore, poveretto! Vittima anche lui di questo sistema di merda…

– Ok, buonanotte. Grazie lo stesso, ci vediamo.

– No scusa, spiegami un po'… – la riprese il ragazzone fulvo chiamato Leone.

– Ho solo raccontato al tuo amico Giro che mio fratello è andato a Oxford a fare una conferenza con un gregge. Scusate, ho fatto questo sbaglio pazzesco di venirlo a dire a voi, fine, ho sbagliato, saluti cari! Mio fratello non è un precario, è uno studioso.

– Ma allora cosa mi fai perdere tutto 'sto tempo? – disse nevrastenico Leone a Girolamo. – Se adesso me la levi di torno, questa qui, così torniamo a lavorare, che di roba da fare ce n'è anche troppa, non abbiamo bisogno di stronzette che se la tirano da intellettuali…

Povera Gheri, non aveva colpa se suo fratello non era un precario e quindi la sua non era una notizia appetibile. Non era colpa di nessuno, a dire il vero. Era solo che, in quegli anni di crisi economica mondiale, il precariato era diventato una vera piaga sociale. I giovani, anche bravi e preparati, trovavano davvero molto difficilmente lavoro, e quando lo trovavano era temporaneo, passeggero, volatile: precario, appunto; durava *l'espace d'un matin* e poi se ne volava via.

Disquisire ora sulle cause di un fenomeno tanto complesso sarebbe fuori luogo, anche perché la distanza temporale dalla quale guardiamo noi oggi a quell'epoca è tale da far perdere nitidezza ai contorni delle cose. Diciamo solo che allora i media erano molto attenti al problema del precariato, soprattutto in quel 2011, che fu l'anno degli «indignati», cioè dei giovani di tutto il mondo uniti a protestare contro un sistema che, come scrivevano sugli striscioni, «rubava loro il futuro».

Purtroppo il nostro Fil – ci spiace dirlo – non apparteneva a questo gruppo di giovani. Non era né precario né indignato. Per di più faceva parte della classe agiata, cosa che di per sé, agli occhi di molti, era già una colpa. Nessuno stupore, dunque, che al giornaletto di Girolamo e Leone, una volta capito il caso, se ne facessero due baffi di lui.

Gheri se ne andò sdegnata. Girolamo tentò comunque un'ultima sua personalissima carta con lei, invitandola quella sera a cena. Ma gli andò buca, naturalmente. Gheri aveva tutt'altro per la testa e, dopo la sceneggiata al giornale, una cosa sola sognava: di tornarsene a casa, farsi una doccia calda, e magari guardarsi un rilassante episodio di *Criminal Minds*, con tanto di geniali *profilers* che scovavano il serial killer di turno, bello pazzo come si deve e assatanato di sangue.

Capitolo quinto
Maestre, valigie e foche

Nisina, dopo la seconda notte insonne, non paga della professoressa Salgemmi, andò a trovare la maestra che Filippo aveva avuto in prima elementare.

D'accordo, era un andare un po' tanto indietro. Ma se le era venuta quell'idea, era perché ne sentiva il bisogno. Le era necessario rivangare il passato. Avesse potuto sarebbe andata anche a parlare alla puericultrice che l'aveva aiutata nel primo mese di vita di Filippo, impostando correttamente le poppate, le pesate e il ciclo del sonno. Avrebbe parlato persino con gli angeli del Paradiso, perché voleva sapere tutto di suo figlio. Tutto quel marasma di cose che, pur essendo sua madre e avendo di conseguenza vissuto accanto a lui per anni, non aveva mai saputo. O capito.

La maestra, suor Lucia, era in classe. Stava facendo lezione. Questa notizia confortò molto Nisina: calcolando che erano passati esattamente ventidue anni da quando suo figlio aveva frequentato in quella scuola la prima elementare, era rassicurante sapere che la sua maestra di allora era sempre lí, che in quel momento era in classe e stava facendo lezione. Era un po' come constatare che, a dispetto del tempo, le cose possono stare dove le abbiamo lasciate. Le persone come le case. Gli alberi. Gli scogli. Rassicurante, sí, molto rassicurante: qualcosa che finalmente contrastava l'idea di precarietà, propria di tutti noi esseri umani.

Nisina aspettò l'intervallo delle dieci. Quando la campanella suonò, vide i bambini riversarsi gioiosi nel corridoio e poi giú in cortile. Era una scena molto bella, le venne da pensare a quando andava a scuola lei, ai panini buoni che vendevano al tavolo delle bidelle, dove bisognava arrivare primi per poter scegliere. I panini al tonno e carciofini finivano subito, se non eri veloce ad acchiapparne uno, amen, ti rimanevano solo quelli al formaggio.

– Signora Cantirami, che piacere!

Suor Lucia era emersa in mezzo a una frotta di bambini urlanti, sorridente, affettuosa. Era come sempre. Sembrava davvero che per lei il tempo non fosse passato. Vero è che l'abbigliamento di una suora aiuta, maschera i segni di un possibile (anzi, certo) invecchiamento, mostrando cosí poco del corpo. Ma il viso resta pur sempre scoperto. Il viso, proprio la parte piú parlante di noi, piú espressiva, dove ogni ruga scava un abisso di piú nella nostra vita. Suor Lucia non aveva rughe. O almeno, cosí parve a Nisina, che aveva ben altri pensieri, dopo una prima sommaria occhiata. Notò però una ciocca sulla fronte, sfuggita alle bende che le contornavano di bianco il viso: quella ciocca s'era fatta argentea e conferiva al suo colorito un'ombra, una leggera sfumatura serale: come quando vien sera e la luce a poco a poco sulle strade, e nel cielo, si offusca.

Si accomodarono nel salottino, davanti alla segreteria. C'era un buon profumo di fiori e di pulito. Il marmo del pavimento, ben lucidato, splendeva e il sole, entrando dai vetri lindi trasparenti come l'acqua, batteva sul mogano dei mobili, mandando luminosi bagliori rossastri.

– Non vorrei farle perdere tempo, suor Lucia... La trovo bene! Mi fa piacere...

– Anche a me, signora Cantirami, fa molto piacere vederla. Come sta la sua famiglia? Mi dica di Filippo...

– Se lo ricorda?

– Che domanda! Nel cuore di noi maestre nessun faccino manca all'appello, mai. Suo figlio, poi... era un bambino cosí particolare...

– Particolare? Lei dice...?

– Non c'era mai niente che gli andasse bene, ricorda?

Metteva su quel suo musino ombroso, gli occhi severi... Eh non so, non so... Qualcun altro poteva anche prenderlo per arrogante... Invece, di ragazzi cosí dovremmo ringraziare Dio di averne... Sono ragazzi inquieti, sí, insoddisfatti: ma solo perché vogliono la Luna. Vogliono un mondo che non c'è. Ma spesso, signora Cantirami, quello che loro desiderano è esattamente il mondo che dovrebbe esserci. Ecco perché sono ragazzi preziosi, cosí cari a noi maestre: perché sono vicini a una certa forma di... ideale! Non so se mi sono spiegata...

Nisina era commossa a sentir parlare cosí di suo figlio.

– Non immagina quanto mi aiutino le sue parole, – disse. – Perché io adesso, sa, le confesso, non capisco piú... Mio figlio vive lontano, e io ho paura che...

– Paura che si perda? No! Filippo non è uno che si perde. Gli dia tempo. Alcuni di noi, per diventare quel che veramente sono, hanno bisogno di piú tempo. Non vuol dire che siano difettosi... Vuol solo dire che nella loro vita alcune fasi saranno piú lunghe. Non abbiamo mica fretta, le pare? Dove dobbiamo mai correre?

– Sí, ma vede, suor Lucia, lei non sa. Ho paura che Filippo si sia cacciato nei guai...

Le raccontò degli ultimi anni, gli esami, la laurea, gli studi all'estero. E alla fine sfiorò il cuore del problema. Non arrivò a parlare delle pecore, ma insomma, le disse che forse Filippo era un po' in crisi, forse aveva incontrato delle cattive compagnie, e che comunque il grave era che lei non sapeva piú niente, lui si negava, non le raccontava di sé, cosa faceva, dov'era...

– Filippo è molto timido, signora, non può ignorare questo. Era un bambino che si teneva tutto dentro, e probabilmente è ancora cosí...

– Ma no, si sbaglia... Filippo era un bambino cosí solare! Aperto, spiritoso, chiacchierino... Non mi torna affatto che fosse cosí chiuso, è sicura?

– Guardi, mi viene in mente un episodio... un po' buffo e magari insignificante. Ma glielo voglio raccontare. Ricorderà senz'altro che in questa scuola i bambini possono portarsi qualche cosa in piú per pranzo da casa, se non vogliono mangiare soltanto il piatto unico della mensa. Magari qualche prelibatezza preparata dalla mamma, un hamburger, un pesciolino fritto, una fetta di torta... Arrivano al mattino ognuno col suo cestino, e noi riponiamo i cestini in un grande armadio refrigerato, chiuso a chiave. Poi, all'ora di pranzo, chi ha il cestino lo deve chiedere e noi glielo andiamo a prendere e scaldiamo i cibi dentro al forno. Se lo ricorda? Era cosí allora, ed è cosí ancora adesso. Bene, Filippo portava sempre il cestino: evidentemente lei gli dava ogni giorno qualcosa di buono. Ma lui non lo chiedeva mai. Lo sapeva? Non osava. Stava senza le sue buonizie, piuttosto che parlare! Mangiava le quattro cose della mensa senza fiatare. Io lo sapevo che lui aveva il cestino. Ma aspettavo. Doveva arrivarci lui, non dovevo forzarlo io. Era ancora tutto nella sua scatola chiusa, che lui si teneva dentro. Non sapeva come aprirla. Bisognava aspettare. Forse anche adesso è cosí, Filippo ha bisogno di tempo per parlare con lei...

– Quello che mi dice è sconvolgente, suor Lucia! Io non ho mai immaginato che mio figlio...

– Ma non è niente di grave. Ho solo detto che suo figlio era un po' timido. La timidezza non è mica una malattia... anzi! È solo che uno sente di avere un mondo dentro di sé, e non sa come trasportarlo nel mondo che invece ha davanti, fuori di sé. È solo un problema... di trasporti, ecco, io direi cosí! I bambini timidi non hanno il camion giusto, tutto qui! Ma poi lo trovano, oh se lo trovano!

– Non so, confesso che mi prende un po' alla sprovvista. Lei mi dipinge un figlio che io non sapevo di avere...

– Succede. Posso sbagliarmi, ma mi sa che qualche volta succede. Spesso le madri non sanno molto dei loro figli. Ma è normale... Non ci pensi piú... E torni a trovarmi, questo sí! Non sa che piacere mi fa quando una mamma viene a parlarmi un po' del suo bambino cresciuto... Io rivedo quel bambino com'era, e finalmente so com'è andata poi, che cosa quel bambino è diventato...

La campanella era suonata da almeno cinque minuti, suor Lucia le aveva concesso piú di quanto potesse, ora doveva tornare in classe. Nisina si alzò e la ringraziò molto, ma tutto sommato non abbastanza. Certamente molto meno di quanto avrebbe voluto, tanto sentiva, dentro di sé, di esserle grata.

Uscí che aveva una gran voglia di piangere. Era cosí turbata che non capiva se quel suo desiderio di pianto era per una segreta, improvvisa gioia o per una inconsolabile tristezza.

Suo figlio timido? Ma se da piccolo era una forza della natura! Travolgente, dinamico, sempre allegro. Quando lo portava alle feste, bastavano dieci minuti ed era subito il capo, quello che decideva i giochi, stabiliva le squadre. Possibile che la maestra avesse visto altro in lui? Possibile che lui avesse due facce? Che ci fossero due Filippi e lei, la madre, ne avesse visto sempre soltanto uno?

Anche Guido era uscito presto quel mattino. Aveva le idee chiare su cosa fare e, in quel secondo giorno di sue personali indagini, arrivò a progressi decisivi e insperati.

Appena arrivato in ufficio, fece subito quel che in un lampo di lucidità – svegliandosi all'alba da quel torpore semicosciente in cui era piombato – aveva deciso di fare: richiamò il Balliol College. Presentandosi di nuovo come il funzionario di un fantomatico ente. Questa volta chiese di parlare con il professore che aveva invitato Jeremy Piccoli: quella era l'idea nuova, e geniale.

Riuscí a parlargli. Il professore si chiamava Lennart, ed era gentilissimo. Gli ribadí che aveva invitato solo Jeremy Piccoli, e che era stato poi lui, il Piccoli, a invitare a sua volta l'altro, quel tal Filippo Cantirami che il professor Lennart non sapeva essere suo figlio. Certo, era una procedura a suo dire piuttosto strana: non si dà mai che un relatore inviti a sua volta un altro relatore, mettendo generosamente in comune lo spazio e il prestigio a lui riservati. Ma cosí era andata.

Strano. Guido Cantirami trovò tutto ciò molto strano. E cominciò a riflettere. Che razza di legame c'era tra suo figlio e quel Jeremy Piccoli? E soprattutto, chi era Jeremy Piccoli?

Il professore del Balliol gli disse che si trattava di un giovane molto bravo, una promessa dell'Economia mondiale, e che era stato invitato perché aveva scoperto una certa formula, no, che dico, un algoritmo, un algoritmo molto importante per simulare la crescita dei Paesi occidentali, sí, si tratta proprio di simulare, simulare la crescita che si è drammaticamente arrestata negli ultimi anni. Sempre in questo suo stile piuttosto ripetitivo, gli disse anche che la conferenza era stata strabiliante. Strabiliante. E che gli studiosi erano esterrefatti e che i due relatori, relatori nonché inventori dell'algoritmo, sí, dell'algoritmo, erano stati bravissimi.

Come sarebbe relatori inventori? Al plurale? L'avvocato Cantirami si chiedeva se avesse sentito bene.

Sí, Piccoli aveva rivelato proprio in quell'occasione che aveva lavorato con Cantirami e che, anzi, il suo contributo era stato determinante. E a quel punto c'era stato addirittura un applauso commosso del pubblico, un applauso rivolto al Cantirami, il quale invece si schermiva e sembrava ricusare totalmente ogni merito, sí, ricusare.

Strano. Sempre piú strano. L'avvocato Cantirami prese tempo. Si chiuse nel suo studio, dicendo a Elettrica di non passargli nessuna telefonata e nessuna visita. Voleva stare solo. Com'era possibile? Come si conciliavano i due fatti: suo figlio arriva con le pecore e viene applaudito come un grande inventore? Se aveva interrotto il master e non aveva mai iniziato il dottorato, come poteva essere considerato un giovane studioso cosí bravo da una platea di esperti prestigiosi?

Qualcosa non quadrava. Ma per la prima volta, in tanta tragedia, s'insinuava un pensiero buono, una luce, la speranza che quel figlio non fosse poi cosí perduto e che restasse soltanto da spiegare quella piccola, irrilevante forse, stranezza delle pecore.

A poco a poco gli si fece chiaro nella mente che, se voleva arrivare alla soluzione dell'enigma, doveva trovare Jeremy Piccoli. Lui era la chiave del mistero. Come aveva fatto a non pensarci subito?

Nessuno lo aveva mai sentito nominare, in famiglia. Chiese a sua moglie e a sua figlia: niente. Filippo, almeno con loro, non aveva mai parlato di lui. Eppure doveva essere un suo amico, anzi, di piú: un compagno fidato, un alleato nella ricerca, quasi un… complice. Ecco, un complice. Forse era lui, era quel Piccoli il colpevole di quella… di quella buffonata delle pecore.

Magari Filippo lo aveva conosciuto all'università.

Telefonò alla Bocconi, il rettore era suo amico. Gli procurò abbastanza rapidamente tutte le informazioni: Jeremy Piccoli veniva da un paesino dell'alta Lombardia, Chiambrate, Carandate, Guido Cantirami non capí bene al telefono; nel settembre 2002 si era iscritto lí alla Bocconi, e nel febbraio 2006 aveva conseguito la laurea di primo livello.

Stesso anno di Filippo. Aveva fatto centro! Ecco quando e dove si erano conosciuti, lui e suo figlio.

Piccoli – gli disse il rettore – si era laureato col massimo dei voti, e subito dopo aveva vinto un master all'estero.

– All'estero dove?

– Mi spiace, in questo momento non sono in grado di dirti di piú ma se mi vuoi chiamare domani…

Niente domani, ringraziò l'amico in fretta. Sapeva cosa fare, aveva un'intuizione. Sta' a vedere che questo Jeremy

Piccoli ha vinto un master a Londra nel 2006... Chiamò la London School. Gli confermarono che era cosí.

– E sa dirmi se l'ha finito, il master?

– Sí, nel 2008. E poi...

Guido Cantirami non aveva bisogno di sentir altro: sapeva continuare per conto suo. Aveva capito. Vuoi vedere che il bravo Jeremy Piccoli da Londra è andato a Stanford?

Le cose cominciavano a chiarirsi. Dunque suo figlio non aveva finito il master a Londra né era andato a Stanford: ma Jeremy Piccoli sí. Lui sí che aveva fatto entrambe le cose e adesso era a Stanford, dove avrebbe dovuto essere Fil.

Perché lui sí e suo figlio no? Quale sottile e ambigua catena legava oscuramente le loro vite?

Bisognava andare avanti. Chi era veramente Jeremy Piccoli, questo ragazzo coetaneo di suo figlio, con quel nome arcaico pateticamente inglesizzato e quel cognome irrilevante? Da dove arrivava? Che cosa faceva esattamente?

L'avvocato Cantirami prese informazioni. Fece lavorare i giovani di studio, le segretarie, e nel giro di poche ore ebbe sulla scrivania i dati che voleva.

Jeremy Piccoli, nato a Carandate il 17 febbraio 1983. Residente a Carandate in via Stappelli 14.

Figlio di Mario Piccoli, geometra, impiegato nella ditta di costruzioni edili Molteni & Co., da qualche tempo in cassa integrazione; e di Daniela Fraschini, commessa in un negozio della catena Orlo Espresso, nel rione di Santa Clotilde a Carandate.

Non restava che incontrarlo, questo fantomatico Jeremy Piccoli.

– Domani andiamo a Stanford! – annunciò a sua moglie, sbalordita.

– Ma come...

– Ti spiego dopo, Nisina. Adesso non c'è tempo, io prenoto il volo e tu fai le valigie.

Nisina in realtà tirò un sospiro di sollievo. Era contenta. Finalmente! Ignara di ogni cosa, ma fiduciosa nel marito, e felice di smuovere una buona volta quelle acque limacciose, quella palude stagna in cui la vita, di colpo, li aveva messi a testa in giú.

Fecero le valigie, Guido spiegò a sua moglie perché andavano a Stanford e non a Oxford e insieme spiegarono tutto a Gheri. Il giorno dopo presero l'aereo per San Francisco.

Giuliana Cantirami, intanto, era arrivata a San Francisco due giorni prima rispetto alla partenza di suo fratello e sua cognata, e cioè, come previsto, il giorno dopo la cena di famiglia che s'era tenuta in suo onore.

Salí alla sua camera in albergo che era già sera. Ma non era stanca, uscí a farsi un giro per le strade cosí come le veniva, angolo dopo angolo, alla ventura. Il giorno dopo, con calma, sarebbe andata a Stanford a incontrare l'amato nipote, solo il giorno dopo. Adesso si concedeva qualche ora di turistico relax, voleva dare un occhio alla città, andare subito a vedere l'oceano. Arrivò a un molo, lo percorse tutto e al fondo, su certi pontili mobili, vide le foche. Una marea grigiolucida di foche, o di leoni marini, forse, un ammasso quasi indistinto di corpaccioni sinuosi e umidi, ondeggianti di grasso. Le foche! Le foche di cui parlava sempre Fil nelle mail! Non le aveva mai viste, le foche. Giusto allo zoo da piccola. O forse solo sui libri delle elementari? Camminò un bel po' avanti e indietro. Era buio. L'aria sapeva di barili di aringhe, pescispada, balene. Sí, le sembrava perfino di balene. E lei si sentiva una specie di capitano Achab. Meno truce, piú aereo, lezioso. Un capitano Achab che si concedeva volentieri qualche ora di passeggiata, un po' di shopping presso i chioschetti e le boutique, una sosta all'aperto, davanti al mare, per un drink con noccioline.

Quando finalmente si decise a tornare in albergo, erano le undici passate. Non osò piú farsi portare la cena in camera, troppo tardi. Si distese sul letto. Alle due non s'era ancora addormentata, inquieta come una ragazzina della scuola media che il mattino dopo deve andare a Venezia per la prima volta, in gita scolastica, e ha paura persino di salire sul pullman con i compagni. Tutto per vedere Fil... Era grazie a lui che era arrivata fin lí, non l'avrebbe fatto per nessun altro un viaggio cosí. Glielo avrebbe detto, l'indomani. Non ci poteva credere che di lí a qualche ora lo avrebbe visto. Immaginava l'incontro, la sorpresa, le risate... Ma l'avrebbe trovata la strada giusta per andare a Stanford? E sarebbe stata capace di parlare tutto quell'inglese...? Finora se l'era cavata. Ma a Stanford?

Delle pecore ovviamente Giuliana non sapeva nulla, e tantomeno che Fil non fosse a Stanford, dato che suo fratello aveva deciso che non era il caso d'informarla.

E suo fratello aveva deciso di non informarla ben prima di sapere che sarebbe partito a sua volta per Stanford, sulle tracce di Jeremy.

Cosí, in quegli stessi giorni, ignari gli uni degli altri, arrivarono tutti quanti a Stanford, i Cantirami, con una minima e trascurabile differenza temporale e in cerca di due persone diverse.

E sarebbe capitata di lí a poco una cosa molto buffa e imprevedibile. Com'era ovvio, zia Giuliana non avrebbe trovato Fil, visto che Fil non era mai stato a Stanford. Avrebbe invece, com'era molto meno ovvio, trovato Jeremy Piccoli, che lei non cercava affatto e di cui, anzi, non immaginava nemmeno l'esistenza. Mentre i genitori di Fil, che cercavano ansiosamente proprio Jeremy, e che anzi erano appena partiti con l'intenzione d'incontrarlo, non lo avrebbero trovato, per una ragione molto semplice che sarà chiara tra poco, collegata proprio alla loro Giuliana.

Cosí va il mondo, a volte. Che quel che uno s'aspetta non succede, e quel che non ci si aspetta invece sí.

Parte seconda

Alla ricerca di Fil

Capitolo primo
Giuliana a Stanford

Il mattino dopo, Giuliana scese con altri clienti dell'hotel in un ascensore grande, con le pareti a specchio che moltiplicavano le persone. Chissà da quali Paesi venivano, che lingue ignote, ostiche, parlavano. Per fortuna rimasero muti, cosí non le toccò far finta di capire, far finta di parlare. Percorse la hall vellutata di moquette, fece colazione, s'incantò a guardare dalla vetrata i riflessi verdargento della baia, mentre finiva la sua fetta di torta di mele. Uscí, per respirare un po' la città, per vedere com'era di mattina. Poi affittò un'auto.

Tra tutte quelle che poteva scegliere prese una biposto decappottabile, bianca con i sedili rossi.

– Ma signora, non è piú stagione...

– Per me lo è, non si preoccupi...

Aveva in mente di prelevare Fil e di portarlo un po' a spasso per la baia. Cosa poteva esserci di meglio che una decappottabile sportiva? E pazienza per la cervicale. Si mise lo sciarpone girato tre volte intorno al collo, il piumino antivento, un paio di occhialoni primo Novecento che aveva trovato a un mercatino, e i guanti di pelle tagliati sulle dita, quelli da guida con i buchi per le nocche. Bianchi. E partí.

Il campus le parve uno di quei luoghi ideali, chiusi in sé e circoscritti, magari neanche mai esistiti. Atlantide, Utopia, la Città del Sole. Mondi soltanto immaginati, o inabissati, che lei invece aveva il privilegio di vedere.

Cominciò a vagare quasi dimentica della ragione per cui

era arrivata fin lí. Si perse. Si perse a fotografare anche il piú banale metro di selciato, o l'ombra di un ramo sopra un muro, o il giallo delle foglie cadute a terra, preciso identico al giallo di tutte le foglie cadute in tutti gli autunni di tutti i luoghi del pianeta, che però a lei quel giorno, in quel posto, sembrò un giallo unico al mondo. Si perse anche in senso letterale, tra vialetti alberati, praticelli e palme... Le palme! Cosí frivole in quel luogo tanto serio, metafisico, quasi ieratico.

Voleva riempire di meraviglia suo nipote, comparirgli davanti all'improvviso; per questo non lo aveva ancora chiamato.

Era una giornata cosí tersa. Le basse costruzioni, i campanili in lontananza, i porticati, i prati rasi e verdissimi contribuivano a conferire al tutto un alone di perfezione, anche se leggermente artificiosa. Ogni tanto un drappello di studenti le passava accanto. Sembrava andassero a passeggio, leggeri, flessuosi come ombre non di questo mondo. Parlavano fitto tra di loro, scherzavano, ridevano. Avevano libri sotto il braccio, piccoli zaini sulle spalle, un tascapane a tracolla. Vestivano abiti anch'essi leggeri, quasi volanti: una felpa oversize, una T-shirt slabbrata, qualche sciarpina buttata lí. Come se non fosse autunno pieno, ma una inconcludibile primavera. Le vennero in mente anche i Campi Elisi, quando li aveva studiati a scuola se li era immaginati cosí: aerei, soleggiati, verdazzurri, le anime beate che andavano a passeggio sottobraccio, con quei loro corpi trasparenti, le voci musicali, i cori, in mezzo a rettangoli di erba che sembravano scampoli di mondo scappato di mano al Creatore, e poi appiccicati lí per caso, squarci di fortuna, doni.

In certi punti, magari sul ciglio di un praticello, qualche studente se ne stava disteso a terra, gli occhi chiusi ad assaporare il sole sulla pelle, o un libro aperto tra le mani, o il computer sulle ginocchia. Qua e là, in qualche spiazzo, c'erano quattro o cinque sedie disposte in circolo e, in mezzo, un anziano professore che parlava. *Lectures* all'aperto. Maestri e allievi, comunanza di intelletti. Senza l'aria d'essere lezioni, quattro persone che parlano tra loro, nulla piú.

Com'era fortunato suo nipote a vivere lí, e com'era contenta lei che lui fosse cosí fortunato!

Giuliana era convinta d'incontrarlo prima o poi, cosí per caso, di vederlo spuntare all'improvviso da uno di quei vialetti lindi, o di scorgerlo seduto su un gradino o appollaiato sulla spalliera di una panchina. Quindi lo cercava con gli occhi, e in ogni ragazzo trovava qualcosa di lui: la statura, il passo un po' ondeggiante, l'aria vagamente assente, il taglio tronco alle basette. Lo vedeva in tutti, il suo adorato Fil. E, anche se ogni volta non era lui, era certa che da un momento all'altro le si sarebbe materializzato davanti e le avrebbe detto: «Che sorpresa, Giagiú!»

Si fermò al primo caffè e si concesse un sandwich con patatine, poi una fetta di torta al cioccolato. Infine, visto che Fil baluginava ovunque ma non appariva mai, decise di rivolgersi al Visitor Center. Cercarono tra i dati on line, tra le cartelle. Non lo trovarono. Tra gli studenti dei PhD, non risultava nessuno che si chiamasse Cantirami Filippo.

– Ma come?

– Siamo spiacenti.

Giuliana si scostò di qualche passo, si guardò intorno. Di colpo si sentí cosí lontana, cosí fuori posto. Per un attimo, non ebbe idea di cosa fare, dove andare. Quel luogo che fino a poco prima le era sembrato il paradiso terrestre le parve ora una landa deserta. Le si insinuò il pensiero – era la prima volta – che forse aveva sbagliato a venir lí senza preavviso. Fare una sorpresa… Era uno di quei suoi giochini stupidi a cui prima o poi doveva rinunciare nella vita.

Ma fu solo un attimo, si riprese subito. Pensò a un disguido, una piccola inefficienza degli uffici. Un equivoco. Che sarà mai? Poteva ben succedere, persino negli States. Cominciò a chiedere in giro. Figurarsi se non conoscevano Fil. Lí erano tutti studenti, avrebbe di certo trovato dei compagni di suo nipote, o dei suoi docenti. Li fermava. Chiedeva: «Conoscete Filippo Cantirami? Un italiano, studia Economia qui». Chiese a ragazzi stesi sul prato, ad altri che entravano a lezione o ne uscivano. Chiese a qualche singolo studente un po' appartato.

Niente. Nessuno lo conosceva.

Allora provò a chiamarlo. Pazienza per il coup de théâtre, ci rinunciava. Se era così difficile stanarlo – cosa che mai avrebbe pensato –, d'accordo, si arrendeva, lo chiamava e buonanotte, tanto la sorpresa gliel'avrebbe fatta lo stesso. Gli avrebbe detto: «Ehi, Filino mio di vento, dove ti sei involato? Sai dove sono? Trovati all'angolo fra tre minuti…» Facendo il numero, si pregustava la felicità. Ma rispose una fastidiosissima voce registrata: *Il cliente da lei chiamato non è al momento raggiungibile.*

Che razza di frase era, cosa voleva dire quella voce, come si permetteva di dire parole tanto definitive?

Giuliana era sgomenta, anche un po' irritata. Niente di grave, per carità. C'era tutto il tempo. Magari Fil era a lezione. O dormiva. Lo avrebbe chiamato piú tardi.

Riprovò piú volte, senza successo.

Allora decise di tornare al caffè dove aveva preso il sandwich. E fu a uno dei tavolini fuori che notò un ragazzo. Va' a sapere perché. Per quale ragione uno nota o non nota qualcosa, qualcuno? Ricciolino, con l'aria un po' sperduta e una giacchetta a quadri spiegazzata. Era l'unico che non dava segni d'agitazione. Gli altri, essendo passata da un pezzo l'ora di pranzo, stavano raccogliendo le loro cose per andarsene. Quel ragazzo invece rimaneva incollato al tavolino come se non si fosse accorto che l'ora era passata. Era lí seduto, senza tempo. Cioè con un tempo immenso tutto per sé. Cosí sembrava. Forse fu questo. O i riccioli. O perché le cose che devono accadere accadono, che ne sappiamo noi? Stava leggendo. Leggeva certe pagine pinzate con un fermaglio, che gli scappavano da ogni parte.

Leggeva, eppure dava l'impressione di pensare ad altro, qualcosa di diverso, e piú importante di quel che leggeva. Strano. Giuliana lo osservò bene, poteva avere l'età di suo nipote. Le smosse qualcosa dentro, chissà.

– Mi scusi, – gli disse in perfetto inglese, con un'ombra d'inflessione italiana ma solo un'ombra. – Lei sta lavorando, mi scusi... Volevo solo chiederle se per caso conosce un certo Fil...

Nel campus dell'università di Stanford ci sono migliaia di persone, tra studenti e professori. E Giuliana Cantirami aveva scovato proprio lui: Jeremy Piccoli, l'amico di Fil, l'unico che lí dentro lo conoscesse e potesse dirle qualcosa di lui. Inspiegabile. Quasi irreale.

Jeremy Piccoli, dopo le pecore al Balliol College, non aveva perso tempo: era salito sul primo volo che aveva trovato. Fuggire. Tornare a Stanford. Rimettere un oceano tra sé e Fil. Questo solo aveva avuto voglia di fare. E cosí aveva fatto.

Aveva mollato lí Fil, accerchiato dalle pecore, dalla folla di curiosi, dagli agenti che arrivavano a mettere un po' di ordine, forse ad arrestarlo. Poteva difenderlo, chiarire, prendere le sue parti. Poteva rimanere lí a sentire quel che lui aveva da dirgli e invece no, lo aveva piantato. Difficile spiegare cosa aveva provato. Difficile. Oxford era stato il sogno della sua vita. Tanto che al liceo non ci aveva neanche provato a far domanda, ci aveva messo una pietra su, al sogno. E poi invece gli capita di essere invitato proprio a Oxford. Non come studente, no, come professore! Da non credere. Per mesi si prepara il discorso, lo recita ad alta voce davanti allo specchio. Per mesi si prefigura nella mente l'evento come fosse un film: quando arriva, come lo accolgono, chi lo presenta, come reagiscono i colleghi, gli studiosi piú insigni, il pubblico... E invece, tutto travolto da quelle stupide pecore.

Aveva provato a fermare qualcuna delle autorità accademiche per chiarire, giustificare, spiegare che lui non c'entrava, che non sapeva. Ma aveva finito per ingarbugliare tutto ancora di piú. L'unica era filarsela, mettere distanza. E in quel viaggio di ritorno, stanco morto, sull'aereo, in tutte quelle ore estenuanti di volo, non aveva che domande. Cosa significavano quelle pecore? Perché Fil lo aveva fatto? Perché aveva rovinato tutto? E il loro patto, quel patto che forse non avrebbe dovuto fare mai... Già, il patto... Perché aveva accettato? E come avrebbe potuto adesso dissociarsi, romperlo? Scappando? Era una soluzione? Era onesto? No, non doveva fuggire. Magari lo avevano messo in galera, Fil... Aveva provato subito a cercarlo, appena l'aereo era atterrato a San Francisco. Ma il cellulare di Fil dava spento o non raggiungibile. Anche lí a quel caffè del campus, seduto a un tavolino, non aveva fatto che chiamarlo. S'era portato da studiare, ma non riusciva a concentrarsi, aveva quel chiodo in testa di cercare Fil, parlargli. Niente. Spento o irraggiungibile. S'era preso un hamburger con l'insalata, una birra, poi un'altra. Spento. O irraggiungibile. E adesso questa donna sconosciuta che chiedeva di Fil proprio a lui... Come lo aveva scovato? E come aveva fatto, cosí presto? Ma poi, davvero chiedeva di Fil? Sicuro che non fosse una sua suggestione? Che quella donna avesse detto proprio *Fil*, e non per caso una parola simile? E poi, quale Fil? Non era detto che fosse il suo Fil, sai quanti Fil ci sono al mondo?

E chi era quella donna?

Jeremy la osservò meglio. Non avrebbe saputo che età darle, ma gli sembrava giovane. Cioè, non giovanissima, ma non certo vecchia. Non si poteva dire una signora di mezza età. Ecco, piuttosto una ragazza di mezza età. Sportiva. Ma un po' sgargiante... Il tempo di osservarla e di provare a pensare che quel che stava succedendo non fosse vero, e la donna precisò:

– Volevo dire Filippo Cantirami, lo conosce?

Nessuno scampo: Filippo Cantirami.

Jeremy si sentí un animale stanato. S-tanato. Quando trovano la tana dove stai, scoperchiano la fossa, tolgono il riparo, accendono la luce. Qualcosa del genere. Pensò che era fatta, non poteva scappare. D'altronde lo sapeva, lo aveva anche detto a Fil: troveranno me, vedrai! E infatti... Soltanto, non avrebbe immaginato cosí presto. Rispose al volo, che altro fare? Rispose piú svelto di quanto fosse necessario. Tanto valeva andare incontro, buttarsi in braccio agli eventi, invece di provare a evitarli:

– Sí, certo... Siamo amici!

Rispose di furia, Jeremy. E solo dopo aggiunse: – Mi scusi, ma lei chi è, perché lo cerca?

– Sono Giuliana Cantirami... – pausa. – La zia di Fil.

Glielo disse cosí, chi era. Semplice. Con, in mezzo, il tempo di un respiro. Glielo disse ravviandosi, in un colpo, i capelli. Facendo quel gesto sbarazzino che fanno le ragazze, di ravviarsi i capelli mandando indietro la testa. Jeremy le vide il collo inarcarsi, e la collanina d'argento fremere tra le clavicole, con quel ciondolo... Che ciondolo? Una conchiglia, una medaglia? Si perse. Non riuscí piú a pensare o a fare nulla di sensato. La guardava.

Anzi, guardava oltre, non lei. Guardava dentro i suoi propri, piú reconditi pensieri, l'immagine segreta che di quella donna, negli anni, a poco a poco si era costruito. La zia di Fil, la mitica zia Giu...

Fil gliene aveva parlato cosí tanto e in un modo tale che lui s'era fatto l'idea che fosse finta, una bugia. Una specie di zia-robot che un nipote fantasioso, e un po' solitario, si forgia nella mente a immagine dei sogni. Invece era vera. Esisteva. Gli stava lí davanti in carne e ossa. E lui la guardava, e si stupiva. Non di lei, ma di non aver pensato mai (mai!) che quella tanto favoleggiata zia di Fil potesse essere, anche, una donna cosí bella. La guardava come da bambino guardava gli animali di peluche nelle vetrine, che gli sembravano in un solo colpo tutte le meraviglie del mondo radunate insieme.

Si misero a parlare.

Rimasero seduti lí, a quel tavolino. Ore.

Jeremy parlava, lei no. Lui era un fiume in piena, lei gli aveva solo domandato, all'inizio, se sapeva dove fosse Fil.

Jeremy non glielo disse subito, che Fil non era lí. Gli sembrò meglio partire dall'inizio, farle capire bene com'era andata, cos'era stato. Si sentiva scoperto, sí: ovvio che la zia di Fil era venuta lí per sapere; ma si sentiva anche contento di poter finalmente spiegare tutto, liberarsi di quel peso che si portava dentro da tre anni. Era giusto che la famiglia di Fil conoscesse la verità. Voleva soltanto che non si turbasse troppo, quella zia bellissima, che non avesse tutto quello shock...

Cosí, cominciò a raccontare lento.

Giuliana lo ascoltava. Si stupiva solo che quel ragazzo la prendesse da cosí lontano, ma si lasciava portare. Non lo interrompeva. Le piaceva quel fluire inarrestabile di parole: cosí tante, cosí impetuose. Ma si sentiva bene, leggera, come quando nuotando ci si ferma a fare il morto e ci si lascia galleggiare, cosí, per il gusto di sentire che il corpo si abbandona, ma l'acqua lo sostiene. Sí, trovava giusto un po' bizzarro che quel ragazzo, invece di dirle semplicemente l'indirizzo di Fil, fosse partito a raccontarle la sua vita intera. Ma lo lasciava dire. Aveva tutto il tempo, e una gran curiosità. Lo pregò solo di andare piú adagio:

– Dunque, Jeremy, si fermi un attimo, mi faccia ricapitolare. Devo essermi distratta... Eravate a Londra da quanto tempo già?

– Quasi due anni, stavamo finendo il master. E quella sera di giugno...

Capitolo secondo

Swap

Quella sera di giugno Fil mi chiede se ci troviamo al pub. Giusto, dobbiamo festeggiare. Abbiamo appena saputo d'aver vinto a Stanford. Tutti e due un dottorato a Stanford, non sto nella pelle. Anche se, non so... tutti quegli anni ancora a bagno, senza la prospettiva di un lavoro fisso... Non so cosa dire ai miei, se la borsa di studio mi basterà... Ho voglia di parlarne un po', sentire cosa ne pensa Fil.

Entro nel pub che lui è già lí, seduto su uno degli sgabelli trampolo al banco. Ha davanti un boccale pieno, lo guarda. Non beve, non parla con nessuno. Sembra parli col boccale. Gli vado incontro. Capisco dalla faccia che qualcosa gli bolle dentro, che non è lí per festeggiare.

Mi dice che ha una cosa da propormi.

Una cosa cosa?

Uno swap.

Dice cosí: uno swap.

Mi chiede se ho presente cosa sia. Certo che ho presente.

Ecco, io ti do la mia vita e tu mi dai la tua, una cosa cosí, ci stai?

Questo mi dice. Mi prendo quei due o tre minuti di tempo. Ordino anch'io una birra.

Tu mi dai la tua vita e io ti do la mia... certo. Una frasetta da niente. Lo guardo. È lí che fissa i nostri due boccali. Meccanicamente li sposta un po' sul tavolo, li fa girare uno dietro l'altro, in tondo. Cosí, tanto per far qualcosa. Poi comincia. Non mi guarda mentre parla. Tutto un discorso secco, pulito come un taglio nella roccia. Si vede che ha pensato a lungo e poi s'è deciso. Non ci sono intoppi, nodi. Mi sta parlando dalla fine, da un punto in cui è chiaro che le sue scelte le ha già fatte. «Secondo me può convenire a tutt'e due, – dice. – È un buon patto. A mio giudizio. Ecco. Un buon patto. Che si può fare. Tu fai la tua vita e io la mia. Non ti preoccupare, non devi fare niente. Tu vivi come sempre. Sono io… Sono io che cambio. Mi sembra che potrebbe… funzionare».

Mi sono preso un giorno per pensarci. Mi pareva un tempo giusto, notte compresa. Ventiquattr'ore. E poi ho deciso.

Non so se fosse davvero un buon patto, ma in quel momento era quello che volevo, era maledettamente quello che mi serviva. E non avevo un altro modo per averlo. Accetto. Glielo dico esattamente la sera dopo, che accetto, lí, allo stesso pub. Ventiquattr'ore, non una di piú. Sono un tipo preciso, io.

– Scusi, Jeremy, – a quel punto, alla parola «preciso», Giuliana s'era riscossa. – Cos'è che accetta lei quella sera?

Jeremy si scusò, era corso via troppo di fretta.

– Allora, sí, andiamo con ordine. Io Fil l'ho conosciuto a un seminario. A Milano. Alla Bocconi, all'inizio del terzo anno. La mitica Bocconi… Per me era il sogno che si avvera, la figurina che si alza dal libro delle favole e si mette a vivere. E uno non si abitua cosí tanto… Me ne andavo in giro per quell'università ancora a bocca aperta. Fil invece sembrava lí da sempre, che ci fosse nato. Era il piú bravo, lui. Si vedeva. Io il secondo, forse. So che non dovrei essere io a dirlo, ma in quel seminario a me sembrava proprio che dopo di lui c'ero io, come bravura. Dico quella bravura un po' particolare, di arrivarci, ai problemi, quei cinque secondi prima degli altri. Cinque secondi, non di piú. Ma è quella scheggia di tempo che fa la differenza. Gli altri te li vedi ancora fermi lí agli ormeggi. E la tua barca è già arrivata dall'altra parte del mare. Si chiama avere il vento o non averlo. Fil ce l'ha. E ci arriva sempre, dall'altra parte del mare.

L'altra parte del mare... già. Da piccolo mi sedevo sulla riva e non volevo fare il bagno. Avevo paura del mare. Ero uno di quei bambini che hanno paura del mare. Ce ne sono pochi, lo so. Io ero uno di quelli. Lo trovavo esagerato, con tutta quell'acqua che ti viene contro e tu non vedi da quale altra parte arriva, chi te la butta contro.

Vede? ho sempre questo vizio di divagare...

Insomma, conosco Fil e penso che mi piacerebbe diventare suo amico. Lui abita a Milano. Io prendo il treno tutte le mattine alle sei da Carandate, e poi la metro. Abito a Carandate, quaranta chilometri da Milano. Filippo lo sa, certo. Ma sa ben poco altro di me. Non sa niente di chi sono, com'è la mia famiglia e tutto il resto. E come potrebbe? Ci si trova a lezione, si mangia un panino insieme, si va anche a bere la sera qualche volta, ma finita lí. Le vite non si mescolano mai. Non succede, tra noi compagni di corso, o poche volte, che ne so. Ma mi propone la cosa giusta, quella sera a Londra. Mi offre esattamente quello che mi serve. Capito? Esattamente. Al millimetro. Ci azzecca. Non lo so, lo intuisce. O in qualche modo tutto suo, lo sa. E insomma, la fa a me quella proposta, demenziale, stupenda. Non a un altro, a me! Mi propone quello swap. Mi dice che se voglio, in cambio, lui mi aiuta. Cioè mi passa i soldi che gli danno i suoi. Che tanto lui non ne ha piú bisogno, visto che ha deciso... Io invece sí. Io cosí posso stare piú tranquillo, non farmi tante colpe verso i miei. Secondo lui io sono un tipo in gamba. «Studi, hai idee, – mi dice, – devi assolutamente andare avanti, fare la carriera che ti piace. Non puoi permetterti di avere problemi economici, non li devi avere, tu, questi pensieri. Devi poterti pagare i viaggi, tutti gli aerei che vuoi, per tornare a casa, o per andare dove ci sono dei corsi stratosferici, dei professori bravi. Devi avere tutto quello che ti serve. Tutto, Jer! Te lo meriti. È la tua vita. Si vede. Ad esempio, da come porti la cartella a tracolla. Hai un modo, Jer! Hai un modo tutto speciale di appendere al braccio la cinghia della tua cartella... E poi non so, anche da come parli. Da come parli con i professori, quel tuo modo di guardarli dritto negli occhi. Dritto, Jer. Non di sghimbescio come tutti noi comuni mortali, che vogliamo solo sfuggire alle loro grinfie peggio che se fossimo anguille che sguizzano nell'acqua. Noi li guardiamo come anguille i professori, tu no. E te lo sei chiesto perché tu li guardi dritto negli occhi? Perché tu sai che diventerai uno di loro. Lo sai perfettamente, Jer. Lo sai perché è la tua vita. Chiaro? Quindi la devi fare. Lo so che non hai il fegato di chiedere altri soldi ai tuoi, non ci provi neanche, fanno già abbastanza sacrifici, piuttosto di chiedere ti ammazzi... Bene, non ti ammazzare, Jer. È questo che ti volevo dire. Te li do io quei soldi...»

Cosí mi dice.

E io non lo so come l'ha capito. Ma gli brillano gli occhi quella sera, si vede che lo dice per davvero, che gli fa piacere, che non vedeva l'ora. E io sono contento, sí... È vero, è proprio come dice lui. Era il mio sogno studiare in un'università prestigiosa come Stanford, far ricerca.

Ero anche contento di avere un amico cosí, lo sa? Non è mica facile...

Anche se... Diavolo, ci mancherebbe... Gliel'avrei fatto anche gratis, tutto quanto!

Qui Jeremy si fermò. Era andato tutto d'un fiato. Giuliana alzò lo sguardo. Meravigliato, interrogativo.

– Ma tutto quanto cosa, Jeremy? – gli chiese. – Si può sapere qual era il vostro patto, che scambio, perché Fil le dava i soldi?

Jeremy abbassò gli occhi. Continuò a star zitto, per un po'.

– Era che non voleva andare a Stanford, – disse.

Poi fece un'altra pausa lunga. Sempre tenendo gli occhi sul tavolino.

– Che non era la sua vita. Cosí diceva. Che lui basta, si fermava.

E io quella sera non capivo un accidenti. E gliel'ho chiesto. Mi deve credere, Giuliana, gliel'ho chiesto, l'ho tormentato, l'ho tempestato di domande... E dove vai? lasci la London School? vuoi studiare da un'altra parte? oppure torni a casa tua? o ricominci alla Bocconi? oppure invece vai a lavorare? hai trovato un posto? o che cos'è, hai una ragazza? Tutto cosí, un sacco di domande, ma lui niente, non rispondeva. Diceva: non lo so, è troppo presto, lasciami provare, non ho questa chiarezza, cioè, ne ho solo un pezzo... Diceva che non ne era certo al cento per cento, ma all'ottantanove sí. Mi pare abbia detto ottantanove... O forse ottanta...

Un'altra pausa.

– Ma non era importante questo. Era importante sa cosa? Che fino a quel momento io avevo pensato che volessimo le stesse cose, che fossimo quasi due fratelli... E invece lui mi stava dicendo che non era cosí. Che non volevamo piú le stesse cose. Non so nemmeno se le avevamo mai volute. Questo era. Si scavava come un solco tra di noi. Un abisso.

Cioè, sa cosa per me era pazzesco? Che lui buttasse a mare una cosa come Stanford... Stanford! L'America, gli States, l'oceano Pacifico, Palo Alto, Steve Jobs... E lui dice no grazie, io non ci vado, vacci tu!

Allora, dunque, chiaro. Chiaro che ognuno può fare quel che diavolo vuole nella vita. Ci manca solo. Libero. Libero di fare quel che piú gli salta in testa, anche di andare a sbattere contro un muro. Per dire. Se gli va. Però... Però, sputare su Stanford! Io non... io mi ricordo che non... che quella sera... Continuavo a dirgli se era matto, quanto s'era bevuto, se mi prendeva in giro o cosa.

No. Non era matto, aveva deciso. Non era lí per chiedermi un parere, un consiglio. Era lí solo per chiedermi un aiuto. Un aiuto perché c'era un problema.

Fil aveva questo unico, maledetto, complicatissimo problema: che non voleva dirlo ai suoi.

Questo era: non voleva dirlo ai suoi!

Per questo gli servivo io!

Ha capito?

No. Giuliana non stava capendo per niente. Cioè, stava cominciando a capire qualcosa.

– Lei mi vuole dire che Fil... non è venuto a studiare a Stanford... nel 2008? Sí, mi pare che fosse il 2008...

– No, non è venuto...

– E che Fil adesso... non è qui?

– No, non è qui...

Jeremy rispondeva come un automa, con un fil di voce, in un sussurro, come se non fossero risposte. Balbettava, era come se parlasse solo a se stesso, di nascosto, inghiottendo le sue stesse parole, perché si notasserc il meno possibile. E ripeteva, come un mantra:

– No, no, non ci è mai venuto qui a Staniord, no, Fil non ci è mai venuto... qui...

Giuliana lo guardò fisso negli occhi. Ma non era un vero sguardo. Pensava. Teneva gli occhi aperti come abbacinati da una luce troppo forte, che disturba.

– Ma allora sono tre anni che... – disse. Come una pietra che cade. Poi aggiunse: – Ma adesso dov'è Fil?

– Be', è a Londra... – Jeremy rispose farfugliando, come chi teme di non sapere la risposta giusta. Eppure era la risposta giusta. – Sí, – ripeté, – Fil vive a Londra.

– A Londra? E cosa fa?

– Non lo so... Vive lí. È questo che volevo dirle! Che quella sera al pub... Che con quel patto lui...

Giuliana cominciava anche ad avere freddo. Il sole era andato via e faceva un freddo pazzesco lí fuori, nel dehors di quel caffè del campus. Perché erano rimasti lí? Perché aveva permesso che quel ragazzo sconosciuto la lasciasse lí, al freddo, per tutte quelle ore? E perché lei era in quel posto, in America, cosí lontana da tutti?

– Possiamo andarcene? – gli disse. – O almeno, non so... spostarci dentro?

Si spostarono dentro, a un tavolino d'angolo. Giuliana ordinò un tè bollente, con un po' di latte e dei biscotti: – Possibilmente al cioccolato, – disse al cameriere. Jeremy la guardava. Gli sembrava cosí sperduta, cosí altrove. Teneva una mano sulla tovaglia, abbandonata; il polso lungo, magro, bianco, le usciva dal polsino della camicetta. Con l'altra mano tormentava una spilla che portava sul revers di quella sua giacchetta scozzese con i bottoni d'oro cosí sgargianti. Avesse potuto, Jeremy le avrebbe risparmiato tutto questo. Ma doveva pur fargliela sapere, quella storia.

– Le sto dicendo tutto quello che so, Giuliana. Non è molto, d'accordo... Ma insomma, in due parole il fatto è questo: Fil non voleva andare a Stanford. Ma non osava dirlo ai suoi. Quindi doveva fingere, non c'era altro. Far finta. Inventarsi che ci andava, a Stanford, che ci viveva, che studiava lí, che prendeva il dottorato. Doveva ingannare i suoi. Ha capito? Non era facilissimo... Non ci si può inventare una vita cosí dal nulla. O almeno, Fil diceva di non esserne capace. Cioè, non del tutto. Ci ha provato, mi ha detto, e per un po' ci è anche riuscito. Ma poi come si fa? Come si fa a inventare una vita che non hai? Come fai a raccontare ai tuoi, ai tuoi!, i posti che non vedi, la gente che non incontri, gli studi che non fai...

Io. Io che ci andavo, a Stanford, potevo aiutarlo. Ero suo amico, potevo farlo. Dovevo solo vivere qui al posto suo, studiare le cose che avrebbe studiato lui, vedere la gente che avrebbe visto lui, i luoghi... e poi raccontargli tutto. Dovevo mandargli dei resoconti. «Dettagliati resoconti», cosí mi disse. Era questo che voleva da me. Solo questo...

Per non fare soffrire i suoi. Ci starebbero troppo male,

diceva. Non se la sentiva di deluderli a quel modo. Continuava a dirmelo, era ossessionato. Bastava che gli passassi i particolari. I dettagli. «Una vita è fatta di dettagli, – diceva. – Sono i dettagli che fanno sembrare vero tutto. Dài, Jeremy, ti costa tanto? Ce la puoi fare? Passami i dettagli…» Via mail. Gli dovevo solo mandare delle mail. A scadenza fissa, diciamo una a settimana, lui poi cosí le girava ai suoi e tac! la sua vita diventava vera.

La sua vita che, poi, era la mia…

Questo era lo scambio, il patto…

Lo so che non è facile da capire. Ci ho messo un po' di tempo anch'io, quella sera. Ma sa cos'era il bello? Che non era proprio uno scambio-scambio, era solo qualcosa che gli assomigliava. Non una roba tipo che io diventavo lui e lui diventava me. Nessuno diventava nessun altro. E questo mi andava bene. Ci mancava solo una mascherata come a carnevale, che il povero diventa il ricco, il padrone diventa il servo… No, non era quello! Era solo che lui fingeva. Fingeva di fare una vita che invece vivevo io per lui, e poi gli passavo, ecco tutto. Intanto cosí lui andava a farsi un'altra vita, da un'altra parte. Una vita che gli sembrava un po' piú sua, che ne so?

Cosí ho capito. Poi, chi sa… Fil non mi ha mai detto niente. Non mi ha detto dove andava, o perché aveva deciso, e cosa. No. Mi ripeteva solo frasi tipo: Non lo so, Non ce l'ho ancora chiaro, Scusami tanto Jer, Devo capire meglio… Tutto cosí.

L'importante era che i suoi fossero felici. Bastava anche solo che fossero… non infelici. Quello era il suo pensiero fisso. Il chiodo, possiamo dire.

Secondo me sbagliava. Era imbrogliare i genitori, la famiglia… Non si deve fare una cosa simile, nella vita. Almeno per come la vedo io. Gliel'ho detto. Accidenti se gliel'ho detto! Ma, secondo lei… mi ha dato retta?

«Ecco, solo questo, Jer. Ho solo bisogno che vivi al posto mio, ti spiace? Lo puoi fare questo per me? Ecco…

una cosa un po' cosí, Jer. Cosa ne pensi, eh? Dimmi, cosa ne pensi?»

Diavolo, cosa ne penso... Era mio amico. Mi chiedeva un favore...

Giuliana giocherellava con la spilla. Aveva continuato a farlo per tutto quel tempo, mentre Jeremy parlava, s'era andata girando e rigirando tra le dita quella spilla, puntata sul revers della giacchetta.

Era un ranocchio. Un piccolo ranocchio di smalto verde con una corona gialla in testa. Un principe-ranocchio, naturalmente.

Se l'era comprata quel mattino, prima di noleggiare la decappottabile bianca con i sedili rossi. Era uscita dall'albergo e in una vetrina proprio lí vicino aveva visto quella spilla. Era rimasta un attimo a guardarla e aveva proseguito. Poi era tornata indietro, l'aveva guardata ancora un po' e infine era entrata a comprarsela. Aveva, insomma, opposto una certa resistenza all'acquisto, ma non piú di tanto. Perché l'acquisto non era resistibile.

Le succedeva spesso che un oggetto le paresse di colpo irrinunciabile: come se fosse la sua vita stessa a richiederlo in dono. Era un incontro: lei incontrava gli oggetti. O meglio, gli oggetti incontravano lei: le venivano incontro, come soleva dire. Cioè secondo lei alcuni oggetti, vedendola passare, era come se si illuminassero e la chiamassero dalla vetrina. Un richiamo. Tanto che lei s'era fatta l'idea che, se quegli oggetti la chiamavano, ci doveva essere un perché, una ragione profonda, di sicuro intimamente legata alla sua vita. Probabile che quegli oggetti gliela volessero cambiare. Lei non capiva bene la ragione, ma la intuiva, sapeva che esisteva, e dunque l'impulso che provava andava assecondato, non represso.

Solo una volta non aveva seguito l'impulso, e se n'era pentita. Era stato una ventina d'anni prima. Era giovane, spensierata. Aveva visto un quadro, a un mercatino. Una tela di nessun valore, senza firma, non databile. Un mare mosso, con una luce verdazzurra che veniva dal cielo e si diramava sull'acqua, colorando le onde nel punto estremo dove si formano, prima che comincino ad avvoltolarsi su se stesse e rotolare poi a riva, con quel frastuono di spruzzi e schiuma. Le piaceva da morire, quel quadro di mare. Se lo vedeva appeso in casa, sulla parete davanti al letto, cosí appena sveglia poteva trovarselo sparato negli occhi. Se lo vedeva anche in una certa nicchia dell'ingressino: il mare quando entri in una grotta e ti pare l'universo.

Costava quarantacinquemila lire (allora c'erano le lire). Era caro? Non era caro? Non sapeva. Si fece forza, disse a se stessa: vai avanti, non dissipare, puoi farne a meno. Passò oltre, non lo comprò. Ma nella giornata il pensiero di quel mare la pungeva. A un certo punto, il dolore di quella rinuncia si fece cosí acuto che non poté trattenersi, lasciò il lavoro e corse a quel mercatino. Era già tardi, a quell'ora era difficile che i banchi ci fossero ancora. Fece la strada col cuore in gola. C'era! Lo vide in lontananza, il banco dei quadri. Si avvicinò trepidante, ma non vide il quadro del suo mare. C'erano tutti gli altri: nature morte, campagne, ritratti. Mancava solo lui. Vide che sul cavalletto dove al mattino stava appoggiato, ora c'era un'altra tela, insulsa, un piatto con quattro mele rosse, dipinte pure male. Non osò chiedere al mercante, evidente che l'aveva venduto. Possibile? Sí. Aveva venduto solo quel quadro in tutto il giorno: il suo! Se ne tornò tristemente indietro. Non avrebbe mai avuto, davanti al letto, la visione di quel mare verderame illuminato. L'aveva perso, per il gusto eroico di fare una rinuncia che, ora si diceva, non sarebbe stata utile a nessuno.

Continuò a pensarci con rammarico per un bel po' di tempo. Si era privata di una cosa che le avrebbe dato un po' di felicità, e non sapeva perché l'aveva fatto. Si sentiva solo stupida, e inadempiente: aveva mancato di adempiere a qualcosa, non aveva risposto a un richiamo, aveva ignorato un segnale che forse le era stato mandato per indicarle qualcosa, un senso riposto, un segreto... Basta. Si ripromise di rispondere sempre ai richiami che la vita le lanciava. E per questo suo complicato meccanismo mentale di ordine quasi metafisico, e non certo per un banale e consumistico desiderio di possesso, Giuliana continuò a riempire di oggetti la sua casa, nonché la sua vita: piattini, ciondoli, animali di peluche, di porcellana, di vetro o legno o stoffa, quadretti, salvadanai, foulard, collanine, posacenere, statuette e spille.

Spille... Quel mattino a San Francisco le era parso che la sua vita non potesse piú aver senso senza quel ranocchio verde con la corona in testa. E se lo era comprato. Quanto al senso che quella spilla avrebbe dato alla sua vita, be', bisognava solo attendere con fede.

Il fatto è che Giuliana Cantirami pensava ci fosse sempre qualcuno, non necessariamente una divinità, che si prendeva cura di lei, qualcuno che dall'alto e senza farsi mai vedere indirizzava la sua vita.

E cosí a quel caffè del campus, Giuliana giocherellava con la spilla-ranocchio, come abbiamo detto. Era sera. A forza di parlare, il pomeriggio se n'era andato e loro non s'erano accorti del tempo che passava, lui tutto preso dalle sue parole, lei incantata ad ascoltarle.

Incantata. E agghiacciata: di colpo, in quella sera novembrina americana, veniva a sapere da un giovane sconosciuto ricciolino che suo nipote li stava ingannando tutti da tre anni; che non era mai andato a Stanford; che non ci era andato perché quella non era la *sua* vita...

Ma cosa voleva dire? Di chi è mai la vita che viviamo? Capita a tutti di non riconoscerla come propria? In certi momenti d'accordo, forse. Ma un ragazzo che scappa, cos'ha visto di cosí tremendo, di cosí irriconoscibile, straniero? E dov'era scappato adesso Fil?

Si sentí perduta, e confusissima. Disse a Jeremy di

aspettarla un attimo e uscí a richiamare Fil, perché non ci poteva credere che fosse vero. Aveva bisogno di parlargli, un immenso, incontenibile, commovente bisogno di parlargli. Fece il numero. Tante volte, in modo compulsivo, meccanico. Il cellulare di Fil mandava il solito drammatico messaggio: non raggiungibile. Tornò a sedersi. Si sentiva distrutta, come se solo in quel momento avesse capito quel che era successo: avevano perso Fil. Tutti quanti, compresa lei.

Jeremy la guardò, senza parlare. La consolava con gli occhi. Adesso il problema era lei, era che quella donna non soffrisse troppo, che il suo sguardo non s'incupisse, il suo viso non perdesse quella dolcezza. Cercò di distrarla. Le parlò un po' di quel locale, del ragazzo che lavorava al banco, un messicano di origine russa che era diventato suo amico. Ma gli sembrò che Giuliana non seguisse una parola, quasi che non fosse lí.

– Andiamo a cena? – le propose. – Che ne dice?

Capitolo terzo

Le strategie della finzione

Presero l'auto, guidava lei e per quelle strade grandi, col buio che le buttava addosso un'aria fredda, pensò che sí, una decappottabile non era stata l'idea migliore. Ma a nessuno dei due venne in mente di tirar su la capote.

Jeremy si era tutto avvolto nella sua giacca, e aveva tirato fuori dalla borsa uno sciarpone spesso fatto a mano. Non parlava, le dava solo indicazioni sulla strada, verso un ristorante poco lontano. Ci era andato una volta sola perché era caro, ma gli piaceva, era un posto elegante con i camerieri in giacca bianca, e dei grossi quadri di arte contemporanea alle pareti. Il posto giusto. Perfetto portarci quella donna, entrare lí con lei, chiedere un buon tavolo, cederle il passo e guardarla camminare avanti... Quella donna dall'aria sbarazzina che adesso, seduti al tavolo di quel ristorante, si toglieva la sua giacchetta scozzese e restava con una camicia di seta cosí morbida che le cadeva un po' sulla spalla. S'era seduta strana: di traverso, scostata dal tavolo come se non fosse lí per cenare: una che passava per caso e si riposava un momento da un lungo viaggio di cui solo lei aveva le coordinate. Ora si ravviava i capelli con quel gesto trasognato da ragazza. Quei capelli cosí folti, fluenti...

Ordinarono un piatto di salmone al vapore con patate e una bottiglia di Chemin des Dames. Il suo vino bianco preferito.

Ora Jeremy le raccontava come avveniva lo scambio, quali erano i meccanismi: lui mandava a Fil i «dettagliati resoconti», una mail dietro l'altra, piú o meno ogni sei o sette giorni, in cui gli diceva tutto, dove andava, cosa faceva, cosa studiava, ma soprattutto i particolari. Per esempio com'era fatto il corridoio davanti all'aula esami, o la strada che faceva per andare in biblioteca, la faccia del bibliotecario, cosa gli diceva se dimenticava un libro sul tavolo. O la volta che si era seduto storto sulla sedia per vedere meglio gli occhi di una giovane ricercatrice, i brillantini sulle palpebre... O il compagno Scott della stanza accanto, che giocava a rugby ed era pieno di ragazze e non gliene presentava mai una, tanto cosa te ne fai, gli diceva, tu studi e basta...

Quando aveva preso il master alla LSE, lí sí che era stato impegnativo. Impegnativo non tanto prendere il master, quanto raccontarlo bene a Fil in modo che sembrasse vero.

– Ma perché? adesso, Jeremy... lei mi vuole dire che Fil... non ha nemmeno preso il master...? – chiese Giuliana.

– No, non l'ha preso...

– Cioè non ha neanche finito gli studi a Londra...?

– No...

– E i genitori non se ne sono accorti...?

– No...

Giuliana era tutto un cadere dalle nuvole. E come avevano potuto suo fratello e sua cognata non vedere, non sapere? E lei? C'era anche lei nel bel gruppone di famiglia...

– Il problema, – continuò Jeremy, – è stato quando i genitori di Fil hanno detto che volevano venire a Londra per la cerimonia del master. Bel casino, ci pensa? Se fossero venuti sarebbe crollato il castello. Dovevamo far di tutto per bloccarli, depistarli... Abbiamo pensato a lungo cos'era meglio dire, se Fil s'è preso una febbre a quaranta o cosa. Ma lui ha l'idea geniale: diciamo quel che è, mi dice. Ma come quel che è? gli dico io. Diciamo che preferisco di no, che problema c'è? E cosí fa: dice ai suoi che non li vuole alla cerimonia! Sí, dice proprio cosí, che non li vuole. Scrive che è grato, che li ringrazia proprio tanto, che sono stati meravigliosi, che qui che lí, che su che giú, che sicuramente gli deve tutto, che capisce benissimo quanto ci tengano, quanto sarebbero felici, certo, un figlio che prende un master, vederlo con i loro occhi, è il coronamento finale, sí, lo capisce, gli dispiace... Ma, se glielo consentono, quello è un momento solo suo, qualcosa di cui ha anche un po' pudore... Insomma, pensino pure che è per una forma di timidezza o anche una punta di egoismo, ma comunque è questo che desidera: niente parenti alla cerimonia del master e buonanotte.

Io gli dico se è matto, come fa a impedire ai suoi di venire, che è un desiderio sacrosanto. Invece i genitori di Fil capiscono. Anzi, meglio: sono fieri! Ma sí, gli scrivono una mail demenziale, che trasuda ammirazione da tutti i pori, che loro sono orgogliosi, che un figlio cosí, che tanta riservatezza, understatement, umiltà, e bla bla...

In ogni caso non sono venuti a Londra, punto e basta, un capolavoro!

Poi arrivo a Stanford. E allora è dura. Con Fil non so come comportarmi, cosa fare, sono troppo felice. Non so come passargliela, la mia felicità, e se è giusto che io sia qui e lui no. E come dirgliela, tutta la meraviglia di questo posto... via mail, poi, condensata nello spazio microscopico di qualche riga! Secondo me deve venire a vedere lui, rendersi conto con i suoi occhi... Ma lui mi dice che ce la farò benissimo e di fare meno storie.

Il fatto è che io mi sento in colpa a essere in un posto cosí, e gli racconto poco. Ho paura che ci rimanga male. Insomma, sto vivendo la sua vita al posto suo... Cioè, sí, vivo la mia vita, che però è la sua finta, quella che devo fingere io per lui in modo che sembri vera... Un gran casino...

Non sapevo se poi a Fil andava davvero bene di non esserci venuto a Stanford. Magari poi s'era pentito d'averci rinunciato, e sentire me tanto entusiasta gli faceva male. Che ne sapevo?

Invece no, è contento come una pasqua. Mi dice che gli

faccio un gran favore, che i suoi ne saranno felici. Cioè, non del fatto che *io* studi a Stanford, ovvio… che *lui* studi a Stanford, e quindi sí, in un certo senso che *io* lo stia facendo al posto suo. Ma loro non sanno un accidenti… chiaro, no? Non sanno nemmeno che io esisto…

Giuliana si fece portare la carta dei dolci. Ordinò una mousse al cioccolato, con sopra uno sbriciolamento di meringhe e scaglie di fondente. E un bicchiere di passito. Jeremy niente, Jeremy parlava, parlava.

Le stava raccontando un altro aspetto molto interessante dello swap, e cioè che non era cosí facile mandare quei benedetti resoconti, visto che non tutte le cose erano raccontabili. Sí, era proprio una questione di «raccontabilità». Il fatto era questo, le spiegò Jeremy: non tutto quello che lui viveva lí a Stanford poteva essere passato tale e quale a Fil, si trattava di scegliere solo le cose adatte, quelle che si addicevano a Fil, che erano compatibili con i suoi gusti, il suo carattere, le sue abitudini.

Giuliana intanto rimuginava che era un po' come per i vestiti: alcuni non ti si addicono, altri sí. Con i racconti non ci aveva mai pensato che poteva essere lo stesso. Ci sono racconti che non sarebbero credibili nella nostra bocca. Come se lei raccontasse, magari a una cena di famiglia, che s'è comprata una pelliccia di visone, o un giro di perle. O che in agosto pensava di fare una crociera. Una crociera, una pelliccia… lei!

Jeremy adesso le stava dicendo che all'inizio non ci era arrivato, e faceva degli errori. Una volta per esempio aveva mandato a Fil una mail su una serata in discoteca, e Fil non aveva potuto usarla, aveva cliccato su *Elimina* e via, perché sua madre lo avrebbe subodorato che non era vero: lui si farebbe sgozzare piuttosto che andare in discoteca a farsi martellare la testa dalla musica.

Anche se gli scriveva di una partita di rugby non andava

bene. Gli doveva raccontare qualcos'altro perché il rugby era a lui che piaceva, anzi era al suo compagno Scott, che giocava in squadra e lo portava sempre con sé alle partite e un po' gli aveva trasmesso la passione. Ma a Fil no, il rugby non era mai piaciuto. E questo è stato un vero problema tra di loro. Secondo Fil, Jeremy non ci doveva nemmeno piú andare alle partite di rugby di Scott, perché erano inservibili. Inservibili! Cioè nel senso che non servivano allo swap.

«Ma non puoi inventarti che Scott fa un altro sport?» gli diceva Fil.

E Jeremy gli rispondeva se era matto:

«Vuoi le cose vere o le cose inventate? A me sembrava che da me volessi le cose vere. Se no, perché l'abbiamo fatto, questo patto? Scott esiste... mica è giusto che adesso io me lo inventi come piace a te...»

Fil allora gli diceva che poteva lasciar perdere Scott e andare alle partite di tennis, invece che di rugby, visto che a lui piaceva il tennis. Ma anche questo non funzionava, perché Jeremy si annoiava a morte col tennis, e teneva duro, non ci andava.

Cosí doveva inventarsele Fil, le partite di tennis a Stanford, e una volta s'inventò che era andato a veder giocare il grande Roger Federer, che proprio in quei giorni si sapeva benissimo che aveva appena vinto il Roland Garros a Parigi e quindi non poteva certo essere a Stanford. Fil dovette poi rigirarla con i suoi, dire che avevano capito male, che lui intendeva che l'aveva visto in tivú. Allora sua madre gli aveva rimandato la mail dove invece c'era scritto proprio che era andato a vederlo in un campo vicino a Stanford, e Fil dovette dire che forse quella sera era un po' bevuto.

Insomma, non era facile. Fil gli diceva che doveva smetterla di fare le cose che lui non avrebbe mai fatto, e Jeremy gli chiedeva se era impazzito o cosa, che il loro patto non era che lui-Jeremy diventasse lui-Fil, con tanto di gusti, abitudini e manie… Non era che, se per esempio a lui-Fil piaceva il pasticcio di cipolle e porco allora lui-Jeremy doveva ingozzarsi di cipolle e porco. Jeremy odiava le cipolle, e anche il porco, non si poteva fare.

Insomma, c'erano stati parecchi problemi. Non era una storia tanto semplice, due amici che si scambiano un po' la vita e vediamo come butta. Era una storia che aveva anche delle implicazioni filosofiche, per Jeremy. Ad esempio: se tu devi passare la tua vita a un altro raccontandogliela, la devi vivere normalmente come ti viene o la devi già vivere diversa, tarandola su di lui? Ma se è cosí, vuol dire che non vivi piú la tua, di vita, ma quella che farebbe l'altro. Quindi tu non sei piú tu, sei diventato l'altro? E l'altro, a sua volta, non può cedere un pochino? Non dico proprio diventare diverso da se stesso, ma prendere anche qualcosa di colui che lo sostituisce? Ma poi, lo sostituiva davvero? E quanto? In percentuale, quanto doveva essere?

In certi casi Fil glieli commissionava proprio, i resoconti che gli servivano. Tipo una volta gli disse che i suoi si stupivano che non avesse una ragazza e gli chiese di aiutarlo. Lui gli aveva risposto che non riusciva a inventarsela una cosa simile, e a quel punto, inventare per inventare, poteva inventarsela lui da solo una storia d'amore, cosí se la scriveva direttamente come la voleva e chiusa lí.

– E sa cosa mi ha risposto? – raccontava a Giuliana. – E allora esci davvero con una, cosí poi me lo racconti! Cosí mi ha risposto. Ma scusa, gli ho detto, esci tu con la ragazza che vuoi, cosí poi te la racconti come ti pare a te. Perché me la devi far vivere a me, una storia qui, che magari adesso non mi viene nemmeno? E lui niente, diceva che aveva bisogno dei dettagli giusti, e quelli non se li poteva assolutamente inventare, se no cosa si era immaginato il patto con me a fare? Aveva anche ragione, non dico mica di no. Fil diceva che il problema è collocare le cose, che le cose sono sempre quelle, tipo se baci una ragazza o sali su da lei dopo il cinema, ma cambia il contorno, dove la baci e se prima l'hai portata a cena, e com'erano le luci sul tavolo, e quelle cose lí...

Le luci sul tavolo...

Aveva ragione, Fil. Giuliana guardava la candela tra lei e Jeremy, che si era tutta smoccolata in una specie di laghetto crostoso. Verdastro, perché la candela era verde. Verde prato. Com'era la luce su quel loro tavolo? Calda, le sembrava calda, e morbida come quello smoccolarsi in lago.

– Una volta gli ho imprestato la mia compagna di corso piú carina, – continuava Jeremy. – Era cinese, si chiamava Susan Chen Ling. Ci avevo pensato un po' se farlo o no, perché mi spiaceva dargliela in pasto. Imprestare poi, si fa per dire... era tutto virtuale! Ma insomma decisi di fare il generoso, e siccome ci uscivo un po' con questa ragazza, raccontai a Fil i dettagli, tipo cosa mangiava, come si vestiva, cosa mi diceva... Insomma, chiaro... Era un bel gioco a tre, alla fine. Perché poi Fil a sua volta mi suggeriva cosa dirle, dove portarla e via dicendo. Questo non c'entrava tanto col patto, ma lui ci aveva preso gusto. Comunque, a un certo punto la storia mia con questa Susan si fa piú seria, e lei mi invita ad andarla a trovare in Cina. Mi dice che vuol farmi conoscere la sua famiglia, ad esempio i trentaquattro cugini, una roba senza senso. E io lo racconto a Fil, glielo mando come resoconto, ma anche un po' cosí per ridere. Invece lui ringrazia e gira la mail tale e quale ai suoi.

I suoi apriti cielo! Ci mancava solo che si precipitassero qui col primo aereo! E giú a dirgli se era matto, e che si guardasse bene dall'andare in Cina. Poi, un bel po' di tempo dopo, Fil va una volta a casa, loro gli chiedono della cinese e lui se n'è bell'e che dimenticato, perché, ovvio, se le cose non le vivi davvero, ti restano solo appicciate in testa, e le ragazze per esempio sono solo nomi, vanno e vengono, solo fiato... Francesca, Alba, Susan... Però, appunto, i nomi diventano fondamentali in un affare come il nostro swap, chiaro, no? Se li sbagli sei fottuto. E infatti lui non lo sbaglia. I suoi gli chiedono della sua amica Chi O Lin, e lui prontissimo dice che si chiama Chen, Chen Ling. Tutto finito, dice. Non fatemi parlare…

Comunque ogni tanto si sbagliava. Come quella volta delle balene…

Sulle balene Giuliana lo interruppe. Era al terzo bicchierino di passito. Non era né sveglia né assonnata, aveva un'allegria beata, notturna: una specie di abbandono, come quando si passa la notte fuori con amici molto cari, e si chiacchiera fino al mattino, e le palpebre ti stanno per cadere, e ti vanno anche un po' via le forze, tipo che non ti senti i muscoli e ti viene come una ninnananna interiore, e allora te ne stai con la bocca semiaperta, lo sguardo dondolo inebetito… Bello, molto gradevole e rilassante. Cosí. E Giuliana si lasciava trasportare.

– Non so se l'è mai capitato di pensarci, – disse a Jeremy, – ma è buffo: se adesso chiudo gli occhi, è come se non ci fossi piú. Come se sparissi. Lo facevamo da bambini, no? In realtà lei mi vede come prima, ovvio, sono io che non vedo piú lei. È questo mio non vedere che mi fa credere di essere sparita…

Le era venuto, di colpo, il seguente ricordo di Fil, quand'era un bambinetto di tre o quattr'anni. Erano tutti nella casa dei nonni, d'estate. Fil giocava nella sala da pranzo, che di pomeriggio rimaneva vuota, immersa in una penombra calda. A un certo punto le diceva: «Adesso giochiamo al gioco che tu mi cerchi e io non ci sono». E subito chiudeva gli occhi. Rimaneva lí dov'era, davanti a lei, solo chiudeva gli occhi e da quel momento secondo lui non c'era piú, era scomparso, e la zia doveva mettersi a cercarlo. E lo cercava, la zia. «Filino mio, dove ti sei cacciato?» lo andava chiamando per la sala. Fino a che Fil riapriva gli occhi e rideva forte.

Forse anche adesso Fil aveva solo chiuso gli occhi. Faceva il gioco del non esserci.

Giuliana si cullava in questo pensiero. Un attimo, poi si riscosse:

– Ma lei mi diceva delle balene, mi scusi Jeremy se l'ho interrotta...

– Le balene, sí... Una volta abbiamo fatto un viaggio, noi compagni di corso, una gita di qualche giorno per andare a vedere le balene. C'era un punto dove in quel periodo passavano. Naturalmente non ne abbiamo avvistata neanche una. Forse il posto non era quello o il periodo era sbagliato. E io lo scrivo a Fil, che non abbiamo visto neanche mezzo cetaceo, ma non so per quale strana ragione lui invece racconta ai suoi che abbiamo incontrato «un intero branco di balene». Me lo ricordo perché mi chiede se si dice branco per le balene e io gli dico che secondo me no, ma lui lo scrive lo stesso. Il guaio è che, non avendo mai fatto nulla di simile nella vita, si inventa che siamo andati a vederle su una barca a vela di pochi metri, e i suoi gli telefonano chiedendogli se li prende in giro o cosa. Lí abbiamo rischiato davvero di far saltare tutto. Per fortuna Fil è stato abile e ha ribaltato la faccenda, dicendo: ma bravi, non ci siete cascati, figurarsi se era vero, mi sono inventato tutto! È stata l'unica volta che ha detto la verità, a ben pensarci.

Io poi gli chiedo cosa gli era preso, e se aveva una pallida idea di quanto sia grossa una balena. Mi dice che aveva in mente solo la balena di Pinocchio, e che comunque gli sembrava brutto dire ai suoi che era partito per balene e poi non ne aveva vista neanche una. La barca, di che tipo era, di che misura, gli sembrava irrilevante. Pensava solo a far felici i suoi, ci sarebbero rimasti male, se diceva di non averle viste, le balene. Era un modo di farli contenti.

Un modo di farli contenti... A Giuliana frullò per la mente un racconto di Asimov. Cosí, di colpo. Chissà quanti anni prima lo aveva letto. Era la storia di un robot che, per un difetto di costruzione, leggeva nel pensiero degli esseri umani e, siccome la prima legge dei robot imponeva di non danneggiare gli uomini, lui diceva loro esattamente quel che volevano sentirsi dire. Per non danneggiarli. Solo che a volte, per forza, diceva un sacco di bugie! Per esempio, nel racconto, la dottoressa Susan Calvin è innamorata di un suo collega, il robot glielo legge nel pensiero e allora per farle piacere le dice che anche il suo collega la ama. Invece non è vero, anzi, sta per sposare un'altra. E Susan Calvin non è affatto felice quando lo scopre... *Bugiardo!*: cosí s'intitola il racconto.

Bugiardo? Fil dunque non sarebbe altro che un bugiardo? Possibile, il suo Fil?

– Possibile? – lo disse ad alta voce.

– Possibile cosa? – le chiese Jeremy.

– No, niente, mi chiedevo: possibile che mio fratello, mia cognata... si siano sempre bevuti tutto? Eppure, se ricordo bene, una volta mia cognata è venuta a trovare Fil...

– Sí, certo. È venuta qui a Stanford.

– Ah ecco. E... non è stato un problema?

– Altro che un problema! Siamo diventati matti quella volta. Non sapevamo come fare. Ho pensato che eravamo fritti panati, come dice mia nonna. Stop. Beccati. Pazienza, un po' era durata e le cose a un certo punto devono finire, no? Invece Fil mi fa: «Tranquillo. Vengo a Stanford e m'installo per qualche giorno nella tua stanza. E tu ti togli dalle palle, giusto il tempo che si ferma mia madre».

– Cioè, Filippo è venuto qui?

– Sí.

– E mia cognata? Cioè, sua madre...

– E sua madre pure. È stato incredibile. Ha funzionato. Lui è arrivato due giorni prima, per prendere dimestichezza con le cose di qui, le persone, i posti. Gli dicevo: allora per il pranzo vai lí e ti fai un sandwich, prendi quelli con la senape che son piú buoni. Poi il seminario 1 ce l'hai nell'aula tale, il professor X riceve il martedí mattina… Siamo andati anche a far la spesa al supermercato, e lui s'è comprato le cose che gli piacevano, tipo lo yogurt greco e la pasta di olive, cioè le cose che sua madre sapeva gli piacevano.

– Cosa c'entra cosa s'è comprato, però, adesso, scusi?

– È fondamentale! Ad esempio guai se sua madre trovava in frigo la marmellata al limone!

– Perché?

– Perché Fil odia i limoni. Io ne vado matto, li spremerei anche sul ragú. Ma Fil no. È come con il rugby, le ragazze, le balene… La stessa cosa: bisogna farci attenzione, non siamo mica uguali io e lui…

Giuliana lo guardava, aveva gli occhi divertiti.

– Col cibo era piú facile, – continuò Jeremy. – Abbiamo buttato via un sacco di cose: il chili messicano, l'olio alla paprika e le minestre al cavolfiore che io adoro, e tutta la roba che aveva dentro i cetrioli… Per l'arredamento, Fil si è portato delle cose sue, per esempio un manifesto di Snoopy che balla con una foglia, un delirio che a me non sarebbe mai venuto in mente di appiccicare a una parete. Io ci tenevo delle foto di Formula 1, sul muro sopra il letto. Via tutte. Poi sulle mensole ha messo qualcuno dei suoi libri, i cd con la sua musica… Insomma, in un attimo sembrava davvero che ci abitasse lui, lí dentro.

Avevano di nuovo perso la cognizione del tempo. Da quante ore erano in quel ristorantino?

La cena era finita da un bel po', i camerieri si erano avvicendati intorno a loro fino al dolce, al caffè, al passito. Poi li avevano abbandonati a loro stessi, e piano piano tutti gli avventori avevano lasciato i tavoli, ripreso i cappotti e si erano persi nella notte, ognuno dentro la propria vita.

Ma loro due erano rimasti lí, incuranti, dimentichi, a quel loro tavolino davanti alla finestra da dove si vedevano gli alberi ondeggiare.

Giuliana era assorta nei suoi pensieri. Che bravi, considerava, ma quanto erano stati bravi suo nipote e questo suo amico Jeremy, che le buttava addosso quello sguardo sempre un po' colpevole, come se aspettasse da lei l'assoluzione. Che affettuoso, contorto ragazzo!

E povera Nisina, pensava. Era tornata da Stanford cosí contenta: vedeste dove vive, il mio ragazzo! E giú a descrivere le meraviglie. E adesso invece... era tutto falso, era tutto cosí incredibile quel che le stava raccontando Jeremy!

Giuliana non faceva che chiedersi: ma io, di tutta questa storia inverosimile, come ho fatto a non saperne niente? Anni e anni... Fil non mi ha mai detto nulla. Ha finto anche con me. Inutile contarsela, lei non era la sua zia amica e confidente, era una parente come tutti. In piú, non aveva intuito nulla! Intuire, sí... Lei che per affinità era cosí vicina a Fil come aveva potuto non esercitare in tutti quegli anni quel fiuto naturale che, appunto, vien chiamato intuito? Era sconcertata. Aveva sempre pensato di possedere il cuore di suo nipote. Anzi, di piú. Se ogni essere umano custodisce in sé un segreto, o ancor meglio è egli stesso un segreto, ebbene lei era convinta di conoscere da sempre il segreto di Fil, il segreto che Fil era. Non si trattava di presunzione, semmai di un eccesso di amore. Amava talmente quel ragazzo che pensava di sapere tutto di lui. Come se l'amore fosse conoscenza... che ingenuità! In genere è il contrario: l'amore offusca ogni chiarezza. Non capiamo mai bene coloro che amiamo, proprio perché li amiamo. Molto piú facile capire chi *non* amiamo, chi ci è piú distante, magari antipatico. Lí riusciamo ad avere un occhio lucido perfetto. Mettiamo a fuoco meglio, quando il cuore non frappone filtri al nostro sguardo diretto. Solo che non ce ne importa niente, di solito, di esercitare le nostre capacità conoscitive con persone che ci sono indifferenti o antipatiche. Cosí, dove vorremmo capire non riusciamo, e dove potremmo non ne abbiamo nessuna voglia.

La cosa strana è che questa considerazione non l'allarmava. No, in tutto ciò sentiva che una nuova, misteriosa sintonia la univa a Fil, e finiva per accrescere il loro legame. Ed era un sentimento, questo, che non si sa in che modo la metteva tranquilla. Come dire che, qualsiasi scelta avesse fatto Fil e per qualsiasi ragione fosse arrivato a farla, andava bene. Ovunque lui fosse adesso, qualunque cosa stesse facendo, lei sentiva che andava bene. Era d'accordo, era con lui. Questo non le impediva di provare una curiosità crescente. Piú passava il tempo, piú si chiedeva come ci fosse arrivato, Fil, alla decisione di lasciare, di non andare a Stanford. Se era stata una folgorazione, o un pensiero che s'era gonfiato ogni giorno un po' e solo alla fine, dopo tanto, s'era fatto cosí ingombrante. Lo chiese a Jeremy, diretta. Gli chiese se aveva notato un segno, se si era accorto di qualche falla, in tutti quegli anni che avevano studiato insieme. Insomma, lui che era cosí suo amico, lo sapeva perché Fil non era venuto lí?

Lui che era suo amico? Belle parole. Jeremy a sua volta si mise a riflettere: l'amicizia serve a qualcosa? Dà accesso alla conoscenza dell'altro, aiuta a capire il perché delle sue azioni? No.

No, Jeremy non lo sapeva perché Fil avesse mollato. Aveva accolto il fatto in sé e, dal momento che proveniva dal suo amico, era un fatto buono. O comunque indiscutibile.

– No, non lo so, – rispose a Giuliana. – A essere onesti, non lo so…

– Ma… almeno un'idea se la sarà fatta…

– Sí, un'idea me la sono fatta…

Capitolo quarto
Il buio di Jeremy

È stato con la primavera.

All'inizio tutto bene. I primi mesi, Londra, il nostro gruppo, lo studio, le serate... Fil lega con tutti. A parte forse un tale, uno di noi che gli piace poco perché se la tira troppo, un londinese, un tal Roger Sheffield... Ma con la primavera Fil comincia a cambiare. Va in moto. S'è comprato una moto e la domenica esce dalla città, se ne va in giro per conto suo chissà dove, cerca platani, s'è fissato con i platani... Anche nei giorni feriali, anche quando c'è lezione... Una volta, c'era una lezione importantissima, tutti lí riuniti, e Fil mi manda un messaggino che non viene, di scusarlo tanto, anche con i professori, ma non può, ci sono i platani, vedessi che bei platani, tu non hai idea dei rami, degli intrecci, di cosa ne so... Poi quando lo vedo gli chiedo se sta bene, ma lui sorride e basta. Se gli chiedo dove diavolo sparisce, risponde sempre uguale: nei boschi. E mi parla dei platani... Una mania! Come se fosse normale... Intorno a Londra poi, dove non è che ci siano tutti quei boschi... si può sapere?

Poi c'è quella prova che gli va male, e di lí... Una prova d'esame. Una specie di riepilogo finale, uno dei soliti test sugli argomenti trattati nel corso. Quattro temi, quattro domande. Abbiamo studiato tantissimo. Fil piú di tutti. In quel periodo studiava secco, molto piú di me. Io ero un po'... spaventato, andavo piano, mi sembrava di non farcela cosí bene. Avevo sempre paura di non passare gli esami. Invece quella volta io prendo il massimo dei voti, e Fil il minimo. Ci rimane da cani. Esce di lí il giorno dei risultati con una rabbia in corpo che nessuno gli ha mai visto. Prenderebbe a pugni i muri. Ancora peggio l'esame successivo. Fil non lo passa. Bocciato. E non ne vuol parlare, slitta. Chiuso.

Mi dice solo una frase, che mi ricordo ancora: «Questo posto mi impedisce di studiare!» Cosí mi dice, contratto, nervoso. Sembra ce l'abbia con l'universo intero. Ma che senso ha? Eravamo nell'università migliore del mondo, nel tempio dello studio, e lui mi viene a dire che gli impediscono di studiare... *Impediscono*, ma dài! Ma se non fai altro che star sui libri giorno e notte! E chi sarebbe, poi, che te lo impedisce? Vorrei tanto sapere chi! Be', insomma, non lo so cosa diavolo gli era successo. Però l'inizio secondo me è stato lí, quando s'è messo ad andar in quei suoi boschi. Ma di preciso non lo so...

Sí, l'ultimo anno Fil se ne sta un po' tanto per conto suo... Troppo, secondo me. Si rintana in quella sua biblioteca, dice di lasciarlo in pace che ha da studiare. Come se studiasse solo lui... Se glielo dico, diventa cupo. Questo vostro passare test, esami, dice, no grazie, vorrei fare altro, io... Anche un po' antipatico, certe volte. Viene da me per lavorare all'algoritmo, quello sí, quello gli piace sempre. Ma poi, se si tratta di andare a esporre, di parlare davanti agli altri, manda me. Io gli dico: ma sei scemo? l'idea l'hai avuta tu... E allora? mi fa, con quella sua aria stralunata, ha presente quando Fil ti parla e sembra andato via, con quegli occhi che ti trapassano? Non so, non è che mi volessi mettere in mostra, però finisce che i professori puntano su di me, propongono a me lavori, pubblicazioni. A lui no...

Poi c'è stata la storia dei poster. E questa gliela racconto, perché è importante. Se ha ancora un po' di tempo...

Un po' di tempo... pensava Giuliana, che buffa cosa! Stavano chiusi lí, in quel ristorantino, da quante ore? E s'erano incontrati quel pomeriggio, quando? Saranno state le tre o le quattro. Bene, erano quasi otto ore che si parlavano e adesso Jeremy le chiedeva se aveva ancora un po' di tempo... Il tempo! Cos'era ormai il tempo per loro?

– Siamo un bel gruppo, quell'anno alla LSE, – ricominciava Jeremy. – Gente in gamba, come le dicevo. Cosí ci prendono e ci dicono di preparare dei poster per il tal convegno. È un convegno grosso, vengono relatori da tutto il mondo, economisti della madonna, studiosi, ricercatori con fiocchi e controfiocchi. È un onore esporre. Esporre ognuno il proprio poster, delle proprie ricerche, dico. Ci lavoriamo sodo. Fieri, gonfi. Orgogliosi. Tranne Fil. Fil si rifiuta, lui. Non so se si rende conto, rifiutare di esporre! Rifiutare di esporre un poster a un convegno cosí! Una cosa che non sta in piedi, che anche a dirla mi vengono i capelli dritti...

– Scusi, Jeremy... ma che cos'è un poster?

– Un poster è il manifesto della ricerca che stai facendo. Cioè tu prendi un foglio, grande, e ci scrivi su la tua ricerca. Cioè quello che vuoi studiare, o anche già un po' i risultati, o quello che ti aspetti, i nuclei, i nuclei fondanti del tuo studio, per dire... Poi prendi quel foglio, quella specie di lenzuolo tutto scritto, lo metti su un cavalletto e lo esponi dove passa molta gente, dove c'è passaggio, insomma. Per esempio nell'atrio, cosí le persone che vanno al convegno lo vedono, lo leggono, si fermano un po' a chiacchierare con te... Vengono attratti, si spera. È tutto per farsi conoscere, chiaro. Funziona cosí: io che ho prodotto il poster, che sono l'autore, sto in piedi accanto al mio poster, di lato per esempio, e aspetto, e se un professore è interessato e si ferma io posso esporgli bene la ricerca, il progetto, e allora poi non si sa mai, magari mi dice che gli piace quel che faccio, e di farmi vedere da qualche parte, di andare a parlargli... Di farmi vivo, insomma. Che poi da cosa nasce cosa, sa com'è. Io ci impazzivo, all'idea di far vedere il mio poster. Fil invece diceva che quella è pubblicità bella e buona, marketing, che lui non si prestava, non faceva pubblicità alle sue ricerche, non metteva in vendita se stesso, non gridava *Venghino signori, venghino per di qua!* Insomma, va giú duro. Si rifiuta. A un certo punto rovescia anche il tavolo...

– Il tavolo?

– Sí, all'ultima riunione. Ognuno di noi stava presentando agli altri il suo poster, ed è lí che Fil dice di no, che lui non fa nessun poster. È calmo quando lo dice. Sí, ha un po' il tono di uno che ci patisce tutti, che lui è lí per sbaglio ma è diverso, che ci considera un po' dei poveretti prezzolati... Però si poteva anche passarci su, lasciar correre. Invece succede che quel Roger Sheffield che gli sta sulle palle esagera, gli va contro, dice che sbaglia, che non può, che su e giú, che il nome del gruppo ne risente, e perché mai non ci deve stare, è un'occasione per tutti, le occasioni non bisogna perderle, bisogna coglierle al volo... Sí, d'accordo, gli insegna un po' come si vive, ha quel tono superiore di chi ha capito tutto e gli altri una sega. Però, si poteva anche lí lasciar correre. Invece... È stata la parola occasione, secondo me. Roger gliela ripete cento volte e Fil non ci vede piú, prende e gli rovescia il tavolo addosso. Ma proprio addosso: lo prende da sotto e sbang! È stata quella parola, secondo me. «Che razza di parola è?» dice poi con me, per strada, quando ce ne andiamo, non la finiva, non riusciva piú a star zitto. Dice: «Tutto quel che ci viene incontro è un'occasione, la vita è un'occasione, infatti diciamo l'occasione della vita, no? Oh che meraviglia, l'occasione della vita! Vediamo com'è bravo lui a coglierla! Al volo, oh yee, al volo! Quaglie! Se cerca quaglie è perfetto, le quaglie *si colgono al volo* che è una meraviglia! Pam-pam, e ne tiri giú quante ti pare, Sheffield! Spara pure alle tue quagliotte, a piccioni, arpie, cervi volanti... Spara a quel che diavolo vuoi, basta che ti togli dai piedi!»

Si sfogava, era nero.

Poi arriva la risposta che ci prendono a Stanford. E da qua in poi le ho detto. Fine della storia.

Se l'avevo capito? No.

Sono sincero, per me è stato un colpo basso. Questa cosa che lui mollava, no, non l'avevo capita prima. Ma adesso, a ripensarci, ci vuole poco... È abbastanza chiaro: non ce l'ha fatta! Per carità, succede... Lo so che fa un male cane, mi dispiace dover essere io... ma è cosí che è andata, mi sa. Diciamo anche che ci eravamo parecchio allontanati, Fil e io... A parte per il lavoro dell'algoritmo, ci vedevamo poco. Io dovevo stare al passo. Dare esami, pubblicare... Non potevo perdere un colpo... Avevo degli obiettivi. Il dottorato, la carriera... Fil mi prendeva anche in giro, obiettivo era un'altra parola che lo faceva imbestialire. Cioè, non è che mi prendesse in giro, era affettuoso anche... Mi diceva solo se era il caso, che bisogno c'era di darsi da fare cosí tanto... Sí, d'accordo Fil, bravo! Ma io ho dei genitori che... ho una nonna... Non posso permettermi...

Cosí con Fil, sí, insomma... ci eravamo un po' persi... Mi capisce?

– Credo di sí... – disse Giuliana sottovoce.

– Cioè, a dirla tutta, è Fil che s'era un po' perso. Sembrava non avesse una strada, una meta... Alla fine non era piú dei nostri. Aveva pensieri diversi. Anche... ritmi diversi. Ecco, ritmi. Gliel'ho detto, non stava al passo. Noi tutti a correre, e lui invece rimaneva indietro.

Io lo capisco anche, è dura. Ti chiedi chi te lo fa fare, se il gioco vale la candela. È una gara. Anche una roba un po' spietata. Hai tutti contro che spintonano per atterrarti e tu non devi mollare, non devi. Magari hai la bava alla bocca, ma ti tocca tener duro, tener duro... Chi ce la fa bene, gli altri a casa. Se molli sei finito. Fritto panato. Ti passano sopra. Per loro non sei niente, solo uno di meno. Ti dicono one less, one less...

Era cosí.

Fil aveva mollato.

Chiaro.

I camerieri avevano ripulito i tavoli e preparato per il pranzo del giorno dopo: cambiato le tovaglie, disposto i nuovi piatti e bicchieri, e le posate. Jeremy parlava e Giuliana si perdeva a guardare quei ragazzi, con quanta cura calcolavano l'angolo esatto in cui collocare i tre bicchieri, quello dell'acqua, del vino e il calice dello spumante, quale perfetta linea leggermente diagonale riuscissero in tal modo a disegnare. Era estasiata da quell'arte del disporre bicchieri. Ci mettevano una tale passione... Erano cosí giovani, chissà cosa avrebbero poi fatto nella vita...

Adesso avevano smesso e, tutti in piedi al fondo della sala, guardavano loro due che ancora si attardavano al tavolo. Avevano l'aria di chiedersi quando si sarebbero finalmente alzati, lasciandoli liberi di chiudere il locale e andarsene a dormire. Giuliana mai avrebbe voluto interrompere Jeremy, il fiume delle sue parole. Ma quei ragazzi assonnati e silenziosamente pressanti le facevano pena. Gli propose di uscire, gli disse che lo avrebbe volentieri riaccompagnato al campus, che non aveva sonno e non le pesava affatto guidare nella notte, anzi, in macchina lui avrebbe potuto continuare a raccontare, a lei faceva solo piacere.

– Ma prenderà freddo... – le disse Jeremy, che pensava a quell'automobile scoperta.

– Ma no, l'aria ci farà bene! E poi andremo in fretta, ci metteremo cosí poco...

La strada era libera, ma Giuliana guidò piano, a quaranta all'ora, perché Jeremy parlava, anche lí, con il vento che gli entrava in bocca e gli frenava le parole, lui parlava. E lei non voleva perdersi una sillaba.

Arrivati al campus, parcheggiata l'auto, cominciarono a camminare lenti. Nessuno dei due voleva che quella notte finisse. Percorrevano i vialetti del campus a piccoli passi, dieci centimetri l'uno. L'unico guaio era che faceva freddo. Allora Jeremy ebbe l'idea di trasferirsi al chiuso. Le propose l'aula vuota dove lui faceva lezione e di cui aveva le chiavi. Sempre che lei avesse voglia di parlare ancora un po', se non aveva sonno, se aveva ancora tempo…

Si sistemarono in quell'aula immensa fatta ad anfiteatro, deserta. Si misero in uno dei primi banchi, come studenti. E lí passarono il resto della notte, in un buio illuminato solo dalla luna che, entrando di sghimbescio dai finestroni, proiettava proprio su di loro un rettangolo di luce. E forse fu la quiete delle ore notturne, che induce a una visione piú intima delle cose, chissà: Jeremy si lasciò andare quasi a una sorta di confessione, rivelò a Giuliana sentimenti che non sapeva nemmeno di avere.

– Sa cosa le dico adesso? Che ci sono stato male. Questi tre anni dello swap, tra me e Fil… Sí, ho fatto bene i compiti. Gli mandavo i miei bravi resoconti a cadenza regolare. Ma dentro stavo da cani. Cioè, piú che altro un groviglio. Un intrico. Anche una bella rottura di… Cioè, sempre quel dovere di scrivergli tutto… Cioè, un dovere no… un vincolo. Una catena al piede. Non mi sentivo piú libero. Non sapevo se le cose le vivevo perché mi andava o perché dovevo raccontarle a lui… Dovevo! Per non mancare all'impegno, per guadagnarmi i soldi che mi mandava, regolari, puntuali…

Diavolo! I soldi… Mica da ridere, questa faccenda. Mi piaceva, certo, avere del denaro. Non che lo spendessi… No, non lo spendevo. Ma sapevo di averlo, era questo. Mi faceva sentire bene. Non pativo piú tanto. Cioè, non che io patissi… però… mi sentivo di colpo, per la prima volta… economicamente avvantaggiato, si può dire? La-prima-volta-nella-vita. Mi sembrava di essere finalmente entrato… nel tempio dei privilegiati. Non ero piú fuori, ecco. Ero dentro. Frequentavo i luoghi giusti, le persone giuste… E questa cosa un certo effetto me lo faceva, non posso negarlo. Non so se… No, non credo che lei possa capirlo bene, questo. Bisogna esserci nati. Se vieni dal basso, sai che qualsiasi cosa tu riuscirai a fare nella vita, non ti basterà. Puoi fare pure grandi cose, scalare le montagne, arrivare in cima, ma non ti sentirai mai completamente a posto. A tuo agio… non so come dirle. Ci sarà sempre in te qualcosa di… non dico sbagliato, ma… inappropriato, ecco… voglio dire, è diverso nascere già in cima o arrivarci poi, con le tue gambe. Se ci arrivi poi, ti resta un'andatura, come dire?, affaticata, storta, ti si vedono le gambe troppo muscolose, si capisce che hai fatto troppa fatica… Non so… gli altri lo vedono che non sei nato ricco. E tu vedi che lo vedono… e ci stai da cani. Tutto qui.

Nessuno può farci niente, sia ben chiaro. Nessuno ha colpa… È cosí. Uno nasce dove nasce. D'accordo la rivoluzione, l'uguaglianza… Ci abbiamo dato dentro come si deve, guardi un po' la Storia… Sí, grandi cose, ben fatto! Ma i ricchi ci saranno sempre. Lei cosa ne pensa? Ovvio che ci saranno sempre, e dove vuoi che spariscano? Ma questo, sa cosa le dico?, va benissimo! Senza problemi, giuro, secondo me va benissimo. Sono nati ricchi? E che facciano i ricchi! Lo facciano solo bene, ecco, meglio che possono, questo sí. Non sopporto quando invece fanno finta di essere poveri, e dicono che siamo tutti uguali, questo mi fa imbestialire. È finto. Non bisogna essere finti, bisogna essere quello che si è. È quello che dice sempre Fil. Siamo sempre stati d'accordo, su questo. Per lui è una specie di regola d'oro. È la sua regola. Per questo ha voluto fare il patto con me: perché cosí ognuno si liberava di quel che non era, e diventava quel che era. Diventavamo tutti e due piú veri.

Un po' ero anche fiero. Fil ha scelto me, mi dicevo. Essere scelti non è niente male, ti dà una gran carica. Se gli andava bene di raccontare me ai suoi, voleva dire che io ero giusto… Però poi a volte non ero cosí sicuro, mi chiedevo di continuo: ma tu te lo meriti tutto questo? Cosa fai per esserne degno? Perché proprio tu?

Mi sentivo responsabile. Dovevo impegnarmi ancora di

piú, rispetto a quanto già facevo. Come se dovessi studiare per due, farmi tutto quel culo per me ma anche per lui. Per i suoi genitori... Se Fil usava la mia vita per raccontare la sua, dovevo fare non bene: benissimo. La mia vita raddoppiava, non so come dirle. Avevo quattro genitori, a un certo punto, e dovevo farli contenti tutti e quattro!

Solo che poi è successa una cosa. Ho cominciato ad avere dei pensieri strani, torbidi. Facevo tutto cosí bene, ero cosí bravo nello studio... A un certo punto, mi vergogno un po' a dirglielo, ma sí, a un certo punto... mi dava fastidio tutto questo regalarlo a Fil!

D'accordo, non è che glielo regalassi. Erano cose mie. Successi miei... Ma diventavano anche suoi. Lo so che non è bello quello che le sto dicendo. Ma tutti abbiamo delle ombre, delle buche. Siamo anche contorti... brutti, cattivi... Con lei mi viene da essere cosí sincero... non so perché. Son cose che non ho mai detto. Neanche a me stesso. Ma adesso, questa notte, in questo posto, è tutto cosí luminoso...

Comunque... ho cominciato a non dire a Fil alcune cose che facevo. Non gliele... passavo. Me le tenevo per me. Tipo, se il prof mi convocava per dirmi che il mio lavoro di ricerca si faceva sempre piú interessante e che magari potevamo pensare di presentare insieme un paper a un certo convegno... be', ecco, questo non lo raccontavo a Fil.

Era la mia vita, quella, solo mia.

Gli raccontavo l'indispensabile. Le cose piú oggettive, ufficiali. Oppure quelle marginali, che non erano niente. Tipo che andavo spesso in un negozio di vecchie monete americane, o che un certo compagno s'era preso un cane. Cose che non m'importavano. E a forza di far cosí, ho cominciato a sentirmi cattivo. Un vero stronzo, se posso dire. Lo so che se avevo tutti quei successi qui a Stanford lo dovevo anche a lui. Ma non mi veniva da dirgli grazie. Un po' perché ero bravo di mio, ecco, e quindi non mi veniva da dir grazie a nessuno. E poi perché io cosa ne sapevo di lui, della vita che faceva?

Alla fine era questo il tarlo: Fil mi teneva all'oscuro. Non mi ha mai raccontato niente, in tre anni, niente! Non me l'ha mai detto cosa era andato a fare dopo lo scambio. Con quella scusa che non gli era chiaro, che lui non sapeva, lui non capiva... Tutte storie!

Non ero degno. Ho cominciato a pensare questo, che Fil non mi riteneva degno... Io sí, io gli raccontavo tutto, tutta la mia vita. Certo, lo dovevo fare, era il patto. Ma lui perché non mi raccontava niente di sé? Sí, qualcosina ogni tanto, ma io non la conoscevo la sua seconda vita, quella vera, dico, la vita che lui aveva voluto anche a costo d'ingannare i suoi... qual era?

Ero invidioso? Ma invidioso di cosa? No, non si può provare invidia per qualcosa che nemmeno si conosce... Mi dava solo fastidio che Fil avesse due vite... La prima gliela davo io, e va bene. Ma la seconda? Mistero! Io di vita invece ne avevo solo una, e la davo a lui. È vero che dovevo vivere al quadrato, se cosí posso dire. Ma era una vita sola, e non mi sembrava giusto.

Mi ero convinto che Fil mi disprezzasse. Che disprezzasse la vita che facevo e che gli passavo. E sí, ci pensi un attimo: la mia era proprio la vita che lui aveva rifiutato. Quindi non gli piaceva, ovvio. La riteneva brutta, non degna di essere vissuta. Io ero qui a Stanford, il sogno per me e per i miei, la felicità di mia nonna Gina... e per Fil invece era uno schifo. Sicuro che era uno schifo, se no ci sarebbe venuto anche lui a Stanford, non le pare? Invece non ci era venuto.

Insomma, non lo so. Ero confuso. Non sapevo se sentirmi grato o invidioso. Ero un santo o un ladro? Ero una specie di usurpatore, uno che toglie a un altro qualcosa che... ma qualcosa cosa? Non capivo piú niente. È per questo...

È per questo che, quando mi son visto Fil portarmi addosso tutte quelle pecore nel college, io l'ho odiato. Perché lí ho capito. Solo lí, solo in quel momento... Dopo tre anni che mi teneva al buio, finalmente Fil mi fa il favore, mi concede, di rivelarmi la sua meravigliosa vita segreta... E come? Sbattendomi davanti centinaia di pecore! Irrompendo nel *mio* college, dove io sto tenendo la *mia* conferenza, dove *io* l'ho invitato per dirgli grazie... (grazie, Giuliana, si rende conto?), con quell'enorme, belante, puzzolente gregge di pecore! Finalmente... finalmente il mio grande amico Fil si degna di mettermi a parte del gran mistero, me la fa vedere, me la presenta davanti agli occhi, quella sua mitica seconda vita, che io da anni gli permetto di fare passandogli la mia. E di cosa è fatta questa favolosa vita che lui ha voluto tanto perché è la sua *vera* vita, quella proprio *sua*...? Pecore!

Pecore, Giuliana...

Pecore!

Capitolo quinto

Prime luci

Difficile che una parola, da sola, isolata, riesca a rompere il marasma di discorsi, suoni, chiacchiere, vaniloqui in cui viviamo immersi e trovi il modo di colpire la nostra frastornata, spossata attenzione, e si accampi, s'imponga, facendo intorno un vuoto, un silenzio stupefacente.

La parola pecore ci riuscí.

Giuliana stava con il viso appoggiato sul palmo della mano, il gomito sul banco. S'era lasciata andare, fino a quel momento, abbandonandosi alle parole veementi di quel ragazzo come al sordo rumoreggiare d'un torrente. Ma quella parola le arrivò come un tuono. Aggrottò le sopracciglia, le venne una ruga verticale sulla fronte, lieve ma decisa, un punto esclamativo dalla frangia al naso. Pecore?

– Ma di quali pecore stiamo parlando, Jeremy?

Gli rivolse questa domanda con assoluta, disarmante meraviglia. E qui Jeremy si bloccò. Finalmente si bloccò, diremmo noi, che lo abbiamo fino a qui lasciato ininterrottamente parlare, che gli abbiamo concesso tutte queste ore, dal primo pomeriggio all'alba del giorno dopo, affinché con tutto agio non solo raccontasse i fatti, ma anche riflettesse su di essi arrivando a delineare qualche suo preciso seppur molto personale giudizio. Finalmente qui Jeremy si fermò e rimase, per qualche istante, muto. Guardò negli occhi Giuliana, sbalordito, ottuso. E, un attimo prima di capire, disse:

– Come sarebbe quali pecore? Le pecore che Fil... – Poi, vedendo che Giuliana rimaneva interdetta, continuò:

– Sí, lo so che lei è venuta per questo e pensava che io le potessi spiegare... E invece mi dispiace, Giuliana, io non le so spiegare nulla, le chiedo scusa... Io non sapevo niente di quelle pecore! Io insomma non lo so perché Fil alleva pecore, va bene? Sono giorni che me lo chiedo... Anzi, magari adesso me lo spiega lei perché... Lei che lo conosce cosí bene, da quando è nato, ed è sua zia... Perché? Io so solo dirle che quando, nella sala di quel college, mi sono visto arrivare Fil con tutte quelle pecore, io...

– Ma Jeremy, santo Dio! Di che cosa mi stai parlando, – disse Giuliana passando senza accorgersene al tu, – si può sapere? Quali pecore, quale college?

E qui Jeremy capí. Di colpo, definitivamente. Era passato mezzo pomeriggio, l'intera sera, quasi tutta la notte e solo allora, all'inizio di quell'alba, in quell'aula vuota in mezzo al campus di Stanford, Jeremy capí. Improvvisamente gli fu chiaro qualcosa che non aveva mai neanche lontanamente preso in considerazione: Giuliana Cantirami, che lui pensava fosse venuta lí dall'Italia in tutta fretta per trovare un senso, una ragione al gesto del nipote, non sapeva niente, assolutamente niente, delle pecore al Balliol College. Per quanto gli potesse parere impossibile, incredibile, inverosimile, la mitica zia di Fil non era venuta a Stanford per indagare, visto che non sapeva niente di quel che era successo; né tantomeno era venuta per cercare lui, visto che non sapeva neanche che lui esistesse. Lo aveva solo... incontrato. Per caso. Ma allora perché lui le aveva raccontato tutto quanto? Perché le aveva rivelato il patto, il segreto, lo scambio? Che cosa gli era preso? Chi glielo aveva chiesto? Nessuno. Va bene. E adesso? Dirglielo o non dirglielo a Giuliana?

Jeremy capí che non aveva scelta: ora che la parola pecore gli era uscita, era impossibile rimangiarsela. Un fatto eclatante che poteva rimanere ignoto, le pecore nel college, ora doveva essere per forza rivelato, denudato, mostrato in tutta la luce accecante della realtà. Snocciolò dunque, non senza qualche imbarazzo, il racconto completo – il resoconto –, il piú possibile oggettivo e impersonale, di quel che era accaduto a Oxford, in quel famoso Balliol College, alle undici di mattino del 9 novembre.

Silenzio.

Alla fine di tutto quel racconto che, sebbene tanto oggettivo, era di per sé, oggettivamente, agghiacciante, Giuliana non disse niente. Teneva le gambe accavallate, il braccio abbandonato sulla spalliera bassa delle panche a semicerchio. Guardava Jeremy. Con stupore, ma anche con una tenerezza nuova. Le pareva sperduto. Sí, a lei pareva fosse lui, tra i due, il piú sconvolto. Avrebbe voluto dirgli che non era niente, in fondo, e di non preoccuparsi, di non fare quella faccia da orfano, o da naufrago, insomma la faccia di uno che ha perso qualcosa, qualcuno d'importante...

Ma non disse niente. Le era venuta, in realtà, una strana voglia di tornare a casa. Una voglia piccola, ma improvvisa e forte. Non era nemmeno tanto tornare a casa, ma tornare e basta. Era... un desiderio di tornare. Quella morsa che ci coglie a volte a nostra stessa insaputa, e ci sorprende: magari a una festa, nel mezzo di una piazza, tra la folla, o al ristorante, a una cena di famiglia, a un ballo, sull'aereo, o anche al buio di un teatro. Non importa dove, ci prende. Come se fossimo stati mandati da qualcuno in qualche parte lontanissima e sconosciuta del pianeta, comandati in un altrove ostile, estraneo, dove, in qualunque modo vadano le cose, non ci sentiremo mai a casa.

Oppure era solo la stanchezza, che la prendeva dopo tutte quelle ore. La tensione. E la voglia vera era soltanto quella di trovare l'unica tessera mancante, la piú grande, la sola che poi alla fin fine le importasse: Fil. L'unica voce spenta, l'unico luogo irraggiungibile.

– Ma sei sicuro? – chiese a Jeremy. Soltanto questo, e soltanto con un fil di voce.

– Sicuro di cosa?

– Di queste pecore…
– Be'… ero lí, le ho viste!
– Pecore… pecore?
– Pecore.
– Ma quante?
– Tante!
– Tipo?
– Tipo cento, duecento…
Pausa.
– Ma da quanto tempo?
– Questo non lo so. Potrebbero anche essere anni.
Pausa.
– Anni cosa?
– Anni che suo nipote alleva pecore…
Pausa. Il verbo allevare unito al sostantivo pecore la colse di sorpresa. Vero che ci stava, non c'era nulla di cosí strano: le pecore in genere si allevano. Però ebbe una specie di sussulto. Possibile che quelle pecore Fil davvero le allevasse, che non ci potesse essere un'altra spiegazione?
– Ma dov'è adesso Fil? – buttò fuori Giuliana come se non glielo avesse già chiesto.
– A Londra, – rispose Jeremy.
– A Londra… ad allevare pecore?
– Be'… sí.
– E hai l'indirizzo?
– Sí…
– In che quartiere abita?
– A Marylebone…
– E ti sembra che a Marylebone… uno possa allevar pecore? Centinaia di pecore?
– Be'… no.
– E allora?
– E allora Giuliana, porca miseria! È proprio questo che non capisco, che non riesco a…
A quel punto Giuliana fu presa da un'allegria irrefrenabile e fu lí lí per scoppiare a ridere. Non ci poteva cre-

dere che Fil fosse arrivato a tanto, però ci voleva credere: l'idea di avere un nipote che allevava pecore in piena
Londra le stava cominciando a piacere da pazzi. Certo, si
rendeva conto che la cosa aveva una sua innegabile gravità. Fil era da anni (anni!) da qualche parte ad allevare
pecore (pecore!), e non all'università a studiare dove tutti
loro pensavano che fosse.

– Jeremy, ma Fil non ci ha mai detto...

Ma davvero allevava pecore? La cosa non era cosí certa: in fondo Jeremy aveva visto le pecore solo dentro al
college, per il resto immaginava, almanaccava... Magari Fil
le aveva comprate quel mattino, le pecore. O non erano
sue. O non erano pecore... Ma certo che erano pecore. E
perché proprio pecore?

A un certo punto a Giuliana parve che la vera domanda
fosse quella: perché proprio pecore? Arrivò a convincersi
che il segreto si celasse lí: nella scelta precisa di quegli animali e non altri. Perché pecore e non, per esempio, cavalli?
O struzzi? C'erano grossi allevamenti di struzzi, andava
molto allevare struzzi. O papere, o lupi. O pappagallini
esotici. Perché le pecore? Qual era il senso? E le vendeva
o le mungeva soltanto per fare formaggi?

Fil che faceva formaggi...

Era sconcertata. Anche molto divertita. E curiosa. Si
chiedeva come sarebbe andata a finire quella storia. E poi
si chiedeva di nuovo: perché proprio pecore? Cominciò a
scavare nella sua memoria di zia per trovare un punto fatidico che spiegasse in qualche modo la faccenda. Un dettaglio, un segnale. Aveva mai regalato a Fil, quand'era
piccolo, una pecora di peluche? Ma no, non le sembrava. Tanti orsetti, un cavallo, una tigre, qualche cagnoli-
no. Anche un bellissimo maiale rosa con gli occhi azzurri.
Ma pecore no. Fil non amava particolarmente la natura,
la campagna. Non era certo uno spirito agreste. Non aveva una spiccata simpatia per gli animali. Mai stato uno di
quei bambini che guai se non hanno un cane o un gatto,

o almeno un canarino, e che fanno i capricci per andare allo zoo o in vacanza in Namibia a fare un safari. A parte il fatto che il safari con le pecore c'entrava poco... Ma insomma, non amava la vita semplice e selvaggia, naturale. Ecco: naturale. No, Fil non era cosí *nature*... E allora, che gli era preso?

E suo fratello Guido, lo sapeva? E sua cognata? No che non lo sapevano. Se no, glielo avrebbero detto di non partire per Stanford... Oddio, doveva avvertirli lei? E come, in quale modo, con quali parole?

Giuliana provò a esercitarsi. Mise in fila frasi nella testa tipo: ciao Guido come va? sai che Fil alleva pecore? credo che farà affari. Oppure, prendendola alla lontana: ciao Guido, sai l'ultima frontiera degli studi di Economia? l'allevamento globale, una risorsa interplanetaria contro la Nuova Povertà degli Stati occidentali...

No.

Si vedeva già la scena: Guido che dà i numeri, comincia ad agitarsi, telefona a destra e a manca, chiama la segretaria, mette in atto tutte le sue strategie, usa le sue conoscenze altolocate... Eh eh, bel fratellino mio, niente da fare! Questa volta il tuo Fil ti dà un bel filo da torcere...

Che strano! Non che fosse contenta, ma le stava nascendo lí per lí un certo qual gusto contorto di rivincita verso il fratello. Qualcosa di molto personale, un sentimento tutto suo, che le veniva da lontano e che non era precisamente astio o risentimento. No, lei voleva molto bene a Guido. Era un sentimento piú complesso, che toccava la sua famiglia in generale, i genitori per esempio, suo padre in particolare che, lei lo sapeva bene, non aveva mai approvato le sue scelte, fin da quando era ragazza.

Le sue scelte... Ma quali erano state, poi, davvero le sue scelte? Ce l'aveva, lei, la vita che voleva? E che cos'è la vita che si vuole? Tutti dovrebbero sapere che vita vogliono, e quindi farla, o provarci. A patto che siano in grado di poter scegliere, ovvio. E allora perché invece c'è tanta gente che fa una vita non sua? Perché tutti, o quasi tutti, hanno una vita che non è quella che vorrebbero?

Quante ne conosceva, di persone che passavano la vita a lamentarsi della vita... A bizzeffe. Persino chirurghi affermati, politici di grido, uomini d'affari in volo da un aereo all'altro... sempre lí a frignare a destra e a manca della vita orrenda, frenetica, convulsa, che erano costretti a fare. Ma *costretti* da chi? Come fossero le vittime. Ma vittime di che cosa? L'avevano voluta loro una vita simile, o no? Chi aveva premuto, al posto loro, quel tasto di non ritorno? E non gli veniva mai in mente che ce n'era un'altra possibile, di vita, diversissima, magari proprio accanto, tra l'altro, a due passi dalla loro? Bastava spostarsi. Scendere da quel treno e prenderne un altro, per dire. Anzi, non prenderlo proprio fin dall'inizio. Perché non lo facevano, cosa c'era sotto?

Insomma, a sentire di Fil e delle pecore, Giuliana se ne andò per certe riflessioni tutte sue sulla vita in generale. Succede, che dai particolari fatti altrui – le pecore o non pecore di un nipote, per esempio – si passi ad almanaccamenti, a libere astrazioni, a viaggi mentali per la tangente. Eh, la fantasiosa inafferrabilità del pensiero umano... Il fatto è che a Giuliana veniva fuori, in quella circostanza, una sua personalissima insoddisfazione che non aveva mai saputo di avere, una punta, solo una punta di dubbio su di sé, che però adesso si mescolava a una nuova, improvvisa e imprevedibile allegria. Era come una grossa pentola dimenticata per anni a bollire, a cui di colpo qualcuno avesse tolto il coperchio, cosí che tutti i fumi compressi, gli odori raggrumati, buoni o cattivi che fossero, si espandevano finalmente liberi nell'aria.

Difficile poi rimetter tutto dentro, e richiudere il coperchio.

Era l'alba. La luna se n'era andata da un pezzo. Non era poi rimasta cosí tanto, giusto il tempo d'illuminare uno spicchio di pavimento.

Incredibile come la luna corra veloce, non si ha modo di starla a rimirare un attimo che è già andata altrove, a occupare un altro spazio di buio, e a buttare i suoi rettangoli di luce attraverso altre finestre. E ora l'aria s'era come ringalluzzita, e da fuori entrava una nebbia di chiarore che toglieva il nero agli alberi, ogni minuto che passava.

Jeremy aveva smesso di parlare, ed erano rimasti tutti e due silenziosi un bel pezzo. Il silenzio... quel silenzio che tolleriamo cosí poco, soprattutto tra due persone sedute accanto. Pensiamo che sia un vuoto, e quindi ci affanniamo a riempirlo il piú possibile di parole, suoni. Rumori. Cosí alla fine lo soffochiamo. Si può invece lasciarlo vivere, avere questa pazienza. Loro due ce l'avevano. In quel momento erano capaci di sopportare il vuoto di parole, anzi sentivano che era esattamente quello di cui avevano bisogno. Solo a un certo punto Giuliana ebbe di colpo chiaro quel che si doveva fare:

– Ma se nessuno di noi due sa perché Fil alleva pecore, – disse, – andiamoglielo a chiedere! Andiamo a Londra!

Londra... Le veniva un'allegria, a pensarci. Di fronte a quella spropositata distanza geografica tra l'America e l'Inghilterra, tra il luogo dove tutti pensavano che Fil fosse e il luogo dove invece era realmente, non poteva fare a meno di sorridere.

Si pregustava il viaggio. Per lei era semplice concedersi quest'altra deviazione, visto che non faceva uno di quei lavori considerati utili o importanti. Assomigliava a un esploratore che avesse come unico fine nella vita quello di andare alla ricerca del tesoro perduto di qualche tribú estinta, di cui agli altri non interessava niente e che solo per lui invece era d'importanza decisiva. Insomma, erano fatti solo suoi dove andava o non andava; non doveva rendere conto di niente a nessuno e avrebbe sempre trovato il modo di giustificare il suo operato, qualunque esso fosse, perché si trattava di un operato... inutile. Non necessario. Sí, Giuliana era inessenziale. Ne era molto consapevole, e molto grata alla sorte: dove lei fosse o non fosse, non spostava un granello nell'universo. E questo le dava un grado altissimo di libertà. Sí, doveva pur tornare, a un certo punto, nella sua biblioteca davanti alla piazza lastricata in porfido. Era il suo lavoro. Ma per ora poteva fare a meno di...

Fare a meno: un'espressione verbale che le piaceva assai. Di quante cose poteva fare a meno! E di quante invece no. E com'era discutibile, personalissima e a volte persino rivoluzionaria l'attribuzione, alle cose, d'irrinunciabilità. Ogni scelta è sempre cosí arbitraria. Ed è cosí affascinante scegliere (ad esempio se tornare o non tornare), sporgersi sugli abissi profondi e pericolosi delle proprie scelte.

Anche se, a proposito di scelte, Giuliana lo doveva ammettere, da quando era approdata a San Francisco le era cambiata un po' la visione della propria vita. In tutta quella vana ma intensa *recherche* del nipotino, con annesso profluvio di racconti da parte del non piú sconosciuto Jeremy, le sue certezze di mancata architetta e non mancata custode-guardarobiera si erano un po' incrinate. La graniticità delle sue sbarazzine, sventate e spudorate scelte di giovinezza ne usciva compromessa, intaccata in qualche parte. Insomma, in altre parole, aver visto con i propri occhi il mitico tempio degli studi di Stanford, con i praticelli rasi, le palme al vento, gli scoiattoli sui rami, i cieli tersi e i lemuri-studenti suoi abitanti, leggiadri nonché leggeri, quasi danzanti per i vialetti con i loro libri, laptop e tablet sotto il braccio, le aveva fatto balenare l'ipotesi che forse, da giovane... Non arrivava a pensare d'aver sbagliato vita, questo no, sarebbe stato troppo. Ma era molto prossima a ritenere che, magari, anche un'altra vita sarebbe stata possibile, questo sí. Ed era la prima volta che concepiva un tal vertiginoso pensiero.

Per Jeremy era diverso. Per quanto fosse lui il giovane, sembrava lui l'adulto: aveva una vita molto piú costruita. Anzi, ancora peggio: in costruzione. Quindi, era meno libero. No, non era libero affatto. Spostare anche un solo mattone era per lui un affare decisamente delicato: poteva cadergli addosso il castello intero. Decidere di andare a Londra, cosí su due piedi, era un'impresa, ecco. Ciò nonostante, Jeremy aveva molta voglia di andare da Fil a chiedergli perché. Aveva, dopo il Balliol, un orribile sospetto. Non gli piaceva per niente averlo, ma lo aveva: che Fil allevasse pecore per sfizio, perché poteva permettersi anche questo, anche di allevare pecore. Che si trattasse di un capriccio, da figlio ricco e viziato. Aveva continuato a studiare Economia, e in piú s'era preso il lusso di allevare pecore: allora la sua non era stata una scelta coraggiosa ma solo una dimostrazione di potenza, e a costo zero. Eh sí, perché questo era il bello: uno come Fil, qualunque stupidaggine avesse scelto di fare, non avrebbe mai pagato un prezzo, sarebbe sempre caduto in piedi, Jeremy lo sapeva bene. Allevare pecore? Ma sí, dài, perché no? Era un proposito che sarebbe stato sempre, in ogni momento, ritrattabile: un'esperienza stravagante che si sarebbe «ritratta» dalla sua vita, che non gliela avrebbe intaccata, non avrebbe compromesso mai nulla veramente del suo futuro e della sua posizione. Era come giocare alla roulette russa con proiettili a salve. Un gioco un po' truccato, ecco. Cosa che Jeremy non riusciva a perdonargli. Nonostante la bontà, la gentilezza, la generosità di Fil, di cui lui aveva beneficiato per primo.

Sí, Fil era un ragazzo leale e generoso. Ma forse anche capriccioso e viziato, perché no? Era questo che dentro di sé pensava Jeremy, pur non volendo affatto pensarlo. Ed era per questo che desiderava sapere, indagare, andare fino in fondo: per non pensare cose tanto tremende del suo amico, per dimostrare a se stesso che non era cosí.

Per tutte queste ragioni Jeremy rispose di sí a Giuliana, le disse che sarebbe partito con lei alla volta di Londra, e insieme avrebbero incontrato, e interrogato, Fil.

Capitolo sesto

Litigi e defezioni

Era un tempo in cui in Italia l'arte della politica s'era – come dire? – in qualche modo finalmente rinnovata, abbandonando l'ormai consunta e vieta idea (forse da sempre un po' utopica...) di spendersi per il bene del Paese, cioè per il bene altrui, preferendovi il bene del prossimo. E cosa vi è mai di piú prossimo che sé medesimi, nonché parenti, amici e conoscenti? Dunque, la politica aveva preso ad operare piú che mai per il bene proprio, e del proprio prossimo piú prossimo.

Cosí s'era vissuti, per una trentina d'anni fino a quei primi giorni del novembre 2011, in un tempo vuoto e triste. Grigio, dovessimo indicare un colore, come son quei cieli nuvoli e nebbiosi, incombenti come cappe. Un tempo anche piuttosto scarso di persone grandi, che sapessero ripulire l'aria e spazzarli, quei cieli, dalle nubi, facendoli tornare azzurri, adamantini e tersi. Niente. Nessuno che si levasse a darla, una tale spazzolata. Ci si sapeva solo riempir la bocca di paroloni a effetto, predicozzi orali e scritti, discorsoni strabordanti di retorica. Tutti farciti e grassi, come tacchini di Natale.

E la gente? Diciamo i cittadini, la società, la massa, il popolo... Comunque la vogliamo chiamare, la gente non era stupida: vedeva quel che stava succedendo. Ma cosa mai poteva fare? Be', per metà provava a vivacchiare, e per metà provava a protestare.

Per esempio con gli appelli. Nacque e dilagò questo

nuovo genere retorico, attraverso cui esprimere il proprio scontento. Lanciare appelli era un po' lanciare grida che si perdevano nell'aria, d'accordo. Ma intanto, se andava bene, se trovavano la giusta valle, erano grida che potevano far eco, rimbombare, risuonare un po', almeno tra le caverne e le rocce di montagna.

Appelli a destra e a manca, in difesa di questo, in denuncia di quest'altro. Anche in quantità esorbitante. Anche senza un ordine preciso, un po' cosí, alla rinfusa. Appelli per la libertà di stampa, per i diritti dei mangiatori di loto, contro l'uso del burqa, in difesa del velo, per la sopravvivenza dei gatti neri, contro il crocefisso nelle aule scolastiche, per il crocefisso nelle aule scolastiche, contro il finanziamento pubblico dei partiti, in difesa della democrazia... Dai giornali, dalle tivú o dalla rete, non importava. Lanciare appelli o anche solo firmarli era diventato, per molti, un vero e proprio impegno, una *mission*.

Guido Cantirami, appartenendo alla schiera di quei molti, firmava appelli. Ne aveva già firmati un discreto numero nell'ultimo, politicamente burrascoso, annetto. Non voleva strafare, spendere il proprio nome per troppe cause, e si stava quindi domandando, quel giorno, se doveva firmare o non firmare quell'ennesimo appello di cui al momento, preso com'era da mille altre incombenze, non ricordava esattamente l'oggetto. Dettaglio irrilevante, visto che il punto era uno solo: firmare o non firmare.

Fece l'errore di parlarne con sua moglie, la quale gli rispose seduta stante:

– Ma ti sembra il caso di pensarci adesso? Con tutto quel che abbiamo per la testa! Comunque sí, certo che lo devi firmare! Che domande mi fai?

Nisina Rocchi era di fatto un'incrollabile sostenitrice di appelli, e in particolare della firma di suo marito agli appelli. Lo aveva sempre pungolato in tal senso, se mai ce ne fosse stato bisogno.

Il problema quel giorno, per cui il tono della sua rispo-

sta era stato piuttosto aspro e nevrotico, non riguardava
però affatto gli appelli e la politica italiana. Era che i loro
rapporti ultimamente, da quando cioè le pecore avevano
fatto irruzione nella loro vita, si erano fatti tesi. Per essere
piú precisi, all'inizio, presi ognuno dai loro segreti e personali modi d'indagare e risolvere l'enigma, non avevano
litigato affatto. Non si erano quasi parlati, addirittura, nei
primi giorni. Inseguivano pensieri e incubi, ognuno i suoi.
E si trovavano la notte solo per dormire, o meglio per non
dormire, insieme.

Ma il giorno del viaggio, quel 12 novembre in cui in
fretta e furia presero l'aereo per San Francisco, iniziaro-
no a litigare. Forse il fatto di lasciare la casa, partire, avere davanti tutti quei tempi morti tra le attese in aeroporto, i taxi, le infinite ore di volo, la stanchezza, la noia: a
un certo punto capitò che in qualche modo si rilassarono.
E, rilassandosi, non avendo cioè piú nulla di concreto da
pensare e fare, ebbero di colpo tutto l'agio di rivoltarsi
l'uno contro l'altra.

Fu un viaggio impegnativo e spossante. Assomigliò piú
a una guerra che a un viaggio: ci furono attacchi, rappresa-
glie, piani segreti, tradimenti, bombe a mano, anche qualche tregua ogni tanto.

Ma per quanto su posizioni contrastanti, fieri nemici
l'uno dell'altra, condividevano una convinzione precisa,
purtroppo del tutto sbagliata: che il loro figlio facesse il
pastore. Che avesse *letteralmente* deciso di allevare pecore
e fosse quindi diventato a tutti gli effetti un pastore.

Da lí i litigi, i battibecchi. Di fatto si accusavano reci-
procamente d'aver prodotto un figlio pastore.

– Sei stato tu! – gli diceva Nisina. – Tornavi all'ora beata a casa e pretendevi ancora di: leggere i giornali, guardare i telegiornali, telefonare ai colleghi, dare un occhio alla Borsa. Non sopportavi che nostro figlio volesse giocare
con te. Ti disturbava, lo mandavi via.

– Vuoi sostenere che c'è un nesso tra il fatto che io

non giocassi con i camioncini e il fatto che nostro figlio adesso allevi pecore? Ma ti rendi conto dell'illogicità? Tu piuttosto...

– Io piuttosto cosa?

– Tu che guardavi i tuoi polizieschi tutte le sere e non ne saltavi neanche una puntata! Che madre eri? E poi, gliele davi tutte vinte. Ti bastava sentirlo piangere e lo prendevi in braccio. Voleva il gelato, gli compravi il gelato. Se io mi azzardavo a dirti qualcosa tipo: facciamo non piú di un gelato al giorno, tu mi fulminavi.

– Ah perché invece i gelati c'entrano con le pecore, eh certo! Piú uno mangia gelati da piccolo, piú alleva pecore da grande! Diciamo piuttosto le cose come stanno: tu hai fatto finta di fare il padre severo, in realtà te ne sei fatto due baffi. Tanto toccava a me educarlo.

– Non me ne sono fatto due baffi per niente! Sei tu che esageravi, gli proibivi persino di andare al cinema!

– E certo, perché quando usciva dal cinema con quei suoi compagni delle medie si riempivano di vino e vodka, lo sapevi tu questo? No! Come facevi a saperlo se eri sempre in riunione? Chi c'era quando Filippo tornava a casa sbronzo che non si reggeva in piedi? C'eri tu? No, c'ero io! E gli mollavo anche un ceffone. Tu no, tu facevi il padre aperto e tollerante! E invece fingevi! Fingevi di fare il padre aperto! Eri un padre in riunione, ecco che cos'eri!

– Ma cosa dici che fingevo? Hai appena detto che fingevo di essere severo, adesso fingevo anche di *non* essere severo? Ma ti rendi conto di quante stupidaggini dici?

– Mi hai capito benissimo, Guido! Se vuoi che ne parliamo una volta per tutte, parliamone. Tu gli hai rovinato la vita, povero bambino! Se metteva anche solo il naso fuori dalla retta via, tu...

– Io cosa?

– Tu poi venivi da me a farmi le scenate! Da me, non da lui! Non avevi neanche il coraggio di farle a lui le scenate, non so se ti ricordi.

– Ma ti ricordi cosa? Cosa stai dicendo?

– Eh, so io cosa sto dicendo, lasciamo perdere...

Nisina finiva quasi sempre sconfitta nelle dispute con Guido. Lui era logico e razionale, lei perdeva il filo e s'ingarbugliava. Piú s'ingarbugliava, piú lo accusava. Piú lo accusava avendo perso il filo, piú non sapeva come uscirne e quindi invariabilmente finiva con la frase: «Eh, lasciamo perdere...» A quel punto Guido, vedendo la sua vittoria a un palmo, si ringalluzziva e aizzava la moglie al combattimento:

– Eh no, adesso *non* lasciamo perdere. Adesso sputi l'osso. Parla! Voglio proprio sentire.

Qui Nisina in genere annaspava. E anche quel giorno sull'aereo, a diecimila metri di altezza nel bel mezzo dell'oceano Atlantico, annaspò. Cercò di prendere tempo ma poi, messa alle strette, tirò fuori la prima cosa che le venne in mente:

– Be', per esempio quella volta del bowling, – disse.

– Lo vedi che sei inconcludente? Non concludi un discorso e ne apri un altro. Sei fatta cosí! Cosa c'entra adesso il bowling?

– Eh sí certo... Adesso lui fa finta di non ricordarsi.

– E dàgli col far finta! Non mi ricordo nessun bowling, di che parli?

– Gli amici del bowling, dài... Avrà avuto quindici-sedici anni, non so. Insomma andava al liceo. Tu lo lasciavi andare a quel bowling, eh certo, non c'era problema, un padre tanto aperto e tollerante! Una volta, due, tre... Poi sei venuto da me come una furia, io guardavo la tele, Fil era uscito. Sei arrivato che sembravi un toro col fumo nelle narici. Si può sapere, urlavi, si può sapere cosa s'è messo in mente nostro figlio? Il bowling! Intende passarci la vita in quel posto? E io a calmarti. Hai sempre fatto cosí. Non gli hai mai permesso niente, perché tu volevi che non uscisse dai binari. E i binari erano la tua famiglia, il nome, la casata...

– Ecco, lo sapevo che ci arrivavamo. Lo sapevo perché è il punto, Nisina, la cosa che non ti è mai andata giú: la mia famiglia. A te brucia che la mia famiglia sia piú su della tua, questo ti brucia. Mio padre notaio e tuo padre solo direttore... di un supermercato. Ma io te l'avevo detto: guarda che ci sono certe regole nella mia famiglia, certi valori... Lo sapevi quando mi hai sposato. Inutile che tu adesso... Se non ti andava bene, avevi solo da sposarne un altro, quel tal... come si chiamava già?

Un viaggio infinito, dall'Italia, raggiungere la costa americana dell'oceano Pacifico, infinito. Un'intera giornata di viaggio quel 12 novembre del 2011, cosí, tirandosi addosso accuse l'un l'altra. In aereo a bassa voce, per non disturbare gli altri sonnecchianti viaggiatori.

Arrivarono in albergo stremati e scontenti. Non erano avvezzi a litigare, lo avevano fatto ben poco nella vita. Non era nel loro stile, avevano modi piú eleganti in genere di dissentire, ad esempio con il silenzio. Ma quel loro figlio strampalato adesso li metteva a dura prova. Non scesero neanche a cena, si buttarono a dormire.

Non ebbero quindi modo di venir a sapere la grande notizia. La notizia che avevano disperatamente atteso per anni: in Italia l'allora primo ministro tanto poco da loro amato si era dimesso. Era salito al Colle, come si usava dire allora, intendendo per Colle il Quirinale, sede del presidente della Repubblica italiana, rimettendo il suo mandato. Mezza Italia in giubilo per la vittoria dei valori etici e civili. L'altra mezza a bagno tra l'indifferenza piú totale e l'amarezza di perdere il suo leader preferito, ma non importava: secondo Guido e Nisina, era la mezza Italia che non contava.

Quelle dimissioni rendevano tra l'altro inutile l'appello sul pericolo per la democrazia, e di conseguenza l'eventuale firma o non firma dell'avvocato Cantirami, che però, ignaro, continuò per qualche ora quella notte a dilaniarsi invano, prima di prender sonno, sulla questione del firmare o non firmare.

Fino ai giornali del giorno dopo, quando apprese dell'insperato evento. Festeggiarono in un caffè di San Francisco, lui e sua moglie, dimenticando le scenate e le crudeltà reciproche. Come se nessuna bomba fosse mai scoppiata tra di loro, brindarono felici con tanto di *lemon tart*, un attimo prima di noleggiare un'auto e partire per il campus di Stanford, dove, peraltro, non trovarono nessuno.

Jeremy e Giuliana avevano lasciato entrambi Stanford con l'intenzione di andare a Londra a cercare Filippo.

Ma non era poi andata cosí. Solo Giuliana aveva preso l'aereo per Londra, Jeremy no. Lei s'era trovata come d'accordo, all'ora stabilita, all'aeroporto di San Francisco. Anche lui, ma a un altro gate, da dove le aveva telefonato all'ultimo, dicendole che gli spiaceva, ma aveva deciso di non andare con lei a Londra da Fil, non ce la faceva, non era pronto.

«Ma cosa dici, pronto per cosa?»

«Non so... rivedere Fil...»

Ci aveva pensato su. Aveva fatto i bagagli, lasciato il campus, era andato all'aeroporto. Tutto preciso. Ma poi all'ultimo aveva cambiato il volo. Se ne tornava un po' a casa dai suoi. Era stanco, spossato. Una sosta in famiglia gli avrebbe fatto bene.

Giuliana era rimasta di stucco. Si sentiva tradita. E sola come un cane, in quello sterminato aeroporto di San Francisco, imprigionata nell'attesa di quel volo per Londra; appesa al telefonino, attaccata al debole fil di voce di Jeremy, continuava a chiedergli: «E adesso io cosa ci faccio qui, dove vado?» Jeremy le diceva di non preoccuparsi, che l'avrebbe guidata da lontano. Lei prendeva dalla borsa un fogliettino spiegazzato, scriveva storto l'indirizzo di Fil, convulsa.

In realtà, era tutto molto piú complesso. Era Jeremy a sentirsi tradito, l'aveva realizzato con una lucidità nuova dopo quella notte passata a parlare con Giuliana. Fil – si era detto –, sbattendo in piazza quelle pecore, non solo aveva distrutto il loro patto ma gli aveva tolto un'identità. Quella che gli faceva anche un po' da scudo, da tana. Erano usciti entrambi allo scoperto, con quelle benedette pecore per strada. Entrambi, non solo Fil. Ecco, Fil gli aveva tolto il paravento, e ora toccava anche a lui mostrarsi, stare in piena luce. Solo che lui non aveva mai deciso questo, non era pronto. Se tre anni prima era entrato, un po' come Alice attraverso lo specchio, nel paese delle meraviglie, adesso lo specchio s'era rotto. E lui ad esempio si chiedeva se dirlo ai suoi o no. Ci pensava per la prima volta. Non aveva mai parlato con loro del patto. Aveva preferito fingere d'aver vinto una borsa di studio piú ricca. Tanto in fondo era uguale, aveva pensato: a loro cosa cambia? L'importante era non pesare su di loro. E invece cambiava eccome, lo vedeva chiaro solo adesso: un conto è studiare in America grazie a una borsa di studio, un conto è farlo grazie ai soldi che ti dà un compagno. Cosí poteva anche suonare infamante. Com'era che non ci aveva pensato? O forse aveva semplicemente deciso di non pensarci?

E poi c'era una seconda ragione, per non andare a Londra con Giuliana. Una ragione ancor meno dicibile. Una ragione molto legata a Giuliana. Confusa, oscura, una specie di nebbia nella testa di Jeremy, da cui non sapeva districarsi. Era una felicità andare a Londra con Giuliana, sí, ma mescolata a una paura, una sorta di presentimento, qualcosa che gettava un'ombra su qualcos'altro che di per sé sarebbe stato cosí luminoso. Un po' come quando t'invitano a fare una gita in montagna e tu ti metti a pensare ai precipizi, ai dirupi invalicabili, all'idea che potresti anche cadere. Insomma, Jeremy non voleva trovarsi solo con lei, non era sicuro di riuscire a… Non sapeva nemmeno lui dire a cosa, quindi meglio finirla lí. La zia di Fil era la zia di Fil, e basta. Doveva tornare a essere quel che era stata per anni nella sua mente, creata dalle parole di

Fil: una creatura immaginaria, un sogno. Molto semplice, molto logico: lei non era *vera*. Quindi, meglio non vederla, non sentire il suo profumo, non...

E cosí quel giorno, proprio mentre Giuliana volava verso Londra, Jeremy, che sopra ogni cosa voleva stare con lei, la lasciava sola e se ne volava, a sua volta solo, in Italia.

Capitolo settimo
Nonna Gina

Jeremy atterrò a Milano in piena notte, per lui, ma la mattina del giorno dopo secondo l'ora locale, e dormí due ore su una panchina in attesa del primo pullman per Carandate. Comunque, arrivò all'ora di pranzo, e non andò a casa sua. Andò a casa della nonna, perché sapeva che lei di sicuro l'avrebbe trovata.

Infatti nonna Gina gli aprí in vestaglia. Stava facendo le parole crociate sul tavolo della cucina, e a vederselo davanti cosí, se lo strinse quasi a stritolarlo, con quei suoi braccioni grassi, e poi giú subito a bombardarlo fitto di domande, ancor prima che lui riuscisse a posare le valigie: e allora? e cosa mi racconti? ma perché sei tornato senza dir niente? non è che hai smesso di studiare? non è che ti è andato male qualcosa? ma non dovevi finire il dottorato? ma che è successo?

Intanto armeggiava con la moka, quella grande da sei tazze, e tagliava il pane, e anche se era l'ora di pranzo non la smetteva di spalmare burro e marmellata, quella che aveva fatto lei alla fine dell'estate, comprando le cassette di pesche al mercato. Poi tirò via le parole crociate, fece spazio alla tazzina del caffè, alla scodella, al bricco del latte, e si sedette al tavolo vicino a lui, a quel suo nipote che non le pareva vero di avere lí, e che era appena riuscito a togliersi la giacca, in tutto quel trambusto, e ora cercava di tranquillizzarla, le diceva che andava tutto bene, che stava per addottorarsi, s'era solo preso una pausa, e aveva pensato di fare un salto a casa, riposarsi un po' in famiglia, ma lo aveva pensato all'ultimo, ecco perché non aveva avvertito, tutto lí. Anzi, a proposito, quel salto a casa avrebbe dovuto farlo presto, dai suoi. E lí nonna Gina fu prontissima, gli disse: – Ma no, lo sai cosa facciamo? Li invitiamo a cena qui stasera, quei due, cosí festeggiamo tutti insieme e tu non devi andare da nessuna parte adesso.

A Jeremy andava bene. Stanco morto com'era, dormicchiò tutto il pomeriggio lungo disteso sul sofà della cucina. Qua e là nel dormiveglia sentiva la nonna che puliva i pavimenti, sbatteva il tappeto, i cuscini, e la casa che sapeva di detersivo buono.

A sera la aiutò ad apparecchiare, tagliare i pomodori, sbattere le uova. La nonna gli faceva capelli d'angelo e fettine impanate, come quand'era piccolo. E per lui era il gusto stesso della gioia, soprattutto quella pastasciuttina fina di spaghetti che si scioglievano in bocca.

Intanto le raccontava di Stanford. E prima che arrivassero i suoi, poco prima della cena, con la tavola già tutta apparecchiata e l'acqua che bolliva sul gas e mandava il suo vapore caldo e nebbioso, le aprí il computer. Ci mise un po' a scovarlo tra i bagagli, ma glielo aprí volentieri, solo per lei, lí, seduti vicini sul sofà. Le fece vedere le foto. In automatico, una che si dissolveva nel nulla e l'altra che appariva subito di seguito, in sequenza, come un film. La nonna strabiliava, non diceva piú niente, gli si stringeva solo addosso, con quel suo corpo massiccio. Era proprio quello che voleva, vedere i posti dove stava Jeremy. Diceva che senza vedere i posti non riusciva a immaginare niente, e che almeno una cartolina gliela poteva mandare, ma non importa, gli diceva, lo so che non ti è venuto in mente. Però lei come faceva? Se non immaginava niente, come faceva a stare tranquilla, a non preoccuparsi? Non poteva immaginarsela l'America, lei, che con quella storia della panetteria da mandare avanti non era mai uscita dal suo paese, e anche dopo, quando avrebbe potuto perché tanto avevano chiuso, non ci pensava neanche a viaggiare, tutta sola com'era rimasta.

Nonna Gina non era di Carandate, veniva da un paesino della campagna piatta lí intorno. Si chiamava Luigina Pontelli, e il suo cruccio era che da ragazza non aveva potuto studiare. Una volta non si usava far studiare i figli, soprattutto le femmine, e lei si era fermata alla quinta elementare. Ma le sarebbe piaciuto andare avanti, e quel chiodo le era rimasto tutta la vita, e adesso che era vecchia ancora peggio, perché lo vedeva che non c'era piú tempo.

Nella vita lei aveva solo venduto pane. Pazienza, voleva dire che doveva andar cosí. Il fatto è che aveva sposato Giuseppe, e Giuseppe faceva il panettiere, aveva un panificio a Carandate, stava in piedi tutta la notte a fare il pane, poi dormiva qualche ora e di pomeriggio prendeva il camioncino e andava a fare ancora qualche consegna in giro, per arrotondare. Mentre Gina stava in negozio tutto il giorno a vendere. La sera chiudevano, lei metteva su velocemente qualcosa da mangiare e cenavano con la loro unica figlia, Daniela. Poi cadevano a letto morti di fatica. Almeno, cosí era stato finché Giuseppe era vivo.

Ma non si lamentava. Non le era parso vero d'aver trovato lui, nella vita, perché non s'era mai fatta delle illusioni: lo sapeva di essere un po' grassa, soprattutto sui fianchi dove aveva due cuscinetti che non le andavano via. Tanto, anche il suo Giuseppe non era un granché, con quel viso largo, i baffi spioventi, i denti un po' storti. Ma a lei andava bene. Anzi, le era sembrato persino bello la sera che l'aveva invitata a ballare, ai Gelsomini d'argento. Era finita la guerra, e i maschi erano tornati. Si potevano vedere in giro, e scegliere. Ragazzi che venivano dal fronte e ora riempivano i locali da ballo, le strade dei paesi, la sera. Le ragazze non vedevano l'ora di uscire, ora che c'erano i ragazzi.

Gina era una di loro. Come tutti i sabati sera, stava seduta a un tavolino con la sua amica Luciana. Era estate, una bella serata fresca d'estate, e lei aveva un vestitino a fiori azzurri, senza maniche e abbastanza scollato.

Bevevano qualcosa, Gina e l'amica, aspettando che qualche ragazzo venisse a farle ballare. Intanto chiacchieravano, e guardavano le altre coppie sulla pista ascoltando la musica.

A un certo punto suonarono la mazurca di Migliavacca, e un giovane si avvicinò al loro tavolo. Alto e magro, se ne stava fermo come un albero, le mani intrecciate davanti che non sapeva dove diavolo mettere. Protese il collo a mo' di inchino e, guardando fisso proprio lei, le chiese se voleva ballare. Gina non lo sapeva ancora chi era, eppure il cuore le si riempí di un vento caldo. Divenne tutta rossa fin nei capelli, e si alzò. Era stata scelta. Era quello il pensiero piú bello, ancor prima di osservare chi l'avesse invitata, e come fosse fatto quel giovane. Tra tutte, lui ha voluto me. E questo pensiero le scioglieva dentro un fiume di allegria e tristezza contemporaneamente, era una cosa strana; da una parte era felice, dall'altra era come se la vita l'avesse messa di colpo davanti a qualcosa di piú grande di lei: un compito, una missione che adesso non poteva piú esimersi dal compiere. Ripensò tante volte a quel momento, e a quel sentimento. Col tempo, capí che forse quella sera era cresciuta all'improvviso, quando si era alzata per seguire quel ragazzo sconosciuto che sarebbe poi diventato suo marito, e con il quale avrebbe avuto una bambina. Rappresentava la vita, allora, quel ragazzo, la vita che sarebbe stata, il suo futuro. Non poteva saperlo, ma in qualche modo misterioso lo sentiva.

Era stata una buona vita, insieme. A parte il fatto che Daniela non aveva voluto studiare. Lei che poteva, non aveva voluto. Non ne aveva voglia. Diceva che non era portata. Proprio vero che nella vita chi vuole non può, e chi può non vuole. Cosí pensava Gina Pontelli. Daniela fece tre anni di segretaria d'azienda, dopo le medie. E poi non seppe cosa farsene di quei tre anni perché nessuno la prendeva a fare la segretaria. A sedici anni suonati pensò d'aver fatto proprio una cosa inutile ad andare a scuola e non ne volle piú sapere di studiare. Allora perché le inventano, le scuole per segretarie, se poi nel mondo nessuno ha bisogno di segretarie? Cosí diceva.

Il padre non era scontento, a lui andava bene che sua figlia lavorasse. Le trovò un buon posto da parrucchiera nel negozio accanto alla panetteria. Conosceva i padroni, i fratelli Vinci. Erano due buoni diavoli. Le fecero indossare un grembiule e la misero per prima cosa a fare gli sciampi. Quel giorno Daniela massaggiò una ventina di nuche e arrivò a casa con le mani gonfie.

«Non mi piace lavare la testa alla gente», disse.

Gina e Giuseppe appartenevano alla generazione della guerra, erano genitori che lavoravano tutto il giorno, il lusso di viziare la figlia non se lo potevano permettere. Le dissero di trovarsi un altro lavoro, a loro non interessava quale, ma facesse in fretta, una settimana non di piú, perché non potevano mantenerla a far niente.

Una settimana era davvero poco. Ma Daniela un'idea ce l'aveva: le piaceva cucire. Sartorie non ce n'erano piú però, la gente si comprava gli abiti già bell'e fatti. Ma Daniela era testarda. Quel che voleva, voleva. E si trovò un posto in un Orlo Espresso, una catena di negozi in cui si facevano gli orli ai pantaloni, si restringevano giacche, si cucivano tende, lenzuola, bordi alle coperte. Si eseguivano, insomma, lavori di piccola sartoria, perlopiú riparazioni. Non era esattamente fare la sarta, ma si lavorava tenendo ago e filo in mano, e a Daniela andava piú che bene. Se ne stava nascosta in un retrobottega di tre metri quadri, china a far correre la macchina da cucire, ed era contenta. Sempre meglio che intrufolar dita insaponate di sciampo nelle capigliature altrui.

«Adesso voglio vedere come se lo trova un merlo, sempre rinchiusa là dentro con ago e filo! – brontolava Gina la sera a letto, con lo scialle da notte addosso e la luce dell'abat-jour accesa. – Dimmelo tu che sai tutto!»

Alle nove erano già a dormire perché Giuseppe doveva alzarsi alle tre per andare a fare il pane. Ma per lei era troppo presto, ci metteva una vita ad addormentarsi; allora stava seduta appoggiandosi al cuscino piegato in due, anche a far niente e fissare il muro, le mani posate sul risvolto del lenzuolo, con le nocche dell'artrosi che la luce metteva ancor piú in risalto. Ma almeno quella lampadina le teneva compagnia. Ed era lí che ogni tanto le veniva bene di parlare con Giuseppe, anche se lui dormiva già e manco la sentiva. Si addormentava di botto, stanco com'era. Non aveva tempo di ascoltar le ciance di sua moglie. E poi della figlia non si preoccupava neanche un po'. Bella com'era, ci mancava che non lo trovasse, un merlo! Lo trovava anche troppo, secondo lui.

E infatti lo trovò, e proprio in negozio. Si chiamava Mario e studiava da geometra. Veniva a ritirar la roba per la madre, e ogni volta gettava l'occhio di là, dove lavorava Daniela. Finché una sera prese coraggio e la aspettò fuori alla chiusura.

Quattro anni dopo nacque Jeremy. E quel nome strano fu colpa di nonna Gina, che voleva a tutti i costi che lo chiamassero Geremia come suo padre, Geremia Pontelli. Non ci fu verso, tutto quello che Daniela ottenne fu di chiamarlo Geremia in inglese: Jeremy, almeno cosí sapeva meno di vecchio. E la nonna dovette abbozzare. Tanto poi lo chiamò sempre come pareva a lei: Geremia.

Fu tutta la sua gioia, quel nipote, la parte di buono che aveva avuto nella vita. Cosí diceva. Soprattutto dopo che il suo Giuseppe s'era sentito male una notte mentre impastava il pane, e lei lo aveva trovato riverso sul pavimento, coperto di farina. Da allora, rientrare tutti i giorni in quella casa vuota fu un tale mal di stomaco. Ma era andata cosí, nessuno può decidere come deve andare. E non succede quasi mai che si muoia insieme, tra due persone che si sono volute bene. C'è sempre uno che se ne va per primo, e senza volerlo dà un grande dolore all'altro, un dolore cosí grande che a volte all'altro passa anche la voglia di vivere.

Nonna Gina cominciò ad andare tanto in chiesa. Al mattino, dopo aver fatto la spesa, entrava nella chiesa del suo quartiere a riposarsi un po'. C'era una bella statua dell'arcangelo Gabriele nella navata di destra, al fondo. Lei andava lí davanti e gli parlava direttamente, a quel Gabriele cosí bello, biondo, sorridente. Che fosse biondo se lo inventava lei, perché la statua era di marmo e basta. Trattava quel santo piú o meno come fosse stato suo marito buon'anima. Gli chiedeva come va oggi, come ti senti. Ci mancava solo che gli domandasse che cosa voleva mangiare per cena. Stava un'oretta buona a parlargli. Faceva caldo in chiesa, si trovava bene con quell'arcangelo. Non gli chiedeva mai dei favori, però, perché si vergognava: secondo lei non stava bene chiedere le cose ai santi o alla madonna. Non gli chiedeva espressamente nulla, però gli parlava tantissimo di Geremia, gli confidava che voleva che studiasse, che diventasse uno importante, un giorno, non come tutti loro poveretti, e se per favore lo aiutava, solo questo, ecco, niente di piú.

Jeremy andava da lei a fare i compiti tutti i giorni. Usciva da scuola e, invece di tornarsene a casa sua, dove non avrebbe trovato nessuno a dirgli ciao come va, né il pranzo pronto, andava a casa della nonna, che gli faceva i capelli d'angelo col sugo e gli chiedeva che voti aveva preso, e se ce n'era uno basso gli toglieva il piatto e lo mandava di là digiuno.

A studiare però doveva pensarci da solo, perché nonna Gina di latino, storia e filosofia e tutto il resto non sapeva niente. Ma il tarlo di darci dentro il piú possibile glielo aveva messo lei, sempre a dirgli che nella vita non c'era altro che darci dentro a imparare, che come amici e compagni doveva averci solo i libri, che senza libri era fritto panato. Era anche una specie di rivincita, per lei, su quella figlia che non aveva voluto sentirne di studiare: d'accordo, pensava nonna Gina, mi sei sgusciata tra le mani come un'anguilla, figlia mia, hai fatto quel che ti pareva.

Però questo tuo figliolo adesso è mio. Sta' sicura che te lo allevo. Ma a modo mio. E quel che non m'è riuscito con te, mi riuscirà con lui.

Non che gli facesse i compiti, no. Non si poteva dir cosí alla lettera, non era esatto. Non si sedeva accanto a lui alla scrivania voltandogli le pagine dei libri, temperandogli la matita, dettandogli le frasi da scrivere o i risultati delle operazioni di aritmetica.

Lo pungolava, però, gli stava dietro. Controllava ogni santo giorno che facesse quel che doveva, lo interrogava. Prima si faceva dare il libro, chiedeva cos'aveva da studiare per l'indomani, contava il numero di pagine e stabiliva un tempo massimo, scaduto il quale piombava in camera e come un falco gli stava sulle spalle a vedere a che punto era arrivato, e se era a un punto insoddisfacente sbraitava. Con dolcezza, ma sbraitava, e qualche volta, se era piú nervosa e stanca, ci scappava anche lo scappellotto. Dopodiché si faceva di nuovo dare il libro, se lo teneva aperto in grembo e, mentre il nipote ripeteva ad alta voce la lezione, seguiva con il dito le righe, controllava se diceva tutto e con quale velocità e sicurezza nella voce. Se non era soddisfatta, lo faceva ripetere. Cosí tutti i giorni.

Ma soprattutto gli parlava di san Domenico Savio, che tra tutti i santi era il suo preferito. Gli mostrava il ritratto sul libro del catechismo e gli diceva: «Vedi che bravo ragazzo era?» E Jeremy vedeva l'immagine di un ragazzino vestito bene, con l'aria seria e compita, gli occhi rivolti al cielo, una mano sul cuore: un cuore che spiccava sulla camicina bianca, rosso fuoco e con i raggi intorno tutti d'oro.

I genitori di Jeremy arrivarono con un gran vassoio di meringhe per festeggiare il loro figliolo, e lo abbracciarono forte, anche un po' piangendo.

Mario Piccoli quella sera si sognava le lasagne al sugo,

sua suocera le sapeva fare perfette, e invece si trovò nel piatto la pastasciuttina di capelli d'angelo. Ma pazienza. L'importante era stare con suo figlio, parlargli un po'.

– E adesso che finisci il dottorato, che prospettive hai? – gli chiese subito, ancor prima di attaccare a mangiare, concedendosi solo un sorso di vino rosso.

– Buone.

– Buone come? Hai già delle offerte? Dico offerte di lavoro.

– Ma lascialo mangiare in pace, è appena arrivato, ha fatto un viaggio, è stanco... – lo interrompeva nonna Gina.

– Sí sí, stanco va bene. Ma qui si deve pur incominciare, una buona volta. Quanti anni sono che studia e basta?

– Papà ha ragione, nonna. Comunque sí, ho ricevuto un sacco di proposte, tutte molto buone. Per esempio c'è l'ipotesi di un lavoro dirigenziale, nel campo delle assicurazioni.

– C'è l'ipotesi... o c'è un lavoro vero?

– Un lavoro, papà. E anche di grande responsabilità. Si tratta di guidare un'impresa di finanziamenti esteri ma anche di studiare un nuovo piano pensionistico. Una cosa grossa. M'han detto che si farebbe carriera in fretta, e si avrebbe uno stipendio subito alto...

– Si farebbe, si avrebbe... Nel senso che te lo dicono a parole, o poi te lo danno davvero questo stipendio?

– Me lo danno, papà, me lo danno. E anche un appartamento a Manhattan, m'hanno detto.

– Manhattan in America?

– New York, papà. È la parte bella di New York.

– New York, Mario! Ci pensi? Quanto mi piacerebbe andarci... – faceva Daniela, finendo la pastasciutta e pulendosi col tovagliolo prima di bere un sorso.

– Ma certo, mamma! Potreste raggiungermi a Stanford per la cerimonia, anche la nonna, ho già pensato...

– Ma cosí lontano, Jeremy... Non so, Mario, tu cosa dici?

E Mario non diceva. Stava sul piatto con lo sguardo serio, quasi torvo. Non voleva si vedesse quanto era fiero del figlio, ma lo era. E anche pieno di speranze, di aspettative.

Jeremy guardava il padre. Non gli venne da dire nulla di Fil, il patto, le pecore, i soldi che gli aveva dato in quei tre anni a Stanford. Non gli venne da dirlo perché, come si fa? I suoi erano cosí contenti. Come si fa a turbare dei genitori cosí? Li avrebbe solo spiazzati, messi in imbarazzo. Si sarebbero sentiti in debito nei confronti di quel suo amico che loro non sapevano neanche chi fosse. Gli avrebbero chiesto d'incontrarlo, per ringraziare lui e addirittura la sua famiglia... Oddio, se lo vedeva, Jeremy, un incontro tra i suoi e l'avvocato Cantirami... Per carità. Meglio tacere, e che tutto andasse avanti come doveva.

Dopo cena, i genitori di Jeremy si sedettero un po' sul sofà a fare ancora due chiacchiere, ma poco. Se ne andarono quasi subito a casa, perché dovevano alzarsi presto. Tanto lo sapevano che Jeremy avrebbe dormito dalla nonna, non a casa loro.

Nonna Gina sparecchiò in fretta, in silenzio, poi si sedette accanto al nipote e gli disse, battendogli una mano sul ginocchio:

– Dài, adesso che siamo soli fammi vedere i libri!

E non ci fu verso. Jeremy dovette mettersi a frugare tra i bagagli, disfarne la metà e tirar fuori i libri, le dispense, gli articoli fotocopiati. Per fortuna aveva con sé anche alcune sue pubblicazioni, e poté mostrarle alla nonna. A vedere quel suo nome, Jeremy Piccoli, bello stampato sul frontespizio, la nonna andava in brodo di giuggiole. Leggeva e rileggeva, guardava, e carezzava ogni pagina. Sembrava come quando era piccolo, prendeva un bel voto e lei stava zitta, si godeva dentro quella soddisfazione.

– Adesso però, dài Geremia, tira fuori i voti! Fammi vedere quanto hai preso...

Jeremy dovette spiegarle che in un dottorato non ci sono propriamente i voti e lei ci rimase malissimo: voleva fare i confronti, se lui non le diceva i voti suoi e degli altri, lei cosa ne capiva?

– Ma comunque lo sei, il piú bravo di tutti, eh, Geremia? Dimmelo che lo sei!

E Jeremy doveva dirle per forza che lo era. Ma le confidò anche che aveva un po' di paura per la discussione finale, non sapeva se...

– Se se se... e dagliela con 'sti se! Vedrai che sei il primo e basta!

A quel punto nonna Gina si alzò a fatica e scomparve di là, in camera sua, come se di colpo le fosse venuto un pensiero. Quando tornò a sedersi sul divano, teneva qualcosa stretto in pugno. Era un'immagine sacra, una specie di medaglione di stoffa con il ritratto di san Domenico Savio stampato sopra.

Gli disse di tenerselo sul petto, quel san Domenico, sotto la canottiera. Che gli portava bene.

Capitolo ottavo

«I filosofi hanno solo interpretato il mondo»

Tornandosene in Italia invece che precipitarsi a Londra, Jeremy aveva deciso di perdersi l'incontro con Fil. Invece non si perse un bel niente perché non ci fu nessun incontro: Giuliana, a Londra, non trovò affatto Fil.

Aveva preso un taxi e s'era diretta a casa di Fil, cioè all'indirizzo che le aveva dato Jeremy per telefono. Si era anche detta che in fondo era meglio essere sola, cosí poteva riabbracciare Fil senza nessun estraneo tra i piedi. Lei e suo nipote, sai che feste.

Era scesa dal taxi. Aveva suonato. Dopo un po' che martoriava quel povero campanello, era uscito il portiere, un uomo mingherlino e vecchio che si reggeva a stento sulle gambe e che le aveva detto, biascicando ogni sillaba, che era inutile che insistesse tanto, quell'alloggio era sfitto, non ci abitava nessuno. Le aveva poi chiesto chi diavolo cercasse e, al nome di Filippo Cantirami, le aveva detto che sí, effettivamente a quel nome riceveva posta e aveva l'ordine di consegnarla a un tale che si faceva vivo di tanto in tanto.

Era chiaro: Filippo non abitava a Londra. O almeno, non all'indirizzo che le aveva dato Jeremy. Anche Jeremy, dunque, era stato ingannato. E adesso? Provò a fare al vecchio una serie infinita di domande del tipo: chi gli aveva dato ordini, chi veniva a ritirare la posta, chi... Niente, non riuscí a spillargli mezza sillaba, nemmeno biascicata.

Giuliana a quel punto si allontanò dal portone, e poi, di colpo, si fermò, inerte. Si appoggiò al muro. I passanti la sfioravano, quasi le calpestavano i piedi. Era una via di gran traffico, rumori, folla. Si sentí sola come in un deserto. Fine. Adesso sí che non sapeva piú cosa fare. Dove andare. Non aveva piú nessun appiglio, neanche un nome, un indirizzo. Nulla.

Si staccò dal muro. S'incamminò lentamente trascinando la sua piccola valigia e lasciandosi trasportare dal flusso della folla.

Allora, solo allora, Fil le sembrò, definitivamente, perso.

Provò a richiamarlo sul cellulare. Cosí, per scrupolo. Ma lo sapeva che era inutile. Partí il messaggio, lei non rimase neanche ad ascoltarlo.

Telefonò a Jeremy. A quel punto sí, chiamò proprio Jeremy. È vero che l'aveva abbandonata. Ma era stato anche lui, a sua volta, abbandonato: tenuto all'oscuro, escluso, ingannato. E poi, chi altri poteva aiutarla in quel momento?

Gli disse che Fil non era all'indirizzo che le aveva dato. Silenzio.

E che lei adesso non sapeva proprio cosa fare a Londra. Silenzio.

Gli chiese se aveva delle idee e se per piacere la smetteva di lasciarla sola.

A Jeremy venne un groppo in gola. Ma non gli usciva mezza sillaba. Gli giravano in testa pensieri confusi, foschi. Un turbinio. Aveva avuto per anni un indirizzo sbagliato, del suo amico. Amico, poi... tutto da vedere! Si sentí com'era naturale si sentisse: preso in giro, offeso. Anche preoccupato, per Giuliana. Avrebbe dato chissà cosa per essere là a sostenere con lei il peso e le incognite di tutta quella storia, a consolarla. Aveva un morso dentro, lo scontento d'essere stato cosí poco vero, e leale, con quella donna che gli sembrava cosí fragile.

Rimase a pensare, mentre diceva quattro parole a casaccio, tanto per rassicurarla, per rompere il silenzio. Gli venne in mente che poteva darle l'indirizzo di quel loro vecchio compagno di università, di quando lui e Fil facevano il master alla LSE, quel Roger Sheffield. Le chiese se si ricordava, era quello del poster, delle occasioni da non perdere. Quello a cui Fil aveva rovesciato il tavolo addosso. Sí, non erano certo amici, ma forse qualche indicazione poteva dargliela.

Giuliana prese nota dell'indirizzo. Gli disse che lo avrebbe tenuto al corrente, passo dopo passo.

Quando chiuse, pensò che era proprio cosí: passo dopo passo. Jeremy non era fisicamente lí, ma adesso lei in qualche modo aveva la sensazione, camminando in quel mattino terso e ventoso per le strade trafficate e convulse di una Londra che non le piaceva per niente e sentiva ostile, di non essere del tutto sola. Le sembrava che, in quell'avventura appena iniziata, Jeremy le fosse accanto e che stessero camminando insieme, *passo dopo passo*, come avevano fatto nei silenziosi e lunari vialetti di Stanford.

Roger Sheffield abitava nella City. Ricevette Giuliana nel suo alloggio tutto dipinto di bianco, anche i mobili e la scala interna; due piani affacciati su un angolo di Upper Thames Street da cui si vedeva il Millennium Bridge, l'acqua marrone del fiume che ribolliva, e in lontananza la sagoma tozza e rossobruna della Tate Modern.

Quando lei suonò alla porta, andò ad aprirle col cappotto. Un cappotto blu che teneva con il bavero rialzato e la sciarpa a quadri stretta a nodo sotto il collo. A Giuliana fece l'impressione di un impiccato, un impiccato molto perbene.

– Mi spiace, forse stava uscendo… – Per prima cosa Giuliana si scusò, rimanendo sulla porta. Poi disse chi era e perché era lí.

– Stavo uscendo, sí… ma entri pure.

– Ma se ha fretta… Io guardi, volevo solo…

– Un attimo ce l'ho, non si preoccupi…

Il giovane impiccato a quel punto rientrò in casa e si buttò di peso sul divano, bianco, dell'ingresso, come fosse esausto. Un ingresso amplissimo, il soffitto alto cinque metri da cui scendeva un enorme lampadario a gocce di cristallo, barocco. Il divano invece rigido e squadrato, quasi una tela di Mondrian.

Giuliana si sedette sulla poltrona davanti a lui, sprofondando negli enormi cuscini in piuma d'oca, damascati rosso fuoco e oro: l'unica nota di colore lí dentro. Un'enorme statua di gesso a forma di pappagallo la guardava, dall'angolo della sala. Una specie di gargouille domestica, formato gigante. Bianca, naturalmente.

Roger accavallò le gambe. Aveva pantaloni di lana grigi, stretti al fondo in un risvolto di pochi centimetri. La carnagione rosa pallido gli conferiva un'aria diafana, di porcellana. Un po' cadaverica. Un ragazzo alto e ossuto, uno scheletro con in cima un ciuffo di capelli ricci ma corti, come smorzati sul nascere perché non dessero fastidio. Giuliana per contrasto ripensò ai riccioli scomposti di Jeremy, allegri.

Gli chiese se aveva notizie di Fil. Stava per aggiungere se sapeva dove abitava, ma fu interrotta:

– Cantirami... bel caratterino... – Non ci girò intorno, le raccontò subito che avevano litigato di brutto una sera. Niente di che, questioni di Economia: – Cantirami mi tira fuori il cartalismo, l'Africa, ce l'ha con Keynes... Mi si accappona la pelle, ma cos'è? un liberista thatcheriano? un monetarista? Non so se mi capisce...

No, di quella sfilza di parole lei aveva captato solo «pelle».

– Comunque, un genio suo nipote. Uno che ha idee. Sbagliate, ma le ha.

– Ah ecco... lei dice? Mi fa piacere... – mormorò Giuliana.

Quel ragazzo, per quanto avesse la metà dei suoi anni, le metteva soggezione. C'entrava anche molto quel pappagallo gigantesco. Ma che senso ha mettersi in casa una roba che ti guarda di sbieco? Si sentiva addosso quegli occhi inespressivi, il becco aguzzo semiaperto che le sporgeva quasi in testa come se volesse colpirla. E tutto quel bianco, anche alle pareti.

– Un po' arrogante. Presuntuoso, direi, – continuava Roger. – Con quella sua aria sempre distaccata, come fosse altrove. Ma un genio. Uno con certe idee tutte sue, insomma. Sbagliate, ma comunque…

Un po' ripetitivo, pensava Giuliana. Ossessivo. Lo guardava, quel ragazzo diafano che parlava a scatti, facendo gesti nervosi. Per esempio si attorcigliava di continuo i ricci, troppo corti.

– Mi chiedevo se per caso lei sapesse adesso… sí, dove potrei trovarlo…

– Cantirami? Ma scherza? Uno che se la tira a quel modo, che non c'è mai, non risponde, non si fa trovare… Tiene chiuso il cell, tiene chiuso il lap. Tiene chiuso tutto e allora…

– E allora…

– Be', non stupiamoci se poi… Dicono che ha trovato un lavoro all'estero. Che se n'è andato cosí, da un giorno all'altro, perché l'hanno chiamato da non si sa dove, a fare non si capisce cosa. Altri dicono che non s'è mai mosso e lavora qui intorno. Comunque, se se n'è andato avrà avuto le sue piú che valide ragioni… Uno cosí, che si crede un dio, non se ne va a fare niente, non so se mi capisce…

Giuliana a quel punto ebbe chiaro che Roger non sapeva delle pecore. Meglio cosí, pensò. Quell'incontro non la stava portando da nessuna parte, non le aggiungeva nessuna delle tessere mancanti. Un vero flop, investigativamente parlando. Bisognava aver pazienza. Intanto non diceva niente, mandava lo sguardo fuori, attraverso quelle grandi vetrate moderne. Si vedeva solo cielo. Sotto, l'acqua marrone del Tamigi.

– Mi spiace, non so altro, – continuò Roger, togliendole ogni speranza. – Non lo vedo da un sacco di tempo.

Non è neanche su Facebook, per dire. Non so se si rende conto, oggi, non essere su Facebook...

Roger ora si muoveva sul divano. Era inquieto? O era scomodo il divano? Alzava e riabbassava il bavero del cappotto. Si strizzava e si smollava la sciarpa a quadri al collo.

– Comunque anche per far carriera, dico. Non è che uno se ne possa fottere, non rispondere, non aprire mai le mail... Fatti suoi, ci manca solo. Però uno cosí si perde anche le relazioni, dico quelle utili. Scusa, non ho letto il messaggio, scusa non vado su Skype... E va be', poi non ti lamentare. In realtà, era solo un fottuto aristocratico, me lo lasci dire, Filippo Cantirami.

– Ma... no, questo proprio... guardi, le assicuro che si sbaglia...

Giuliana si sentiva nel posto sbagliato con la persona sbagliata. Una cosa tipo stare nella fossa dei leoni: affossata, ecco. Prima si toglieva da lí meglio era.

– Mi sbaglierò, – Roger continuava. – A me andava solo bene, chiaro... Per esempio, per dire: ai convegni di Boston, o a Yale, mandavano me, non lui... E anche sulle riviste, sa le riviste giuste... Chi pubblicava? Io. Io ho diciannove articoli. Cantirami non lo so, mi risulta niente... Uno che non sa stare alle regole, un eccentrico. Sa, modello genio e sregolatezza, ha presente? Solo che alla fine ci perde, uno cosí. E quando se ne accorge... sa cosa? Sa perché se n'è andato, secondo me?

– No, ecco... perché?

– Per invidia!

– Per invidia?

– Sí, non vorrei dire... Uno che sí sí, tanto bravo... ma poi alla fine... gli altri andavano avanti, e lui... Non dovrei dirglielo perché è suo nipote, ma lei è venuta qui per sapere, no? Sí, invidia... Per questo mi sopportava poco, per questo litigavamo... Ha presente?

Giuliana non aveva presente un bel niente. Percepiva solo un astio goffo e triste. Fece un sospiro lungo. Come se le mancasse l'aria. Le mancava tutto in realtà, non solo l'aria. Si chiedeva dove fosse finita, in quale grotta dell'universo. Vedeva buio, in tutto quel bianco, era incredibile. Voleva solo uscire. L'immagine che le veniva offerta di suo nipote, in quella casa algida color del nulla, era cosí agghiacciante. Invidioso e arrogante, anche un po' frustrato.

Si sbrigò a ripetere la domanda per cui era venuta: se conosceva l'indirizzo attuale di suo nipote Fil.

– Ah be' no, l'indirizzo no!

Roger rispose con stizza, come se si fosse offeso. Una richiesta cosí banale, anche stupida: chiedere a uno come lui un ridicolo indirizzo.

Si alzò dal divano, si tirò su il bavero di quel cappotto che non s'era mai tolto, facendo attenzione a che rimanesse ben rigido, si strizzò ancora di piú la sciarpa al collo con una mossa abile che doveva aver fatto migliaia di volte e, aprendole la porta prima di uscire con lei sul pianerottolo, solo allora, come illuminato le disse:

– Idea, però! Sa a chi può chiederlo? A Fiona! Se vuole, le do l'indirizzo.

– Fiona?

– Fiona Lotman. È stata la sua ragazza. Forse lo è ancora, non so...

Quando Fil era un ragazzino e magari si trovava una fidanzatina, sua madre non gli chiedeva com'era, se aveva i capelli biondi o bruni, e se le piacevano i cioccolatini alla menta. No, voleva sapere il cognome. Fu la prima cosa che venne in mente a Giuliana uscendo dalla casa di Roger. «E di cognome come fa?» chiedeva subito sua cognata Nisina, e Fil, povero Fil, andava da lei con quel suo visino annichilito e rassegnato, e le chiedeva: «Zia, ma è giusto che mamma mi chieda i cognomi?» «Non è né giusto né sbagliato, Fil, è cosí. La tua mamma è *cosí*».

Fiona.

Fiona Lotman.

Ma chi era? Era un nome che Giuliana non aveva mai sentito in casa Cantirami, e neanche da Jeremy. Le telefonò subito per prendere un appuntamento, ed ebbe fortuna: lei le disse che stava per uscire e non l'avrebbe piú trovata fino al giorno dopo e che quindi, se aveva proprio urgenza, doveva sbrigarsi. Dalla voce le era parsa né gentile né non gentile, una cosa neutra.

Giuliana arrivò in pochi minuti, con un taxi. Ma prima di suonare a Fiona, chiamò Jeremy. Si prese un momento per parlare con il suo socio, per cosí dire. Voleva sentirlo. Sentire la sua voce, intanto: ne aveva bisogno. E poi informarlo delle indagini. Pensò proprio quella parola: indagini. E la cosa le piacque.

– Senti Jeremy, qui tutto bene. Ma Roger non lo sa dove abita Fil, quindi siamo punto da capo.

– Come? Sento male…

– Come? Sí, hai ragione… sento male anch'io. Volevo anche dirti che comunque secondo Roger Fil è un genio. Solo che è scollegato, e anche un po' invidioso. Un genio scollegato e invidioso. Questo pensa Roger.

– Sí, ma… Cosa c'entra quel che pensa Roger?

– No, niente, siccome tu invece pensavi che Fil non ce l'avesse fatta…

– Non ce l'avesse fatta a far cosa?

– Ma no, scusa. Sai quando dicevi che secondo te aveva mollato?

– Ah, in quel senso…

– Va be', non importa… Ci sentiamo dopo. Però l'invidia non mi torna, proprio no. Figurati se Fil invidiava uno come Roger… E poi ti sembra che te ne vai perché invidi uno? Semmai te ne vai perché non lo sopporti! Ecco, Fil non sopportava quel Roger e ha mollato. Cioè, non mollato, volevo dire… Comunque ne parliamo poi. Adesso sto andando da una certa Fiona, perché Roger mi ha detto che lei potrebbe sapere qualcosa.

– Ah sí, Fiona.

– Ma come, tu sai chi è? Perché non me ne hai parlato?

– Cosí, non mi sembrava importante... – disse Jeremy, e dalla laconicità della risposta Giuliana capí che invece lo era, importante.

– Ma sapevi che era la sua ragazza?

– Sí, be'... Lo sapevamo tutti. E poi lei è una piuttosto nota a Londra. È la figlia di un diplomatico, un pezzo grosso...

Giuliana chiuse il cellulare, un po' turbata. Si fece aprire al portoncino di sotto e salí le scale. Pensò che Jeremy, nel dire e nell'omettere, era per lei a quel punto una specie di assistente, qualcosa come il bravo Watson per Sherlock Holmes, o il vicecommissario Augello per il commissario Montalbano. Le venne anche un po' da ridere.

Una ragazza con i capelli rosa shocking. Alta, con un vestitino nero corto di maglina, anfibi verdi, un pallino d'argento pinzato alla narice, discreto, quasi elegante; e una piccola lucertola tatuata sul polso. Ma la lucertola Giuliana la vide solo dopo, parlando in salotto.

Come poteva essere stata la ragazza di Fil? Pensò quasi di girare i tacchi, di dirle: «Mi scusi, ho sbagliato qualcosa». Ma qualcosa cosa? Era chiaro che non aveva sbagliato niente. Quella era Fiona. Fiona Lotman. E poi, voleva forse fermarsi alle apparenze? Che saranno mai dei capelli rosa?

Fiona viveva in un grande loft che si apriva sui tetti di Londra, con enormi, spioventi abbaini a vetrata, travi a vista, mobili di modernariato, soprammobili etnici, libri, ninnoli vari, maschere appese ai muri, e una quantità inverosimile di manichini, quelli da sartoria, addobbati con costumi teatrali d'ogni tipo. Un bel posticino, niente da dire.

– Siediti pure dove vuoi, – le disse, sedendosi lei per prima sul sofà, anzi, allungandosi in diagonale con gli anfibi sui cuscini.

177

Giuliana si sedette sullo spigolo di una poltroncina, come a prendere, per contrasto, il minimo spazio.

C'era odore di fiori e spezie. Un odore amaro e dolce, che non si capiva da dove provenisse. Il sole entrava dai finestroni sghembi e svelava polvere ovunque.

– Fil? Sí, ci siamo visti… – Pausa. – Per due anni, tre…

Fine. Non disse altro. Indolente, svagata. Ma anche ammiccante. Ora si guardava le unghie. Giuliana dovette usare mille parole per smuoverla un po', intenerirla. Alla fine, Fiona cambiò tono. Smise di guardarsi le unghie e le chiese se voleva bere qualcosa, preparò lei stessa per tutt'e due un aperitivo a base di rhum e un piattino di capperi selvatici sotto aceto, poi risedendosi raggomitolata con gli anfibi sotto il sedere, tra un sorso e l'altro di quell'affare al rhum, cominciò:

– Vuoi sapere come l'ho conosciuto? Ti va? Da morir dal ridere. Io ero coi compagni del Movimento, sulla gradinata. Recitavamo una scena. C'era stato appena un G8 da qualche parte. Noi ragazze eravamo le impiegate schiave, e ticchettavamo per aria come su tante macchine da scrivere. I ragazzi erano vestiti da Wall Street, Borsa, finanza, broker, quella roba lí giacca e cravatta, giovani manager, stronzi, insomma. Noi poi ci sparavamo in fronte dallo schifo di quel lavoro, e tornavamo dopo morte tipo angioletti con le ali a mandare affanculo tutti.

Qui Fiona si fermò un momento. Prese una sigaretta e l'accese. Giuliana la guardava. Non che ci avesse capito molto. Avrebbe volentieri chiesto due o tre delucidazioni, ad esempio dove si era svolto quel fatto e quando, in quale anno, e che gradinata era, e di quale Movimento parlava. Ma pazienza, l'importante era che si arrivasse al sodo, che Fiona le parlasse di Fil. E infatti:

– Insomma, stavo lavorando. E sai chi ti vedo lí tra il pubblico? Il tuo Fil. L'unico che non applaudiva. Se ne stava lí come un baccalà, le mani in tasca, mi guardava. Con un'aria…! Uguale sputato agli stronzi di Wall Street, preciso! Giacca e cravatta, persino i pantaloni grigi. Allora mi irrita che lui non applaude, non ci posso credere e mi dico: è mio! Mi allontano dal gruppo delle altre, mi piazzo davanti a lui a fargli uno strip-tease della madonna, hai presente? Finto, certo. Ma potente. Gli sballonzolo i capelli fin sul naso, lo prendo per il bavero della giacca, mi avvicino alla sua bocca e con un colpo lo atterro. Una mossa di karate, niente di che, ma una roba che se ti becca all'improvviso ti stende. La facciamo sempre a teatro. Io studio teatro, non so se te l'ho detto...

Giuliana annuí in silenzio.

– Poi basta, finiamo la scenetta. Applausi. Giriamo col cappello, intaschiamo qualche soldo. E io lí davanti a tutti gli faccio l'inchino. Un inchino plateale, come a ringraziarlo. Be', non hai idea. Fino a un attimo prima m'avrebbe sbranata tanto era incazzato, e adesso invece lo vedo che si scioglie. Mi prende la mano, mi solleva il mento e mi guarda. Cosí. Tenebroso intenso, hai capito? E anch'io lo guardo, non voglio dargliela vinta. «Sei uno strafottuto studente di Economia?» gli dico. E lui: «Sí. E tu chi sei? Quello che sembri?» Messa cosí, per una che studia teatro... Di lí, ci siamo visti sempre. Gran storia, con tuo nipote, poi va be'... Chi l'avrebbe mai detto? Adesso comunque se vuoi ci cuciniamo qualcosa. O devi andare subito?

– No, no...

Scongelarono un cheeseburger con le patatine, e lo mangiarono in cucina, in piedi.

– All'inizio ci ho provato a farlo entrare nel Movimento, ma niente. Diceva che io ero una finta no-global perché invece di vivere accampata in qualche parco di periferia, o in qualche casa dei centri sociali, per dire, me ne vivevo qui in questa specie di attico modello giovane artistoide americana figlia di papà. Ma lo lasciavo dire.

Cioè, non so. All'inizio era cominciata un casino male. Fil non sopportava niente di me. Anche i capelli rosa, diceva che erano orribili. E che avevo idee tutte sbagliate, ed ero piena fino al collo di luoghi comuni, e canne, e piercing, e formule fatte. Sai, tipo altromondismo, pacifismo, decrescita, antiglobalizzazione, no-logo… Quelle cose lí. Cioè all'inizio non so, sembravamo due che se solo si mettono insieme scoppiano. Ma non era vero. C'è stata una storia… Lui non era come sembrava, e io… Boh, c'era feeling. Quando mi diceva che avevo gli occhi piú rotondi del mondo, per esempio… Era solo che avevamo idee diverse.

Ma io lo capivo anche. Sai, lui pensava che l'Occidente era andato in tilt non per colpa delle speculazioni di qualche banchiere stronzo, non per colpa dei ricchi, e diceva che era stufo di questo nostro pauperismo da finti poveri, che gli avevamo rotto i coglioni con questa tiritera del consumismo… Era cosí incazzato… Ma piú lui si incazzava piú mi… Mi faceva impazzire! Mi sembrava di conquistarmi la Luna, hai presente? Era una sfida, non lo so. C'è bisogno di sapere?

Che poi, piú che altro aveva addosso un maglione, mica tanto giacca e cravatta… Sai uno di quei maglioni blu alla marinara, quelli con i bottoni sulla spalla… E le scarpe da vela perennemente ai piedi, non se le toglieva manco con la neve.

Ora s'era accesa un'altra sigaretta, lí in cucina. Buttava la cenere nel lavello, che sfrigolava un po' a contatto con l'umido della vasca, e poi basta.

– Non me lo spiegavo nemmeno io perché ma mi faceva tenerezza, con quel maglione. Mi sembrava una specie di marinaio sfigato: qualcuno gli aveva tolto la barca da sotto il culo e lui manco se n'era accorto, una cosa del genere, hai capito? Mi piaceva. Poi con quelle pecore mi aveva stesa secca, non ti nascondo…

Qui Giuliana si fece piú attenta. Le pecore, finalmente.

– Faceva piú sul serio di noi, Fil… Uno che, sí sí, studierà pure Economia, ma col cazzo che vuol fare l'economista! Uno che il mondo lo voleva cambiare. Lí ho pensato: sta' a vedere che è lui il vero rivoluzionario. Hai presente quel passo del *Manifesto*...

– No... al momento non... – biascicò Giuliana.

– Niente, poi te lo cerco... Peccato solo che poi alla fine lasciava perdere.

– Chi, Marx?

– Fil! Tutto sempre troppo complicato per lui. Diceva ogni volta quella sua frasetta: «Che bisogno c'è?» Troppo timido, hai presente? Troppo... gentile. Ecco, troppo gentile. Per esempio senti qua: i miei capelli rosa, te l'ho detto, non è che gli andassero tanto, diceva che bisogno c'è di tingersi i capelli, o mettersi l'anello al naso... Era anche duro. Ma poi ti veniva vicino e ti spiegava dolce, capisci? Ti diceva che secondo lui si poteva far diverso, se proprio uno voleva ribellarsi. E allora io gli chiedevo: Anche rimanendo a fare Economia? Per provocarlo, mica per altro.

Giuliana guardava Fiona. Lí in cucina, appoggiata al frigo, una sigaretta dopo l'altra, le sembrava una ragazza buona. Anche molto indifesa, a dispetto del suo modo di conciarsi e di parlare.

Pensava ai Cantirami che ai tempi della Guerra del Golfo avevano appeso ai balconi la loro brava bandiera arcobaleno. Anzi, sei bandiere... Sei balconi, sei bandiere. Cosí aveva voluto Gheri, che di no-global ne conosceva un sacco e una sporta. Fil no, se n'era sempre tenuto alla larga; non perché gli stessero antipatici, ma cosí, senza una ragione. Gheri invece ne aveva portati in casa un mucchio di ragazzi cosí. Non appartenevano a un vero e proprio movimento. Erano... generici: genericamente pacifisti, antiamericani, ambientalisti, antiproibizionisti... Tutte quelle cose messe insieme e frullate. Gheri li frequentava insieme alla sua amica Elda. Ogni tanto andavano a qualche manifestazione, anche a Roma, a Parigi; prendevano il treno e si mischiavano al grande popolo di Seattle, che dopo l'attentato alle Torri Gemelle era diventato enorme.

Peccato poi che quelle bandiere appese diventavano cosí grigie! Mesi e mesi di smog… Giuliana le guardava pendere inerti e spente dalle finestre di suo fratello e sua cognata. Piú perdevano il colore piú le facevano tristezza. Alla fine sembravano straccetti stinti brancolanti nella nebbia.

E invece adesso lí, nella cucina di quella ragazza dai capelli fucsia, veniva a sapere che Fil era rivoluzionario, rivoluzionarissimo. Ora Fiona aveva finito la sigaretta e le diceva: «Dài, vado a prenderti Marx…» Tornò sfogliando un volume che aveva decine di orecchie alle pagine. Cercò un po', poi fecè un urletto di gioia. Lo aveva trovato. Non era il *Manifesto*, s'era sbagliata. Erano le *Tesi su Feuerbach*, l'undicesima. Le porse una pagina tutta sottolineata e le disse: – Leggi –. E Giuliana lesse:

– «I filosofi hanno solo interpretato il mondo, il punto adesso è di cambiarlo».

Strana quella Fiona che le propinava Marx davanti al lavello, tra una sigaretta e l'altra. Strano anche suo nipote… Le venne da immaginarselo con il barbone ottocentesco.

– E adesso vi frequentate ancora, tu e Fil? – le chiese. Cosí, pensando che a un certo punto si doveva pur arrivare a una fine della storia.

Fiona disse no, abbassando lo sguardo.

– Non ci siamo mai lasciati, anche perché non ci siamo mai messi insieme… Diciamo che non ci si vedeva piú tanto, tutto lí. Noi, io e gli altri di Occupy Wall Street, andavamo da Fil qualche volta la domenica, nei suoi prati. Lo abbiamo fatto per un po'. E lí sí che mettevamo le tende… A volte ci stavamo anche una settimana. Tanto era una tenuta cosí grande… Solo che poi, sai cosa? Tutte quelle pecore, sinceramente, a me stavano un po' sulle palle. Va bene schierarsi, però poi Fil si era schierato troppo, secondo me. Cioè, le pecore se le poteva anche risparmiare. Io alla fine mi sono rotta. Andavo da lui, ma le pecore no grazie. Quando lui doveva pascolare o riordinare l'ovile, lo aspettavo in casa.

Fino alla parola pecore nessun problema, fin lí Giuliana la seguiva bene. Anzi, era contenta che Fiona sapesse delle pecore: era la prima conferma al racconto confuso e approssimativo di Jeremy, diciamo il primo vero tassello della sua pseudoindagine: ora sapeva che le pecore esistevano davvero nella vita di Fil, non erano un'invenzione, o un'allucinazione. Bene. Ma le parole prati, tende, tenuta, ovile, pascolare, la mettevano a disagio. Non era pronta a parole del genere. Cos'era, un documentario sulla vita in campagna? Ma si trattenne. Non mostrò in alcun modo il subbuglio che si trovava nella mente. Attese, decise di mettere ancora del tempo in mezzo, di lasciare che le cose le si distendessero davanti meglio, con maggior chiarezza. Infatti Fiona, ignara, continuava:

– Dormicchiavo sempre, quando andavo da lui, o mi guardavo un video, sgranocchiavo delle noci… Poco per volta non ci siamo andati piú da Fil, noi di Occupy. Tanto era chiaro che non gli faceva per niente piacere questa cosa che nei weekend, col fatto che stava in campagna, gli piombavamo tutti lí con le tende in mezzo ai prati. Thomas diceva che poi le pecore finiva che s'innervosivano… Cioè, le pecore son pecore e non dicono una parola. Però le vedi che sono turbate, non pascolano serene. Cosí diceva Thomas. E alla fine l'abbiamo mandato a quel paese, Fil, le pecore… e anche Thomas.

– Scusa, ma chi è Thomas?
– Il pastore… Il pastore del Duca.
– Quale Duca?
– Ma come, non lo sai?
– Non so cosa?
– Dove vive Fil…
– No… Dove vive Fil?

Capitolo nono

Artisti o economisti?

C'era un'aria calda e movimentata, in quella zona di Londra. Traffico, rumore. E un odore di asfalto bruciato. Giuliana stringeva nel pugno, come un piccolo tesoro strenuamente conquistato, il bigliettino dove Fiona le aveva scritto l'indirizzo.

Pensò per prima cosa di chiamare Jeremy. Non di chiamare suo fratello. Glielo urlò al telefono con euforia, quasi con violenza:

– Jeremy, ma lo sai dove abita Fil?

– Dove?

Jeremy stava dormicchiando sul sofà della nonna, e quel «dove» gli uscí un po' stiracchiato.

– Abita a Bleckway!

– Dove?

– A Bleckway!

– E dove cavolo è?

Dall'altro capo del telefonino, se si può dir cosí, Jeremy rimase perplesso: non aveva proprio mai sentito il nome di quel posto. E poi cosa voleva dire, che Fil non abitava nemmeno piú a Londra? E da quanto tempo?

– A cento chilometri da Londra! In campagna, nell'Oxfordshire! Un posto pazzesco, pare, con un Principe! O un Duca, non lo so, che sta in un palazzo, una specie di castello...

Dopo aver messo Jeremy al corrente, Giuliana si concesse una breve deviazione sul Tamigi. Cosí, per festeggiare la vittoria di aver trovato Fil, cioè, il suo indirizzo. Le deviazioni per lei erano sempre una festa, un modo di riprendersi la vita, sentirla scorrere come il fiume che costeggiava. Aveva bisogno di rilassarsi, mettere ordine, radunare i pensieri.

Poi prese l'autobus per Oxford, e su quel sedile, guardando scorrere veloce il paesaggio, continuò ad affondare nelle sue nuove, complicate considerazioni.

Non aveva mai pensato a questioni tipo il debito pubblico, l'alta finanza, il PIL, le bolle speculative... Soprattutto, non aveva mai pensato che Fil fosse uno studente di Economia. Cioè, sí, lo sapeva. Ovvio. Ma non aveva mai riflettuto sulla sostanza della cosa, su quel che voleva dire *studiare Economia*, e cioè essere immersi in analisi, pensieri, questioni di genere... economico, appunto.

Ma perché Fil aveva scelto Economia?

Placidamente abbandonata sul sedile dell'autobus, cercò a ritroso nella memoria le ragioni, i modi, i tempi di quella scelta. Ricordava che a un certo punto, quando lui stava per iscriversi, gli aveva detto:

«Ma sei proprio sicuro?»

Solo questo:

«Ma sei proprio sicuro?»

Era a cena da suo fratello e sua cognata, e Fil era con loro. A quella sua innocente e generica domanda, venne giú l'universo, quella sera. Una sera di primavera. Filippo avrebbe preso la maturità a luglio e poi se ne sarebbe andato con gli amici a farsi una vacanza nelle Cicladi affittando una barca a vela con la quale zigzagare tra isolette. Quella sera, sul terrazzo di casa, il padre gli aveva chiesto:

«Cosa intendi fare adesso, Filippo, Economia?»

La risposta era stata:

«Sí, pensavo...»

E la controrisposta:

«Ottimo, figliolo, ottimo!»

A quel punto Nisina, tra un piatto e l'altro, aveva aggiunto che faceva Economia anche il figlio minore dei Buggellato e anche il primogenito dei Santafiore da Cornio.

«Ma no?» aveva detto Guido.

«Sí, me l'ha detto la Marci non piú di due sere fa».

Su dove fare Economia non si spese nemmeno una parola: ovvio, alla Bocconi.

Ecco, era stato allora. Giuliana se lo ricordava benissimo. Lei era lí a cena, tranquilla. E se n'era uscita con quella domanda che aveva fatto l'effetto di una bomba.

«Ma sei proprio sicuro, Fil?»

Solo questo gli aveva chiesto. È che a lei sembrava cosí fuori posto suo nipote alla Bocconi. Come un grattacielo di Manhattan nella foresta tropicale, avvoltolato tra le liane. O una zebra che bruca rose in un giardino condominiale. L'errore era stato toccare l'argomento a cena, lí, a famiglia spiegata. Doveva prendersi da parte Fil e parlargliene a tu per tu. Invece... Poi le restò per tanto un gusto amaro, una scontentezza, un senso d'inadempienza. Come quando abbiamo la sensazione di dover dire a un altro una certa cosa importante che potrebbe anche cambiargli in meglio la vita, lo sentiamo che dovremmo proprio dirgliela e invece per pigrizia o distrazione o comodità, o per un malinteso senso del rispetto, non gliela diciamo, e poi per anni ci chiediamo cosa sarebbe stato se gliel'avessimo detta, quella cosa.

Insomma, Giuliana pensava che avrebbe dovuto dissuadere Fil dal fare Economia, dirgli di mettersi in salvo. Però poi si chiedeva anche: ma in salvo da cosa?

In fondo era normale: facevano tutti Economia. O cose simili: Giurisprudenza, Ingegneria gestionale, Amministrazione aziendale... Cos'era? Una specie di rete invisibile sospesa nell'aria sopra le teste? Solo studi utili, solo posizioni solide. Lettere o Filosofia erano inservibili cianfrusaglie. Frivolezze d'altri tempi.

Ecco perché Fil, quando s'era trattato di scegliere cosa fare dopo la maturità, non aveva avuto dubbi: per la semplice ragione che non poteva scegliere. Era come se da qualche parte dell'universo qualcuno avesse già scelto per lui. Doveva solo premere il tasto *Conferma*.

A maggior ragione, lei avrebbe dovuto metterlo in guardia. Che non premesse quel tasto. Offrirgli un salvagente. Ma quale? E poi, perché? Quella sera, se lo ricordava bene, aveva deviato il discorso su un certo film che lei amava molto, un film dove una donna in gita col marito e i figli e gli amici veniva dimenticata in un autogrill, e a partire da quel momento scopriva un'altra vita, tutta diversa. *Pane e tulipani*. Forse era stato il suo modo di mandare un messaggio a Fil. Ma perché era stata cosí indiretta e oscura? Anche un briciolo vigliacca. Non poteva parlar piú chiaro? Invece di sperare che Fil cogliesse il senso riposto, il lato metaforico del suo circospetto alludere… non poteva parlare apertamente, santo cielo? No, aveva preferito andar di sbieco, s'era sdilinquita a dire quanto secondo lei era bello essere dimenticati in un autogrill, e veder ripartire il pullman con tutti gli altri sopra, e rimanere lí da soli, a terra, liberi e sganciati…

Fil era mai stato libero e sganciato?

Sí, apparentemente sí, certo. Giuliana lo vedeva bene, era stata la sua generazione… quella di suo fratello, specialmente. Spazzato via tutto, regole, autorità, confini… Niente di squadrato, spigoli o linee rette… No, tutto molto morbido, facile, sinuoso… Era cosí da quarant'anni. Bello. Regnava un grande caos, ma bello. Molto piú allegro, anche. E largo. C'era piú posto per tutti. Un'idea di democrazia molto piú larga, ecco. Per cui, sí, tutti erano democraticamente convinti di essere liberi.

Invece forse no. Invece forse non era cosí per niente.

Magari potevano tornare a casa alle cinque di mattina, i giovani. Magari si portavano anche a dormire una ragazza, e la madre faceva il letto a tutti e due, e gli serviva pure la colazione. Potevano, sí. Ma poi, nelle questioni serie, quando si trattava di decidere la loro vita, mah… A lei sembravano cosí costretti… Impigliati! Imprigionati dentro certi schemi-gabbie, reti. Reti metalliche, a scatto. Che d'improvviso un meccanismo a orologeria faceva scattare e tutti lí, presi, a divincolarsi tra le maglie.

Pensò a quando Fil era ragazzino. Certe sere suo fratello, dopo cena, si precipitava in camera sua a parlargli dei fatti del giorno, di politica, affari. Anche finanza. Gli leggeva un articolo del «Financial Times». Il «Financial Times»! In inglese… Declamava con quel suo accento forzato, e quel ragazzino buono, inerte… Avrà avuto dodici anni. Era alto e smilzo, con un inizio di peluria sopra il labbro superiore e ancora le T-shirt del Gatto Silvestro, Snoopy e l'Uomo Ragno. Niente, Guido era convinto che lo si dovesse instradare, quel ragazzo. Diceva cosí: instradare. Ma su quale strada? Dove lo voleva far arrivare?

Giuliana a volte era in camera con lui, in quei dopocena. Fil si piazzava gli auricolari nelle orecchie e guardava i camion dalla finestra. Quando suo padre gli piombava in camera a quel modo con il «FT» in mano, lui sobbalzava. Si toglieva in fretta gli auricolari, si scostava dai vetri. Si preparava. Lo sapeva che suo padre era venuto per sottoporgli in esame una certa questione. Giuliana se lo rivedeva chiaro come il sole, quel suo fratello che entrava, e diceva proprio cosí, in quel modo suo, anche sbagliato: «Senti Filippo, sarei venuto a sottoporti in esame una certa questione…» *Sottoporre in esame*, che razza di parlare era? Certo che poi uno si iscrive a Economia.

Era stato libero? Era stato costretto? E chi lo sa?

Sí, d'accordo, nessun carro armato s'era mai schierato contro di lui e le sue scelte, anzi… Tutti sempre a dirgli che era liberissimo di farle, le sue scelte. Liberissimo! Ma liberissimo di cosa?

Il fatto è che Fil era nato cosí: gli piaceva essere buono. Cioè, lo era per carità, lo era davvero un ragazzo buono. Diligente, quieto. Ma soprattutto gli piaceva! Gli piaceva *essere considerato buono*, piú ancora che *essere buono*.

giudizio dell'autore

Sentire che gli altri intorno erano contenti di lui, soprattutto la famiglia... Questo piú di ogni altra cosa lo faceva sentire bene: corrispondere. Corrispondere esattamente a quel che gli altri volevano da lui, coincidere. Come due figurine che, se le sovrapponi, vedi che combaciano perfettamente. Non creare problemi, anzi, rendere felici gli altri, tutti quelli intorno. Cosí che poi è bello vivere della felicità altrui.

Giuliana lo conosceva bene quel sentimento di intima soddisfazione, perché lo aveva combattuto tutta la vita, lo aveva cacciato da sé, impedendosi di provarlo. Lei aveva fatto il contrario: aveva scontentato tutti. C'era una corda che la tirava dall'altra parte, e lei aveva assecondato la spinta. Ma conosceva quello stato di ebbrezza, quella felicità di piacere agli altri, di compiacere... Come nel racconto di Asimov, quel robottino gentile e premuroso che dice bugie terrificanti per rendere felici gli esseri umani...

L'intima soddisfazione di piacere agli altri, rispondere ai loro desideri. E riceverne in cambio il plauso, la lode. Il dono dell'altrui approvazione... che meraviglia! Era una particolare forma di felicità, che secondo lei si poteva dire «sociale», per distinguerla da quella estemporanea e balzana che era invece solo «individuale», legata a momenti transitori e labili dell'esistenza, unicamente riferibile all'individuo e alle sue immotivate, e tutte personali, pulsioni. La felicità sociale prende avvio dagli altri, e poi dagli altri riverbera sull'individuo, e dall'individuo rimbalza ancora sugli altri: una specie di onda che, nel suo incessante andirivieni, infonde benefici tutt'intorno, contribuendo a quella reciproca soddisfazione tra esseri umani che poi consolida gruppi, crea appartenenze, insomma riempie di senso tutto un vivere che correrebbe il rischio di parere, altrimenti, vuoto. E insensato.

La felicità sociale ci rende piú sereni, pensava Giuliana. Certo. Chi invece sceglie di essere felice soltanto individualmente si condanna a una vita difficile, impervia.

Forse sarà piú fiero di sé, ogni giorno di fronte alla sua felicità solitaria, ma non potrà contare su nessuna forma di sicurezza.

E lei era felice? Ed era poi cosí fiera? Qual era stato il prezzo? E il premio? Il premio, già… Le affiorava a questo proposito una parola, cosí grossa che aveva paura a dirla: la parola libertà.

Comunque, era possibile che Fil avesse fatto Economia, e poi fosse andato a studiare a Londra, proprio per rendere felici i suoi, e quindi, di riverbero, rendere felice se stesso. Ecco perché poi non aveva detto niente delle pecore: avrebbe deluso i suoi, e tutti quelli intorno a lui, e quindi se stesso. E quando l'edificio della sua vita aveva cominciato a vacillare, aveva deciso di fingere. Non poteva far diverso. Doveva tenere in piedi l'edificio: Jeremy gli era servito a questo, molto semplice. Un edificio di cartone, d'accordo, ma andava bene lo stesso: da lontano non si vede mai niente, non si vede di che materiale è fatta la costruzione della tua vita. Se regge, regge. E tanto basta. L'importante è che tu non vada mai piú, da quel momento in poi, a osservarla da vicino.

Colpa anche sua, si diceva Giuliana, che quella sera di tanti anni prima si era limitata a una timida domanda: «Ma sei proprio sicuro, Fil?»

Colpa anche sua, tutto quel che poi era capitato? Ma che cosa avrebbe mai potuto consigliargli lei, forse di fare l'artista?

Sí. Questo era il punto. Fil, secondo lei, doveva fare l'artista. *Era* un artista. Forse lo amava cosí tanto *perché* era un artista… Sempre lí a disegnare, diceva sua madre quand'era piccolo. Disegnare… riempire fogli di ghirigori, piú che altro. Pasticciare, diceva. Lo vedi come pasticcia? Sempre lí a pasticciare invece di… Invece di, invece di! A lei *invece* piaceva da morire vederlo cosí. A un certo punto gli aveva comprato un cavalletto. Uno di quei cavalletti di legno chiaro, portatili, che si montano in un minuto e ci metti su la tela. È per te, Fil... E Fil rimaneva lí, non sapeva cosa farsene di quell'oggetto, che ad allungarlo tutto diventava filiforme come un ragno. Era anche un po' spaventato, da quell'oggetto. Si spaventava di tutto, Fil.

Lei rideva, gli teneva la mano che reggeva il pennello, gli insegnava come si mescolano i colori, come si diluiscono, come si danno sulla tela, a seconda dell'effetto che si vuole ottenere.

Strano che si diventi tutti impressionisti, all'inizio. Quattro pennellate e si dà subito... «l'impressione» delle cose: il mare, il cielo... Si dipingono solo cieli e mari, all'inizio, da piccoli. Da giovani. Il mondo è cosí semplice... fatto solo di quelle due cose lí, una meraviglia. Poi con gli anni nella tela entrano le case, le strade, auto, nebbie, rumori, persone – belle, brutte, buone, cattive –, animali – feroci, miti, selvatici –, mobili, divani, tende, scarpe, scarpiere... Non ce ne accorgiamo ma entrano tutte queste cose, anche un po' di prepotenza. Vuol solo dire che siamo diventati grandi. La nostra tela si riempie, fino a che straborda. Ma all'inizio no. All'inizio della vita è tutto diviso solo in due: o è mare o è cielo, non esiste altro. Bisogna solo scegliere. Se stare in acqua o in aria. La terra mai. La terra non esiste, quando sei giovane.

Fil si metteva lí, e dipingeva. Lei lo guardava. Era diventato bravissimo. A un certo punto si era messo anche a copiare i quadri degli altri. Picasso, Miró, Gauguin, Casorati. Anche Tiziano... Era estroso, aveva un tocco... Perché Fil era un artista, lei lo sapeva bene.

Lo sapeva?

Lo era poi veramente, Fil, un artista? O era lei che lo vedeva cosí?

Con quanti filtri davanti agli occhi vediamo gli altri? E un essere tanto amato, siamo in grado di vederlo per quel che è, senza rivestirlo degli abiti che noi vorremmo avesse?

Artista... Perché artista, poi? Che cosa aveva fatto mai di artistico fin lí, Fil? Aveva dipinto, aveva copiato... Ma aveva mai creato un'opera? Ma un artista è uno che crea opere? Perché lei, e solo lei, aveva visto in Fil il segno di un qualche temperamento artistico? E che cos'è mai un temperamento artistico? Un economista non può forse essere anche lui, in un certo modo, artista?

Solo domande, buttate in aria. Ma una risposta, tutta sua, lei ce l'aveva: un artista è uno che sta fuori. E Fil era uno che stava fuori, ecco. Magari lei aveva dell'arte un'idea confusa e antica, romantica, decadente. Mettiamola cosí: se c'è un fiume lí davanti e tutti navigano felici nella corrente, l'artista è uno che si toglie, e se ne sta seduto a riva a guardar andare gli altri.

Ma a quale lavoro mai poteva corrispondere quello starsene seduti a riva a guardare il fiume? Il suo? E lei cosa aveva fatto, poi, di cosí speciale nella vita? Guardava una piazza dal gabbiotto di una biblioteca. Era una gran cosa?

Forse lei doveva solo stare zitta e buona... E infatti cosí aveva fatto: non gli aveva consigliato proprio niente, a Fil. Ma allora perché, guardando scorrere l'acqua marrone del Tamigi, dopo aver parlato con Fiona e con Roger, era cosí inquieta e scontenta?

Forse Filippo era stato un ragazzo tutto imbozzolato e chiuso in una sua prigione e lei avrebbe potuto sbozzarlo, farne uscire una figura chiara e distinta, come lo scultore sbozza la sua statua da un blocco di marmo informe. Era questo? Pensava davvero che, se glielo avesse dato un suo consiglio a Fil quella sera sul terrazzo, sarebbe andato tutto meglio?

Ma quale consiglio?

E meglio, poi, di cosa?

Capitolo decimo

A Palazzo

L'autobus si fermò al capolinea, a Gloucester Green, nel centro di Oxford. A quel punto, appena scesa, Giuliana pensò per un attimo di assecondare l'impulso che aveva da tempo, piú o meno da quando Jeremy le aveva rivelato il segreto di Fil: chiamare suo fratello e informarlo.

Le era stato chiaro fin da subito che le toccava farlo, ma aveva tergiversato: non ne aveva una gran voglia. Mettere in allarme quei due ignari e beati, che se ne stavano serenamente a casa, completamente all'oscuro di tutto… E dover essere proprio lei a togliere il velo alla Verità, ovvero il prosciutto dai loro occhi, informandoli che Fil non era a Stanford, non ci era mai neanche arrivato in America, e perdipiú faceva il pastore nella bellissima campagna inglese, le procurava un certo malessere.

E poi, insomma, le ragioni di Fil non le erano cosí chiare. Se ne stava facendo a poco a poco un'idea, è vero. Ma si stava anche chiedendo se fosse l'idea giusta. L'ipotesi era questa: se davvero Fil era un artista, forse s'era messo a pascolar pecore per disperazione. L'allevamento e pascolamento delle pecore poteva valere come forma d'arte sostitutiva ed estrema; una sorta di Arte Agreste, una performance quotidiana perenne, una *installazione vivente* dove Fil stesso e le sue pecore erano l'opera d'arte, esposta in loco, e perfino visitabile, e da ben tre anni. Qualcosa di somigliante a una forma di vita artistica da contrapporre alla grigia opacità capitalistico-borghese del mondo della finanza, del commercio, dei mercati, delle multinazionali... Il Pascolo contro l'Economia, ecco. Una vita da ribelle, anche un po' rivoluzionaria. Certo non proprio una rivoluzione come quella del Sessantotto, Lotta Continua, maggio francese e quelle cose lí... No. Una cosa piú personale, e anche marginale. Una rivoluzione piú bucolica.

Poteva lei permettersi di dire qualcosa del genere a suo fratello Guido e a sua cognata Nisina? Dir loro: sentite, vostro figlio secondo me sta marciando alla testa del suo gregge di pecore contro lo Stato capitalista e l'ordine borghese? Poteva?

No, non poteva. Cosí non assecondò il sacrosanto impulso di chiamare suo fratello. Per il momento non lo chiamò.

La seconda cosa che avrebbe dovuto fare, appena arrivata a Oxford, era prendere un taxi con il quale in una ventina di minuti sarebbe giunta a Bleckway, da Fil. Ma non fece nemmeno questo. Era felice di rivedere suo nipote, ma proprio perché era cosí felice decise di concedersi del tempo, di non precipitarsi subito da lui: di coltivare l'attesa, insomma, di prolungare il sognato evento dilazionandolo, portandoselo a spasso nella mente. Per questo fece un giretto. Cominciò cioè a girare a destra, a sinistra. E in tal modo cominciò, anche, beatamente a perdersi.

Non immaginava che Oxford fosse cosí bella, si perse *a causa* di tanta bellezza. Dapprima s'infilò per certe stradine medievali del centro, nonché in certi negozi di souvenir pieni di portachiavi, tazze colorate, felpe e orsacchiotti. Poi s'intrufolò nei college, a caso, uno dopo l'altro: il Magdalen, il Merton, il Trinity... Si soffermava nei giardini, nelle sale mensa, nelle cappelle interne. A un certo punto si trovò di fronte il Balliol College. Ebbe un tuffo al cuore. Le sembrò il piú bello, con quelle torrette tonde pareva un castello delle favole. Non osava entrare, ma il portiere le disse che le visite erano permesse. Fece due passetti al di là del portone. Si trovò davanti un praticello ovale, perfetto, tagliato basso, all'inglese, verdissimo. Si commosse. Lo pensò pieno di pecore, immaginò che diventasse bianco di pecore lanose. Si vide Fil venirle incontro, allegro come sempre, spensierato. «Perché l'hai fatto?» gli chiese nella sua immaginazione di zia partecipe e comprensiva. E Fil che le sorrideva e basta, beato.

Tornò indietro, non aveva il cuore di proseguire. Era troppo, per lei. Uscí, si perse di nuovo per le stradine del centro. A un certo punto si trovò in mezzo a prati sterminati: erano i *meadows* del Christ Church. Vide scoiattoli tra gli alberi, e cerbiatti in lontananza. Passeggiò per un po', fino a che incontrò il Tamigi. C'erano intere famiglie di anatre, oche, cigni. Andavano a spasso, o nell'acqua o su e giú per la stradina polverosa che costeggiava il fiume. Scattò decine di foto a ogni singolo animale che vide. Pensò che quella non era una città normale, era una favola, e lei ci era entrata dentro chissà come, chissà perché. Quando riprese la strada che riportava in centro, s'incantò davanti a un coniglio gigante di cartone: era il negozio dedicato alla Alice di Lewis Carroll. Entrò, comprò due tazze, un portachiavi, una decina di cartoline e qualche tovaglietta con i disegni del Gatto e della Regina di Cuori, cosí, da regalare agli amici.

S'era fatta notte. La gente faceva gli ultimi acquisti nei supermercati, poi si metteva ordinatamente in fila indiana per prendere il bus verso casa. Giuliana pensò che non era bene arrivare da Fil a un'ora cosí tarda, quando la giornata era già tutta andata. Meglio rintanarsi in un alberghetto. Non si comincia niente di sera, quando tutto è già stato e non c'è piú spazio perché succedano le cose. Per lei la sera era cosí, un tempo inerte che non faceva quasi parte della vita. Si poteva solo riposare, quando arrivava sera, e aspettare con pazienza che nascesse un nuovo giorno e tutto ricominciasse da zero. Aveva sempre avuto questa idea del mattino come di un'opportunità ogni volta nuova che la vita le riservava, in cui lei poteva essere quel che non era mai stata, e fare quel che non aveva ancora mai fatto.

A loro volta, intanto, Guido e Nisina Cantirami, arrivati a Stanford, non cercarono affatto Giuliana. O almeno, non subito.

Cercarono Jeremy. Quel Jeremy Piccoli che non sapevano chi fosse, ma che era parso loro la soluzione dell'enigma, e per incontrare il quale avevano fatto quel lungo viaggio decidendolo in quattro e quattr'otto e con non poche difficoltà.

Al campus di Stanford, li informarono che Jeremy Piccoli alloggiava lí da tre anni, che il suo appartamento risultava prenotato fino alla primavera del 2012, e che erano spiacenti ma era appena partito.

A tale inverosimile notizia, Nisina fu presa dal panico, e dovettero trovarle una sedia e un bicchier d'acqua. Guido andò su tutte le furie e cominciò a sbraitare, in quegli uffici ordinati e bianchi, che non ci voleva credere, che bisognava controllare meglio, che non si fa cosí, che loro venivano da lontano, che avevano il diritto, il desiderio, la convinzione... Poi si quietò. Era cosí e basta, bisognava arrendersi: avevano mancato quel Jeremy di un pelo.

Il loro viaggio però non risultò affatto inutile, anzi: vennero a sapere che Jeremy abitava da tre anni all'indirizzo di Fil. O meglio, a quello che loro conoscevano come indirizzo di Fil: il posto dove Nisina era venuta quella volta a trovar suo figlio, il posto a cui gli avevano sempre spedito la corrispondenza... E invece, guarda un po', ci abitava Jeremy, in quel posto. E scoprirlo, se da una parte confermava i loro sospetti e quindi, come dire, li faceva progredire nelle indagini, dall'altra li gettava in uno sconforto inenarrabile, anche se perfettamente immaginabile: erano di colpo due genitori distrutti, smarriti e inviperiti!

La cosa pazzesca è che nessuna lettera o pacco erano mai tornati indietro. Mai avevano avuto, in quei tre anni, il minimo segnale o bagliore o intuizione che le cose non stessero come pensavano.

E cosí Nisina e Guido Cantirami arrivarono alla conclusione che Jeremy Piccoli aveva preso senza alcun dubbio il posto del figlio. Stava lí al posto suo. Non riuscivano a spiegarsi come e perché, non avevano una sola idea in testa, l'inizio di una supposizione, un barlume, niente. Ma era un dato di fatto, una notizia, seppur tanto vaga e incomprensibile.

Ripresero la macchina, uscirono dal campus e si concessero un caffè in un locale vista oceano.

Solo a quel punto Guido finalmente decise di chiamare sua sorella Giuliana. Nisina glielo andava dicendo dalla sera prima, di chiamarla, ma lui niente, testardo come un mulo.

«Giuliana non ci serve a niente adesso, – aveva detto. – Chissà dove si sarà persa e quale dei suoi giri bizzarri starà facendo».

Nisina aveva scosso il capo. Le faceva pena quella sua cognata tanto bistrattata dal fratello. Aveva tutt'altra opinione, lei, di Giuliana. Tutt'altra (e noi non escludiamo fosse quella giusta). La riteneva infatti, non senza una punta d'invidia, una donna di gran valore e fascino, e di un'intelligenza cosí sottile che le aveva consentito di sfuggire a un animo in fondo piuttosto rozzo, qual era quello del fratello Guido, cioè dell'uomo che lei aveva sposato e con cui adesso stava cercando con enormi sforzi lí, davanti all'oceano Pacifico, di trovare qualche sensato accordo per uscire da quella maledetta e inquietante storia del figlio disperso, nonché pastore. Non gliene importava un fico secco dei rapporti contorti tra fratello e sorella, lei in fondo non chiedeva altro che una cosa sola, e anche piuttosto semplice: ritrovare suo figlio il piú in fretta possibile, pastore o non pastore che fosse.

Dopo il caffè, dunque, Guido chiamò Giuliana: accorgendosi con stupito disappunto che sua sorella gli serviva eccome, anzi, gli sarebbe servita ben prima, se solo avesse pensato di chiamarla, prima.

Giuliana, dal canto suo, come abbiamo detto, non aveva

ancora chiamato il fratello ma contava di farlo al piú presto, ora che aveva in pugno la situazione, cioè possedeva il vero indirizzo di Fil. Dopo cena, in camera. Anche se di sera non si comincia niente…

Guido insomma la chiamò un attimo prima che fosse lei a chiamarlo, per cui la conversazione fu, sulle prime, alquanto curiosa:

– Giuliana? Sono Guido!
– Guido? Sono Giuliana!
– Ah, anche tu…
– Ma sí, anch'io!
– Pensa…
– Ma sí, pensa che anch'io…
– E anch'io, proprio in questo momento!
– Incredibile…
– Eh…
– Come stai?
– Ma io bene. No, dimmi piuttosto tu dove sei, perché sai, siamo anche noi qui e ci chiedevamo, Nisina ed io, se…
– Siete a Oxford anche voi? Oh ma come mi fa piacere! Io vi pensavo a casa tranquilli. Avete deciso di raggiungermi? Anche se veramente, scusa Guido, non dovreste essere a Stanford se volevate raggiungermi?
– Infatti siamo a *Stanford*, Giuliana! È proprio perché siamo a *Stanford* che ti sto chiamando da *Stanford*, visto che anche TU dovresti essere a *Stanford*! Dove diavolo hai detto che sei invece?
– A Oxford, Guido. Io sono a Oxford. Ma non urlare, per piacere… Hai un modo di pronunciare *Stanford* che ogni volta mi sembra di avere una grancassa nell'orecchio…
– Va bene, non urlo. Ma posso sapere cosa ci fai… a Oxford, visto che sei partita per Stanford?
– Ecco sí, Guido, è una lunga storia. Ma proprio una lunga, lunghissima storia…
– E me la vorresti raccontare, Nana, per favore?
– Certo, Guido. Te la racconto volentieri. Il problema…

– Il problema?

– Il problema è che dovreste venire anche voi qui a Oxford, secondo me... Cioè, precisamente non a Oxford, a Bleckway... Ecco, a Bleckway...

– E perché mai, Nana mia cara, se mi è lecito chiederti, dovremmo venire a... Dove hai detto che dovremmo venire?

E fu lí, al telefono, che Giuliana Cantirami cominciò, nel modo piú chiaro e semplice che riuscí a trovare, a raccontare alcune di quelle enormità, non certo tutte, che in quegli ultimi giorni era venuta a sapere di Filippo. Raccontò, molto molto sinteticamente, che aveva conosciuto un suo caro amico, un certo Jeremy, e che da lui aveva appreso tante cose interessanti, per esempio dove abitava adesso Fil. Diede ovviamente subito l'indirizzo al fratello, cosí si sarebbero trovati tutti lí quanto prima. Era fiera, Giuliana, mentre gli dava queste importantissime notizie. Le sfuggiva solo un piccolo dettaglio: che Fil non era affatto a Bleckway, lí dove lei pensava che fosse e dove in effetti stava per andare a trovarlo, e cioè all'indirizzo che le aveva dato Fiona e aveva appena passato al fratello, e che per l'esattezza era il seguente: Stenheim Palace, Bleckway, Oxfordshire.

Fil non si trovava lí, non perché quell'indirizzo fosse sbagliato, ma semplicemente perché quel giorno stesso, non sapendo che zia Giu era in arrivo, era partito.

Dunque, ricapitolando, lo stesso giorno in cui Giuliana era arrivata a Oxford, con l'intenzione di recarsi a Bleckway nell'amena contea dell'Oxfordshire, Guido e Nisina erano a Stanford, da dove peraltro sarebbero di lí a poco partiti per Londra, poi per Oxford, poi per Bleckway; Jeremy tornato in Italia; e Fil era partito da Bleckway, dove effettivamente abitava da circa tre anni, per andare vedremo tra poco dove.

Il mattino dopo Giuliana prese un taxi, e in venti minuti arrivò a destinazione. Pagò il taxista, scese, si fermò interdetta: ma dove era capitata? Già il giorno prima, quando Fiona le aveva scritto sul bigliettino l'indirizzo di Fil, s'era soffermata con stupore sulla parola «Palace». Stenheim Palace, aveva letto. E adesso il taxi l'aveva depositata davanti a un enorme cancello, di fronte al quale c'era un gabbiotto dove un uomo in divisa vendeva i biglietti, e una coda già abbastanza lunga di visitatori. In alto e di lato enormi cartelli con su scritto:

STENHEIM PALACE
Tenuta del Duca di Glensbury
Bleckway

Giuliana pagò il biglietto, prese un dépliant e cominciò a leggere.

Cosa c'entrava Fil?

Cosa c'entrava mai suo nipote con quel posto? Dove era finito, dove abitava, dove viveva?

Entrò dal cancello. E si trovò davanti una distesa infinita di prati, declivi, colline e stradicciole che si perdevano all'orizzonte. Torrenti, ponticelli, anatre, boschetti, cigni, laghi… Cervi, pavoni, platani…

Platani?

Tantissimi platani. Platani con il tronco gigantesco, i rami ormai senza foglie, neri, che tramavano il cielo di una fitta rete contorta, irregolare. Ecco dunque i famosi platani. Giuliana cercò di furia il cellulare e chiamò Jeremy:

– Ho trovato i platani! Li ho trovati! Ci sono veramente, proprio dove abita Fil! – Era al settimo cielo, incontenibile. Aveva risolto l'enigma dei platani. – Ti ricordi quando Fil ti ha mandato il messaggino che non veniva a lezione perché aveva visto dei platani bellissimi? È cosí, sono bellissimi, Jeremy, vedessi che tronchi, che rami contorti e neri… Sembrano quadri di Miró!

Jeremy in quel momento era a casa della nonna, la quale gli stava preparando la colazione di metà mattina con i biscotti, la pannina per il caffè e una ciotola di yogurt all'amarena. Trafficava in cucina, tra la dispensa, il frigo e il gas. E Jeremy la guardava poggiare male un piede, perdere ogni tanto l'equilibrio. Non capí subito di che platani stesse parlando Giuliana. Poi gli ritornò in mente, e le disse che era contento, che era un sollievo sapere di quei platani, e la ringraziava molto. Ma in realtà continuava a guardare sua nonna, e tutta quella vecchiaia che lui, assente, non aveva visto progredire e che adesso gli cadeva addosso tutta in un colpo, come un tacito rimprovero. E pensava: i platani che Giuliana vedeva erano davvero gli stessi che vedeva Fil quando andava nei boschi con la moto, fuggendo dalle lezioni?

Ma era poi cosí importante quali platani fossero? ci chiediamo noi. Per Giuliana sicuramente no, non era affatto importante che fossero gli stessi platani di Fil, erano comunque bellissimi. E lei camminava felice, tra quei platani.

In pochi minuti, gli altri visitatori entrati insieme a lei erano scomparsi alla vista: quel luogo era cosí grande che ci si disperdeva tutti subito, e si rimaneva soli a vagare. Una sensazione strana, indefinita, come se, varcati i confini del mondo solito, si entrasse in un altro.

Giuliana camminava ormai da mezz'ora, a passo svelto. Voleva trovare una reception e chiedere informazioni ma, non sapendo esattamente dove andare, né se c'era davvero una reception o no in quel posto, procedeva a caso. La strada andava diritta, ma lei non sapeva dove portava, né riusciva a vederne la fine. Pazienza, pensava, le strade portano bene da qualche parte.

Poi vide in lontananza una macchia d'alberi secolari, dalla cui cima spuntavano torrioni e guglie. Vi si diresse e si trovò all'imbocco di un grande viale alberato, lo percorse e al fondo improvvisamente le si aprí davanti un giardino fatto di siepi basse che disegnavano un labirinto, e oltre quel giardino la facciata di un enorme palazzo. A lato, una serie di cartelli non lasciava dubbi:

STENHEIM PALACE
Dimora ducale del diciottesimo secolo

Era arrivata. Rimase senza fiato. Che Fil abitasse lí era impensabile. Nel senso che nessuno avrebbe potuto pensarla, una cosa simile. Che poi lei stesse finalmente per riabbracciarlo dopo tutti quei tormenti, era pensabile ancora meno.

Infatti non lo riabbracciò.

Era arrivata nel posto esatto dove doveva arrivare. Aveva portato a termine con successo la sua indagine, possiamo dire, scovando il luogo dove Fil viveva da tre anni. Ma lui non c'era. Era partito il giorno prima.

Se solo Fil avesse saputo che sarebbe arrivata zia Giu, certamente non sarebbe partito. Avrebbe posticipato il viaggio, e l'avrebbe aspettata. E la zia lo stesso. Zia Giuliana, se avesse presagito anche solo lontanamente che per poche ore avrebbe perso l'incontro con il suo Fil, certamente non se lo sarebbe fatto quel giretto per Oxford il giorno prima, per college e per negozi. Avrebbe lasciato perdere. Oh, quanto volentieri avrebbe lasciato perdere! Ma cosí era andata. Non sempre i tempi in cui decidiamo di far qualcosa, partire o arrivare per esempio, sono quelli giusti.

Alla reception del palazzo, Giuliana chiese di essere ricevuta dal Duca. Le dissero di fare domanda riempiendo un modulo, e che certamente nel giro di qualche settimana sarebbe stato possibile.

– No, forse non ha capito… – disse Giuliana, con un piglio determinato che in tutta la sua vita aveva sfoderato, forse, due o tre volte, non di piú. Spiegò da dove veniva, chi era e chi cercava. Non se ne parlava neanche di aspettare, lei voleva essere ricevuta subito – sottolineò *subito* – dal Duca.

Ebbe uno straordinario e immediato successo, non per quella sua determinazione racimolata alla bell'e meglio, ma perché al nome di Filippo Cantirami l'impiegato della reception si alzò all'istante, spalancandole sul naso un sorriso esplosivo e imbarazzato:

– Lei è la zia di Filippo…!

Fece poi, una dietro l'altra, alcune rapide telefonate, si avvicinò a Giuliana, la scortò fuori dove un'auto scura già l'attendeva, le disse di scusarlo molto e che sir Edgar Kellington, Duca di Glensbury, era lieto di fare subito – sottolineò *subito* – la sua conoscenza.

Capitolo undicesimo
Il Duca di Glensbury

Giuliana s'era vestita un po' cosí quel mattino.

Certo, sapeva che sarebbe andata nel Palazzo di un fantomatico Duca. Ma non aveva pensato a che cosa *realmente*, nei due sensi dell'avverbio, potessero corrispondere quelle due parole: Palazzo e Duca. Ora, a vedersi davanti quello splendore settecentesco di edificio con tanto di colonne e marmi, e il sussiego con cui veniva trattata, ebbe la sensazione di non essere adeguata.

Si guardò, per esempio, le scarpe. S'era messa un paio di scarponcini da trekking, per camminare meglio. Non si sa mai, in campagna, aveva pensato. E una giacchetta di camoscio sintetico color verde bosco, molto in tono con i boschi intorno, a dir la verità... Aveva un'aria tra la lezione di ginnastica, la gita autunnale fuori porta e un torneo di caccia.

Quando varcò la soglia del Palazzo e si ritrovò in saloni enormi pieni di specchi e arazzi, tappeti e statue di marmo, scalinate e lampadari di cristallo, le venne da nascondersi, ma anche un po' da ridere. Cenerentola al gran ballo, pensò un attimo, giusto il tempo di aspettare nell'atrio quei cinque o sei minuti. Poi, finalmente, arrivò sir Edgar Kellington, Duca di Glensbury:

– Milady, grazie di averci onorato della sua visita! Filippo ci ha parlato cosí tanto di lei, e con parole cosí affettuose ed elogiative...

Giuliana sorrise. Cercava parole formali, adeguate alla circostanza, ma le uscí solo una frase dritta:

– Lei allora conosce bene Filippo, mio nipote...

– Benissimo, Milady. Filippo ci ha fatto la cortesia di abitare qui da noi da qualche tempo, ma...

– Ma?

– Immagino che lei sia arrivata fin qui per incontrarlo, dunque mi duole dirle che suo nipote è appena partito...

– Appena partito?

– Se posso azzardare una mia ipotesi, credo che Filippo non sapesse che lei sarebbe arrivata.

Be', se era per questo, anche lei non sapeva che sarebbe arrivata... avrebbe voluto dire Giuliana al Duca, per la semplice ragione che non sapeva manco esistesse, quel luogo, e meno ancora immaginava che quel luogo, esistendo, avesse un qualche legame con suo nipote. Ma non disse nulla, e il Duca ribadí, lanciandole un'occhiata fonda, ammiccante, che se si permetteva di fare un'affermazione simile, era perché aveva notato in tutti quei mesi con quale profondissimo affetto Fil parlasse di lei.

– Ma sarà stanca del viaggio, – disse. – Brian la accompagnerà nelle sue stanze. Ci vediamo dopo, il pranzo è fissato per le dodici.

Giuliana voleva ripartire all'istante. Cosa ci stava a fare lí dentro? La notizia di aver mancato Fil per un pelo la sprofondò in uno scoramento senza fine. Si sentí inutile, sfortunata, e anche sgraziata. Tutto le parve, improvvisamente, brutto e senza senso. Anche quel Duca esageratamente gentile, cosa voleva da lei? E perché insisteva tanto che lei si fermasse? A fare cosa?

A pranzo erano solo loro due. E la tavola, gigantesca, era finemente imbandita. Il Duca aveva un doppiopetto grigio gessato e una cravatta allegra, con dei fiorellini sparsi su un fondo verde pavone. Era un bellissimo uomo sulla sessantina, alto, rubicondo, con dei folti capelli scuri e le guance carnose leggermente cadenti. Giuliana gli fece qualche timida domanda su Fil ma il Duca, sempre molto gentilmente, slittava su altri argomenti, che perlopiú la riguardavano. Si mostrava interessato a lei. Il viaggio, la salute, e poi la sua vita in generale, dove viveva, cosa faceva.

– So che si occupa di arte...

Giuliana era sempre piú attonita e frastornata. Ma cominciava a insinuarsi in lei anche una certa divertita curiosità. Si guardava intorno, cercava d'immaginare Fil vivere lí dentro, si faceva mille domande che si riprometteva di rivolgere quanto prima al Duca: come aveva conosciuto suo nipote, perché Fil abitava lí e da quanto, e dov'era andato adesso... Invece parlarono di arte tutto il tempo. Lei si lasciò completamente andare, davanti al gentile, insistente interesse di quell'uomo, un uomo cosí distinto e nello stesso tempo affettuoso, cosí sinceramente incuriosito dalla sua vita che, a poco a poco, senza quasi rendersene conto, lei gli andava interamente raccontando.

Era una giornata serena, con nuvole bianche dense che se ne andavano veloci per il cielo, portate da un vento che lí a terra, invece, non si sentiva quasi. Dopo pranzo presero un tè davanti alla vetrata che dava sul giardino, e poi uscirono in terrazza perché il Duca voleva mostrarle dall'alto la tenuta.

Rimasero un bel po' a guardare. Giuliana si vedeva certe tele ottocentesche, dove le campagne sembrano sempre sterminate, sempre viste dall'alto, da un aereo che ci sta fermo sopra, o da un balcone pencolante nel vuoto. Ebbe un brivido di freddo e il Duca fece portare una sciarpa di morbido lambswool, con cui lei si avvolse le spalle. Quando tornarono in salotto, le raccontò a lungo, distesamente, la storia della sua famiglia, e le disse infine di quando era arrivato Filippo, di come lo aveva conosciuto:

– Un giovane cosí perbene! Ci ha incantati col suo fare timido eppur deciso. Mi disse che da molto veniva a passeggiare in questi luoghi. Li aveva scoperti per caso: i passi lo avevano portato qui, e lui dei suoi passi si fidava. E mi disse, con grave serietà, che cercava una nuova casa perché quella che aveva a Londra non andava piú bene, e anche un lavoro, un lavoro qualsiasi per mantenersi: «Se lei potesse darmi qualche consiglio... Conosce qualcuno del posto?» Cosí mi disse. Non sapeva chi fossi. Si era avvicinato a me perché ero il primo che aveva incontrato nella tenuta, evidentemente. Gli chiesi che tipo di lavoro cercasse, e lui, pensi un po'... mi disse che non lo sapeva, voleva solo avere tempo... Che strana espressione per un ragazzo, pensai. Chi piú di un ragazzo può avere tempo? Eppure sembrava cosí preoccupato...

Sorrisi. Non so perché, mi piacque subito. Non mi venne neanche da fargli tante domande. Provai un sentimento immediato di fiducia. E siccome avevo bisogno di una persona che aiutasse il mio Thomas con le bestie e la campagna, pensai di proporglielo. Era un azzardo. Si vedeva che non era un ragazzo di campagna, e non era nemmeno cosí giovane da fare il garzone. Gli dissi: «Vediamoci stasera a cena, si trovi nell'atrio del Palazzo». Lui rimase sbalordito, stava per farmi delle domande, ma io lo bloccai: «Stasera».

A tavola si scusò in mille modi, disse che se avesse saputo che ero il Duca di Glensbury di sicuro non avrebbe chiesto a me per un lavoro e una casa, che si vergognava come un ladro. E perché mai? gli dissi io. Aveva incontrato la persona giusta. Gli parlai un po' di Thomas. Ma prima di tutto feci parlare lui, a lungo. Quel che mi raccontò mi colpí moltissimo. Mi venne subito naturale trovargli un alloggio qui per quanto tempo avrebbe voluto, lui e la sua valigia piena di libri di Economia... Gliel'ho detto, vero, che si era portato una valigia enorme piena di libri? Mi faceva piacere assumere alle mie dipendenze un giovane tanto interessante... Un ragazzo che lasciava l'università, una città come Londra, una splendida futura carriera, per venire a stabilirsi qui e... si diceva felice di portare al pascolo le pecore! Mi incuriosiva. Pensavo che potesse rendere le mie giornate un po' meno monotone: sarei passato ogni tanto a trovarlo in cascina, mi sarei intrattenuto con lui a parlare delle varie cose del mondo, e magari avrei capito quale bizzarria gli albergava nella mente.

Infatti, ci siamo visti molto. E davvero ci siamo tenuti un'ottima compagnia. Però, Milady... non posso certo dirle d'aver capito! Ancora oggi, dopo tutto questo tempo, mi chiedo questo caro ragazzo cosa voglia veramente... oltre a badare alle mie pecore, insieme a Thomas...

Thomas è un bravo ragazzo, che vive qui da anni con la sua famiglia. A dire il vero sarebbe lui il pastore. Ma sta perdendo la vista. Nessun problema, sia chiaro, Thomas ha maturato una capacità di vedere tutta sua, non so se mi capisce... Non c'è mai stato un solo inconveniente. Ciò nonostante mi sembrava che un aiuto glielo si dovesse, a maggior ragione. E cosí ho chiesto a Filippo di lavorare con lui. Ecco, mi sembrava bello metterlo al fianco di uno come Thomas, e viceversa, anche. In effetti, sono diventati molto amici, sa? Thomas ha insegnato molte cose a suo nipote, e suo nipote sí, in un certo senso, è diventato un bravo pastore. Cioè, si tratta pur sempre di un pastore un po' speciale, voglio dire... Ma venga, venga a vedere lei stessa!

E il Duca accompagnò Giuliana nel luogo dove abitava Fil.

Giuliana non ci poteva credere: pochi minuti e avrebbe, non proprio trovato lui, ma almeno visto il posto dove aveva trascorso la sua vita segreta.

Dopo circa un quarto d'ora arrivarono alla casa di Thomas: una cascina dai muri di mattone, lunga, a un solo piano. Passarono davanti al cortile interno, svoltarono, e dietro una collinetta apparve un'altra casa, piú piccola, bianca, col tetto di terra sul quale cresceva l'erba. Era una specie di dépendance della cascina. Lí il Duca aveva alloggiato Fil, perché fosse vicino a Thomas. Due camerette, niente di piú, ma Fil ci si trovava molto bene, soprattutto per via di quel tetto erboso: gli piaceva avere un prato sulla testa, aveva detto al Duca che quel pensiero gli dava sicurezza.

Entrarono. Tutte le pareti, di tutte e due le stanze, era-

208

no tappezzate di libri fino al soffitto. Restava libera solo la parete della cucina, col gas e il frigo e sull'angolo il camino. Per il resto, solo libri.

– Vede? Il giorno in cui è arrivato qui, ne aveva già un bel po' in valigia. E poi in questi tre anni se ne è comprati tanti, uno dopo l'altro, e s'è costruito anche le librerie. Un po' rustiche, come vede... però l'effetto è di una vera biblioteca, non trova?

Giuliana trovava eccome, anche troppo. Non le tornava niente. Un'intera biblioteca... col prato sul tetto, e... adiacente a un ovile! Nella tenuta di un Palazzo del Settecento, con i saloni stuccati, le volte di venti metri, i quadri del Rinascimento, i turisti in visita...

La sua tesi non reggeva piú: Fil pastore in quanto artista, o artista e quindi pastore, fa lo stesso. La sua rivoluzione personale contro il sistema capitalistico-borghese, contro laurea, lavoro, soldi, carriera, famiglia... E perché, pur allevando pecore, continuava a studiare? Economia, poi! A meno che i libri non fossero un puro abbellimento, una collezione, un hobby...

– Scusi, ma Fil secondo lei ha continuato a studiare? – chiese al Duca.

– Studiare? Altroché studiare! Quando passo, lo trovo sempre seduto sotto un albero che legge o sottolinea qualcosa o scrive sul bloc-notes. Studia, prende appunti, non so. Mentre Thomas pascola le pecore. O meglio, non lo so chi le pascola... Mi chiedo sempre chi dei due sia il vero pastore. E non lo so, chi *guarda* davvero le pecore... Uno dei due è quasi cieco, e l'altro... se ne sta lí a leggere i suoi libri! Mah... Eppure, le assicuro, il gregge va che è una meraviglia.

Ogni tanto parliamo di Economia, suo nipote ed io. Ha delle idee decisamente originali. Sta studiando un certo problema sulla crisi, la crescita, il tetto. Sí, mi parla spesso di questo tetto... Vuole elaborare una nuova teoria economica, addirittura. Cose complesse. Ha delle idee, ha indubbiamente delle idee, mi creda. Se vuole poi con calma gliene parlo, se la cosa le interessa.

Ecco, mi ha messo a parte delle sue idee, ma non molto della sua vita. E io non ho voluto essere invadente. Con i giovani bisogna andar leggeri, non star loro tanto addosso. È d'accordo?

Mi son chiesto molte volte che famiglia avesse Filippo, se i genitori sapessero... Ma non toccava a me informarli. E vedevo che Filippo non amava entrare in argomento. Adesso che lei è qui, sono contento. Le confesso che mi sento piú sereno.

Oddio, *i genitori* di Fil! Guido! Nisina e Guido...!

Giuliana si accorse solo in quel momento, di colpo, che non aveva avvisato il fratello e la cognata di non venire fin lí, che tanto era inutile perché Fil non c'era.

Interruppe di corsa il Duca:

– Mi scusi, ho bisogno di fare una telefonata, vorrei fermare mio fratello che sa... dovrebbe arrivare qui con sua moglie... i genitori di Fil... perché io gli avevo detto che Fil...

Ma non ci riuscí. Guido e Nisina, com'era ovvio, erano già partiti da Stanford. Erano in volo per Londra e non avrebbe piú potuto fermarli. Sarebbero quindi arrivati l'indomani, e a lei sarebbe toccato dar loro la ferale notizia che ancora una volta Fil s'era involato chissà dove.

Giuliana si lasciò cadere sul divano, affranta. E raccontò tutto al Duca. Si scusò di essersi permessa di convocare lí, a casa sua, il fratello e la cognata, disse che lo aveva fatto solo perché potessero finalmente incontrare Fil; raccontò che, poverini, non sapevano piú nulla di lui da un bel po', che forse non sapevano niente di lui da anni, e che insomma adesso era un vero guaio che Fil fosse partito, e lei stessa lo avesse mancato per cosí poco. Adesso, concluse, non avrebbe potuto chiedergli il perché...

– Quale perché? Se posso esserle utile io...

– Be', ero venuta a chiedere a mio nipote perché... capisce, Duca? Perché lo ha fatto! Nessuno riesce a spiegarselo, ma io so che una ragione c'è. Fil non è un ragazzo dissennato. Se fa una cosa, sa benissimo perché la fa. Quel perché, Duca, sono sicura che a me lo avrebbe detto...

– Detto che cosa, Giuliana cara?

– Ma... delle pecore! Del college!

– Quale college, Giuliana?

Nemmeno il Duca sapeva di Filippo, del suo gesto... A Giuliana parve inverosimile, ma era cosí. Allora gli raccontò quel che di Fil le aveva raccontato Jeremy, il patto segreto tra i due ragazzi, le vite scambiate...

Il Duca si disse molto dispiaciuto, ma da parte sua non sapeva come aiutarla, dal momento che Fil, partendo, non gli aveva detto dove andava e a lui era sembrato indelicato chiederglielo. Disse anche che mai avrebbe immaginato una cosa simile, ma che qualcosa non gli tornava: Filippo non era certo un ragazzo sleale o menzognero, dunque voleva solo dire che c'era una parte di lui che rimaneva sconosciuta a loro, fine, niente di grave.

– Perché in genere è cosí. La realtà presenta lati oscuri, – disse, – ma non vuol dire che siano oscuri in sé, vuol dire che noi non siamo cosí bravi da vederli. Non abbiamo gli occhi buoni, non le pare? Un po' come la luna quando ne vediamo la metà, non vuol certo dire che lei s'è dimezzata. Ah, Giuliana, mi dispiace vederla cosí in ansia. Non sa quanto... Se potessi aiutarla... Potessi rintracciare Filippo e chiedergli di tornare... Ma come le ho detto, non so dove sia andato... Però la prego... Mi si stringe il cuore...

E qui a Giuliana, sinceramente colpita dalle parole del Duca, venne da pensare alle formiche. Ah, l'incomparabile insondabilità delle nostre analogie mentali! Era stato un suo amico di gioventú (non lo vedeva da una vita), che una sera in riva a un torrente, mentre affettuosamente le teneva un braccio intorno alla vita, le aveva detto: «Lo sai che le formiche non vedono noi due seduti qui? Non colgono neanche un milionesimo della realtà che le circonda, troppo grande per loro. Vedono i pochi centimetri che hanno davanti e pensano che il mondo sia tutto lí... Ebbene noi siamo uguali a loro, ci pensi mai? Vediamo cosí poco... Sappiamo cosí niente...»

Capitolo dodicesimo

Il pastore cieco

I coniugi Cantirami arrivarono l'indomani. Il Duca aveva fatto preparare per loro una camera del Palazzo da cui si vedevano i giardini, il concentrico gioco di fontane, le statue in pietra dei cavalli marini, tritoni e divinità fluviali.

Giuliana andò subito da loro. Trovò Nisina in uno stato di confusione senza fine. Svuotava la valigia, con Guido che le diceva: «Ma lascia stare, quanto vuoi mai fermarti in questo posto? Vediamo Filippo, gli parliamo, chiariamo tutto e ripartiamo, che ci vorrà, un giorno?» E lei che non gli dava retta. Parlava da sola, diceva: «Ma dimmi tu soltanto! Ma dimmi tu… venir fin qua! Dall'America… E cos'è mai 'sto posto, poi? A saperlo avrei portato gli scarponcini… e una giacca a vento… con quest'umido! Ma chi lo sapeva che saremmo finiti in mezzo alla campagna?»

Giuliana non ebbe il cuore d'informarli subito di tutto. Cominciò col dir loro che Filippo al momento non c'era, che non era… esattamente lí, si era assentato, cioè… era partito casualmente proprio il giorno prima del suo arrivo, e che insomma anche lei non era riuscita a incrociarlo, e quindi se erano delusi lei li capiva benissimo ma non c'era proprio niente da fare e comunque pazienza, ci sono cose piú gravi.

Voleva proseguire, dire magari qualcosa del patto tra Fil e Jeremy, accennare alla questione delle pecore, ma non ce la fece ad aggiungere altro, perché a quel punto Nisina scoppiò a piangere. La stanchezza, la tensione di tutti quei giorni. Si mise le mani sulla faccia, come a cercar di contenere tutta l'acqua irrefrenabile di quelle sue lacrime, e ripeteva, tra i singhiozzi: «L'ho perduto... Adesso l'ho proprio perduto...»

Giuliana provò a dire che Fil a un certo punto sarebbe ricomparso, non poteva mica essere sparito. Ma Nisina era inconsolabile. Quest'ultimo colpo di non trovare il figlio nemmeno lí, nemmeno dopo aver percorso in lungo e in largo i cieli del pianeta, non lo poteva reggere. Non era giusto. Non era neanche plausibile! «Ma cosa abbiamo fatto mai di male?» continuava a chiedere a Guido, il quale taceva. Anche lui era sconvolto, incredulo. Non poteva credere di averlo mancato per un soffio, e che fosse cosí impossibile sapere dove fosse finito, che non si sapesse a chi chiedere, che non ci fosse una persona al mondo da cui ricevere notizie, aiuto.

Soprattutto, per Guido Cantirami, era incredibile trovarsi a essere di colpo cosí impotente, nel vero senso della parola: cosí... senza potere. E per sua moglie era incredibile che lui lo fosse. Filippo era sparito nel nulla, e suo padre, il potente avvocato Cantirami che lei aveva sposato, non sapeva cosa fare.

– Io chiamo la polizia, – disse Nisina. Lo aveva detto spesso, in quei giorni, ogni volta che aveva sentito di non farcela piú.

– E chi sarebbe poi, questo Duca? – chiese Guido a sua sorella. Tra tutte le domande che poteva fare, fece solo quella: chi sarebbe questo Duca.

Giuliana iniziò a spiegare. Li aveva convocati cosí, per telefono, in fretta e furia; li aveva fatti venir fin lí senza un filo di spiegazione; poi li aveva accolti tenendosi sulle generali, senza mai dir loro nulla di preciso... e certo che adesso gliela doveva, qualche informazione. Disse tutto d'un fiato che il Duca di Glensbury ospitava Filippo da tre anni e gli dava uno stipendio come aiuto-pastore. Cosí disse, non trovando altra definizione: aiuto-pastore. E cercò di raccontare il meno possibile, di svelare quasi niente. Non voleva infliggere altri colpi a quei due. Ma, anche a voler dir poco, disse abbastanza. E quel che c'era da capire, Guido e Nisina lo capirono all'istante: Fil, il loro figlio primogenito Filippo detto Fil, li aveva senz'ombra di dubbio presi in giro per tre anni. Ingannati. Turlupinati. Traditi. Tre anni!

– Ma no, non è che proprio vi abbia presi in giro, traditi... – cercava di smussare Giuliana. – Semplicemente non vi ha detto...

– Non ci ha detto? – sbottò Guido. – Certo, non ci ha detto queste due o tre cosette: che non è mai stato a Stanford, che non ha mai finito il master a Londra e che invece di studiare fa il formaggio di capra! Queste tre piccole idiozie non ci ha detto, povero caro!

– Di pecora...

– Di pecora cosa?

– Il formaggio... semmai di pecora, non di capra, – lo corresse Giuliana.

– Sentimi bene Nana, cerchiamo di capirci. Adesso noi siamo qui, tu ci hai chiamati e noi siamo qui. Tu sai tutto e noi niente, a quanto pare... e va bene. Noi siamo i genitori, ma pazienza, lasciamo stare. Accetto. Accetto tutto. Sto anche cercando di capire... D'accordo. Ma perlomeno, ti chiedo, possiamo evitarci le tue solite battute cretine? Almeno questa volta, eh, Nanina, ti dispiace? Non stiamo giocando! Pecore, capre, camosci... Non stiamo giocando, Giuliana, ti dispiace? Lo vedi quanta fatica stiamo facendo tutti, quanta buona volontà... Abbiamo un figlio che fa il formaggio, la capisci la tragedia...?

– Ma no, Guidino, dài che non lo fa il formaggio... – provò a interromperlo questa volta Nisina, cercando piú che altro di autoconsolarsi.

– Eh sí invece che lo fa il formaggio, Nisi! Bisogna ben che la guardiamo in faccia, la realtà! Nostro figlio lo fa eccome il formaggio! E sai perché? Perché... perché noi abbiamo un figlio che alleva pecore e quindi fa il formaggio, ecco perché!

Due ore dopo andarono a vedere le pecore. Che altro potevano mai fare? Erano arrivati fin lí e adesso, per quanto fosse doloroso, meglio vedere le cose, cioè le pecore, nella loro nitida crudezza, con i propri occhi.

Non le aveva ancora viste nemmeno Giuliana, le pecore. Cosí li accompagnò.

Nisina camminando si lamentava per le scarpe, quasi a ogni passo un lamento. Indossava in effetti un paio di scarpine décolleté eleganti che avrebbero dovuto calpestare le vie di San Francisco.

Guido aveva una rabbia dentro che non riusciva in alcun modo a placare. «Non capisco… Non capisco… ma ti par mai possibile? – bofonchiava. – Fin quassú… A fare cosa poi? Quattro pecore lanose… Gli ci vorrebbe… lo so ben io che cosa gli ci vorrebbe! Ah, ma fammici solo parlare e vediamo! Gliela do io una girata… se non ha capito come gira, gliela do io…»

Nisina non lo ascoltava nemmeno. E non parlava. Non diceva una parola, lei. Stava solo attenta a dove metteva i tacchi. Si guardava i piedi, uno davanti all'altro. In qualche modo procedeva, e tanto le bastava.

Camminarono per una buona mezz'ora e, oltrepassando declinanti collinette a prato raso, arrivarono all'ovile, un grande caseggiato con la tettoia in legno sul davanti e una palizzata intorno a metà tra i film del far west e i fumetti di Lupo Alberto. Fecero un sentierino in salita e, arrivati in cima, si trovarono di fronte un'immensa vallata erbosa. Completamente invasa di pecore. Le pecore di Fil. Le vedevano, finalmente. Un bianco accecante, compatto, in cui a chiazze compariva il verde vellutato dei prati, un verde che, reso ancor piú netto e luminoso dal sole, sembrava quasi finto. A completare il quadro, in alto, un cielo mobile dove le nuvole correvano raddoppiando con il loro bianco, come in uno specchio, il bianco lanoso statico, quasi immobile, del gregge.

Si fermarono sul crinale. Lasciarono andare gli occhi

a perdersi, estasiati. Sí, estasiati. E nello stesso tempo, anche, pieni di angoscia. L'idea che Fil avesse vissuto in mezzo a quella bellezza una vita tutta sua e a tutti sconosciuta li rendeva felici e disperati insieme.

Costeggiarono l'enorme distesa di prati in discesa, e arrivarono a una radura dove, all'ombra di un albero, appoggiato al tronco, sedeva un uomo che intagliava un ramoscello. L'uomo non si mosse, ma tirò su la testa guardando dritto davanti a sé:

– Sono Thomas, – disse. E allungò una mano nel nulla, sorridendo. Anche il sorriso sembrava perdersi nell'aria, senza sapere dove andare.

Fecero le dovute presentazioni e i Cantirami si sedettero anche loro lí, sotto l'albero.

Pochi minuti dopo Thomas stava già raccontando di Fil, di quando era arrivato con quella sua valigia. Lui aveva sentito il tonfo sul pavimento, pesante. Cosa porti? gli aveva chiesto. Niente, solo libri, gli aveva risposto Fil.

Raccontava di come si applicava alla cura del bestiame, di quanto impegno ci metteva, di come era diventato bravo in tutti quegli anni, cosí bravo che adesso qualche volta era Filippo che insegnava a lui come fare. Anche se… anche se… E rideva. Come se volesse dire qualcosa di buffo, ma si chiedesse se dirlo o no.

– Anche se cosa? – lo incalzava Guido. Curioso, anche un po' inquieto.

– No, pensavo, è strano… Fil non è certo uno che fa il pastore: studia Economia…

– Come sarebbe, scusi? Lo fa, il pastore, o no?

– Be', sí… Però è uno studente, piú che altro. E studia pure come un matto, vedesse… Ma lei è il padre, lo saprà bene. Vero che non frequenta, d'accordo. Io lo vedo, non ha mai frequentato: è sempre con me nei prati… Ma che gliene importa? Dice che gli fa solo perdere tempo frequentare… Gli interessano solo le cose che studia, quelle sí! Accidenti se gli interessano! Me ne parla di continuo... Io non è che ne capisca, ma mi piace. Lo sto ad ascoltare... E comunque. Comunque gli ho insegnato lo stesso tutto delle pecore, come si mungono, come si fa il formaggio... Anche se è chiaro che non gli interessa. Lo fa solo per i soldi, è chiaro...

– Come per i soldi? – Guido Cantirami avvampò.

– Be', per lui è un lavoro come un altro... Cercava lavoro. È venuto qui per guadagnare, per mantenersi agli studi... È normale.

Silenzio.

Silenzio.

Ancora silenzio.

– Be', era quello che pensavo allora... – cercò di rimediare. – Non conoscevo i suoi genitori, come potevo...? Ovvio che adesso... Ovvio che non è cosí...

Guido guardava sua moglie, tornava a guardare Thomas, riguardava sua moglie: non sapeva piú dove posare gli occhi, su chi sfogarsi, continuava solo a ripetere come un automa: «Lo senti che cosa dice? Lo senti che cosa dice?»

Giuliana aveva combinato un bel disastro: non aveva detto a Guido che Fil passava i soldi a Jeremy. Lo aveva informato di tante cose, ma sulla questione del famoso patto aveva un po' sorvolato. Aveva omesso quel piccolo particolare dei soldi...

– No, Guido, aspetta, scusa... Poi ti spiego... Ti devo spiegare... – Giuliana cercava di calmarlo. O almeno di deviare il discorso: – Piuttosto, Thomas, ci dica come si fanno i formaggi di pecora... Sa che me lo sono sempre chiesta...? Quei formaggi cosí morbidi che si sciolgono in bocca...

Niente. Tutti zitti. Un silenzio pesantissimo. Thomas non sapeva come uscirne. Gli dispiaceva. Chinò a terra i suoi occhi spenti, cercò con la mano in mezzo all'erba, trovò il legnetto che prima aveva lasciato cadere e riprese a intagliarlo con un suo coltellino minuscolo.

Si sentivano solo quei colpetti ritmici sul legno, nient'altro.

Dopo un po' i tre Cantirami lo salutarono e s'incamminarono attraverso i prati per tornare al Palazzo. Fu allora, in quel tragitto, senza aspettare di arrivare a casa, che Giuliana vuotò completamente il sacco. Raccontò del patto, disse che Fil per tre anni aveva passato a Jeremy i soldi che loro gli mandavano, perché Jeremy in cambio gli raccontasse via mail la sua vita a Stanford...

– Hai capito, Nisina? – sbottò Guido. – Hai capito cosa faceva? Ci girava pari pari le mail... Le palle che ci ha raccontato nostro figlio! Ma che dico figlio? Quell'ingrato, mentitore... E quel Jeremy! Vorrei proprio conoscerlo! Vorrei proprio vedere che faccia ha! Che faccia ha avuto, di spillarmi tutti quei soldi, per anni, senza mai dire niente...

– Guido, per piacere... – Nisina cercava di rabbonirlo, con una voce cosí flebile, però, che manco si sentiva. – Non ti ha spillato un bel niente questo Jeremy, glieli ha dati nostro figlio, i soldi... non hai sentito?

No che non aveva sentito. La sua testa era un vortice di pensieri. Che colpe aveva? Che ragioni c'erano perché la vita lo facesse soffrire a quel modo? Può un padre innocente, buono, comprensivo, patire una tal sorta di ingiustizia? Una delusione tale? E da un figlio che s'è sempre comportato bene, che sembrava un figlio tanto bravo... Vedi dove mai rotolano le nostre pie illusioni, la fiducia, la speranza... Cozzano contro la realtà, cozzano. Meglio non sapere, allora. Meglio una beata ignoranza, magari anche uno stato inquieto in cui uno non sa bene cosa pensare. Meglio, molto meglio di questo lampo accecante: aveva un figlio che aveva smesso di studiare e non l'aveva detto a suo padre. Questa era la *verità*.

Arrivati al Palazzo, se ne rimasero tutti e tre in anticamera. Stavano lí, bloccati. Guido andava su e giú nervoso; Nisina s'era accovacciata su una poltrona damascata, togliendosi le scarpe e mettendosi a massaggiare la pianta dei suoi poveri piedi; Giuliana se ne stava davanti a una finestra, a guardare fissamente il lago che si faceva color madreperla.

– Tutta colpa tua! – disse all'improvviso Guido puntando il dito contro la sorella. Cosí, di colpo, che nessuno se lo aspettava. Come se fosse uscito da certi suoi pensieri cupi in cui se n'era stato immerso tutto solo senza dir niente, e ora finalmente fosse arrivato a una luce, a una conclusione: alla conclusione che la rovina fosse la sorella, che fosse a causa dell'influenza nefasta che lei, in quanto zia, aveva avuto negli anni su suo figlio, se lui ora faceva il pastore.

– Tu... Tu me lo hai sempre messo contro... Ne volevi fare uno uguale a te, diciamocelo chiaro, un perdigiorno buono a nulla come te!

Aveva un bel protestare, e piangere, la povera Giuliana, e ripetere: «Ma cosa dici, Guido, ma cosa dici!» Il fatto è che, delle cose che gli veniva da imputare quella sera a sua sorella, Guido era convinto da sempre, solo che non le aveva mai dette. Ora aveva trovato il coraggio e le diceva: ebbene sí, sua sorella aveva plasmato Fil a sua immagine e somiglianza, e quello era il risultato.

– E brava! Ne hai fatto proprio un bel pastore, complimenti! Un laureato in Economia alla Bocconi con 110 e lode che va pascolando pecore per prati! Ti piace? Ti piace un figlio cosí? Eh già, perché è quasi come fosse figlio tuo, no? Certe volte, Nana, certe volte non lo sopportavo questo tuo... questo tuo...

– Questo mio cosa, Guido, cosa dici?

– ... intrometterti!

Intromettersi, lei? Giuliana non guardava piú il lago. Non sapeva cosa fare, se restare o scappar via piú lontano che poteva.

– E tu? – gli disse con una voce bassa e piana che suonava ancora piú tremenda. – E tu che hai ingozzato Fil dei tuoi «Financial Times»? Che non lo hai lasciato in pace, che lo andavi a tormentare ogni momento con i tuoi fai questo, fai quello? Cosa volevi che facesse, che diventasse? Tu! Tu non l'hai per niente plasmato, non l'hai... rovinato? Non te lo chiedi mai, questo?

Il giorno dopo si svegliarono tutti pesti, come pugili suonati. Fecero insieme una colazione lenta, assonnata, pensierosa e guardinga: ognuno vedeva nell'altro un nemico, e questo pensiero li intristiva. Si chiedevano come fare pace.

Si misero a leggere un po' in salotto, presero un caffè lungo con le tartine. Si scambiarono prima mezza frase sul tempo, poi una frase intera: le nuvole che vanno, questo sole che non smette... All'ora di pranzo l'aria tra di loro s'era fatta piú respirabile, e la presenza del Duca a tavola contribuí non poco a distendere gli animi.

Dopo il pranzo Guido volle tornare al pascolo. Volle che ci tornassero tutti e tre, per chiedere scusa a Thomas.

Thomas se ne stava come sempre appoggiato al tronco del suo albero preferito, e non faceva niente. Guido si avvicinò, gli si sedette accanto. Gli disse che c'era stato un equivoco, e di scusarlo, che lui era un po' stanco, certo capiva in che situazione, in quale dolore...

Thomas sorrise. Certo che capiva, gli disse.

A quel punto a Guido venne naturale fargli una domanda. Era dal giorno prima che se la teneva dentro, quella domanda che non lo lasciava piú vivere. Secondo lui Thomas sapeva. Avevano lavorato insieme tre anni, lui e Fil, stavano da soli tutto il giorno a guardar pecore... Figurarsi quanto s'erano parlati, quante cose s'erano confidati. Thomas era la persona giusta, forse l'unico, in tutta quella storia, che poteva sapere qualcosa. Lui... Lui e sua moglie Kathy erano stati i primi, avevano accolto Fil quando aveva appena deciso di lasciar l'università, e quindi dovevano sapere il perché, lo avevano «visto», quel perché. Cosí, quel giorno al pascolo, dopo avergli chiesto scusa, Guido gliela fece quella domanda cosí diretta, anche un po' brusca:

– Perché Fil s'è messo ad allevar pecore?

Thomas fece un sospiro lungo. Gli dispiaceva deludere quell'uomo cosí addolorato, ma poteva dirgli cosí poco... Gli disse che secondo lui non c'era una ragione... Filippo era arrivato lí, aveva incontrato quel posto, e in quel posto c'erano loro e c'erano le pecore... Tutto lí... Un caso!

Ma poi gli venne in mente una cosa che poteva raccontargli. Un particolare. Non era granché, e non sapeva se poteva servirgli, ma glielo raccontò:

– Il giorno in cui è arrivato si è presentato al pascolo a prendere servizio. Ero il suo capo, per lui. Faceva sul serio. Mi ha detto: «Buongiorno, io sono qui. Cosa devo fare?» E io gli ho risposto: «Niente!» Mi è venuto cosí, naturale: «Niente»... Ero appoggiato al mio albero, fischiavo la mia canzone, cos'altro avrei dovuto dirgli? Non c'è niente da fare, qui. Le pecore pascolano, le nuvole viaggiano, viene mattina, poi arriva sera... Fil mi ha risposto: «Ecco». Solo quella parola, ma l'ha detta in un modo...! Come uno che è arrivato dove voleva, e allora si ferma, posa i bagagli, e tira il fiato: «Ecco». Io me lo ricordo, perché l'ho capito dalla voce. Mi sono anche immaginato che stava sorridendo mentre diceva quel suo: «Ecco». Non capivo per che cosa era cosí contento, ma lo era. Poi ho sentito che si sedeva sull'erba, che tirava fuori un libro e cominciava a sfogliarlo. E il rumore di una matita sulla carta. Scriveva, o faceva dei segni sul libro... No, adesso che ci penso: non mi pare proprio che volesse fare il pastore... Le pecore non so neanche se le guardava... Gli piaceva stare cosí, con l'aria in faccia. Gli piaceva l'aria, questo sí. Mi sembrava uno che fosse uscito da un qualche luogo chiuso per starsene finalmente all'aria. Non so, me lo dica lei: era rimasto per tanto tempo al chiuso, Filippo?

Guido non muoveva un ciglio. Anche Giuliana e Nisina stavano zitte e immobili. Era come se quel che Thomas aveva raccontato non fosse di nessuna importanza per nessuno di loro tre.

– E non... non avete mai parlato d'altro? – gli chiese a questo punto Nisina.

– Oh sí, abbiamo parlato di un sacco di cose! In tanti anni, si può ben immaginare...

– Volevo dire se Fil... le ha mai raccontato di noi...

– No. Di voi no...

– E lei, mi scusi Thomas, non gli chiedeva mai della sua famiglia, non so, di suo padre, sua madre?

– Sí, certo che glielo chiedevo. E lui qualcosina la diceva anche, ma cosí poco che poi ho smesso. Sembrava uno... non so come dire... sganciato. È lí che ho pensato, non si offenda... che i suoi fossero lontani da lui, che si curassero poco... Che stupido, davvero, mi dispiace...

– Non si preoccupi, Thomas, va tutto bene... – gli disse Giuliana.

A quel punto Guido gli fece la seconda domanda che aveva dentro da giorni e non lo lasciava vivere:

– Senta Thomas, ma queste pecore dentro il college a Oxford... Mi dica, gliel'ha ordinato lei? Perché gli ha dato le sue pecore quel giorno?

Thomas si prese la testa tra le mani. Rimase cosí un po'. Gliene aveva parlato da poco il Duca. Lui non l'aveva mai saputo, di tutte quelle sue pecore nel college! C'era rimasto di sasso, lui piú di tutti loro. Perché le pecore erano sue, e Fil non gli aveva detto niente. Al solo immaginarsi la scena, di quelle pecore portate dentro un college di Oxford, gli veniva una ruga fonda in mezzo alla fronte, che non aveva mai avuto. Non era che non volesse rispondere, al papà di Filippo. Era che gli spiaceva non sapere, non essere riuscito a capirlo, quel ragazzo, in tutto quel tempo passato insieme, giorni e giorni buttati sull'erba! Eppure, davvero non sapeva cosa dire. Si sarebbe dato i pugni in testa, tanto era stato incapace.

Disse solo che lui quel mattino non gli aveva dato proprio per niente le sue pecore. Filippo le aveva con sé perché... Be', anche quello era un caso: loro due s'erano messi d'accordo, era un patto, un patto di collaborazione... Altro non sapeva dire, gli spiaceva molto.

Rimasero ancora qualche giorno tutti e tre, i Cantirami, ospiti allo Stenheim Palace. Parlandosi di rado, isolandosi ognuno in certi angoli segreti di quella tenuta.

I genitori di Fil avevano infiniti e pressanti impegni di lavoro, ad attenderli in Italia; nutrivano anche una indiscutibile voglia di scappar via da lí, mettere distanza e in un certo senso, per quanto possibile, dimenticare. Ma non riuscivano ad andarsene, era piú forte di loro. Come se qualcosa di misterioso li tenesse. Non si risolvevano a tornare a casa. Li aveva presi una specie di sortilegio. Forse, nella loro testa, rimanere lí era un po' come stare insieme a Fil. Un modo di attenuare quella perdita irreparabile, di negarla, quasi.

Andavano ogni giorno al pascolo. E a poco a poco, col passare di quel tempo tanto quieto, lontani dal brusio delle loro vite solite, trovarono non diremmo pace, ma una qualche forma di rassegnata serenità. Il paesaggio, per vie sotterranee, agiva in loro. La dolcezza del posto, quel terreno erboso vellutato che si estendeva per miglia e miglia tra leggeri avvallamenti, ombre e rinascite di sole, e qua e là qualche cespuglio o un piccolo, rado bosco di alberi altissimi e svettanti, con i loro rami nudi, verso l'infinito; il pascolare placido di quelle pecore dal manto bianco e dal muso nero, trasmetteva loro, per quanto possibile, un senso di tranquillità fuori dal tempo. Ne avevano bisogno. Era come se la bellezza assoluta del paesaggio, in qualche modo miracoloso, stemperasse l'amarezza che si portavano dentro. Sí, la dolcezza di quel paesaggio rendeva ogni cosa un po' meno grave, quasi innocua, ogni male inessenziale: non importava piú che Fil avesse deciso di dare un calcio a ogni possibile carriera e allevare pecore con un pastore cieco. Non importava piú. Anzi, tutto acquistava la parvenza di una sua intrinseca bontà, e giustizia: sembrava fosse giusto che le cose andassero come andavano.

Condividere i luoghi del figlio, osservarli, abitarli, li aiutava a vederlo vivere in tutto quel tempo in cui non lo avevano visto. Cercavano, per quanto duro fosse per loro, di colmare i vuoti e, colmando i vuoti, capire, provare a mettersi nei suoi panni. Cercavano di comprendere che vita aveva scelto Fil, e perché, e che cosa c'era mai che non andava nella vita che invece aveva rifiutato. Si sforzavano, molto.

Lo aspettavano? Pensavano davvero che di lí a poco sarebbe tornato? Non si può dire che ne fossero convinti, che lo aspettassero nel senso pieno della parola. Erano sospesi: non lo aspettavano, ma neppure si poteva dire che non lo aspettassero. Rimanevano. Tenevano la posizione, come un piccolo esercito che non vuol mollare il campo: non ha vinto la battaglia, ma non l'ha nemmeno ancora persa. Diciamo che era il loro modo, l'unico che trovarono, d'illudersi di non aver perso Fil.

Ogni giorno seguivano lo schema di quella che poteva essere la sua giornata tipica. Vagavano per quelle colline, un po' a pascolare insieme a Thomas, un po' a passeggiare per i giardini e i padiglioni del Palazzo, mescolandosi ai visitatori. E passavano molte ore nelle stanze di Fil, in quella inverosimile biblioteca dove pensavano che lui trascorresse gran parte del suo tempo. Poi cenavano e pranzavano ogni volta insieme al Duca, con cui erano diventati quasi amici.

Il Duca, da parte sua, non s'intrometteva piú che tanto. Era contento di ospitarli, ma cercava di tenersi il piú possibile in disparte. Li vedeva passeggiare, parlare tra di loro, andare su e giú per quei giardini, per i viali, sedersi sulle panche, contemplare le fontane, il lago; visitare piú volte la casetta di Filippo, l'ovile, i prati; percorrere in lungo e in largo le colline dove le pecore pascolavano libere.

Vedeva spesso l'avvocato Cantirami andare avanti e indietro col telefonino all'orecchio, fare telefonate, ricever-ne; o armeggiare sul portatile, mandando mail, o leggen-done; qualche volta lo vedeva anche passeggiare solo nei pascoli, e chinarsi ad accarezzare ora una pecora ora un'al-tra. La signora no. La signora Cantirami si teneva sempre un po' discosta, come se per lei fosse davvero troppo quel contatto cosí diretto e crudo con la vita segreta di suo fi-glio. Non sfiorò mai una pecora. Se ne rimaneva lontana e taciturna, e al Duca piú di una volta sembrò di vederle scorrere sulle guance lente, silenziose lacrime.

Ne era dispiaciuto. Per quanto estraneo alla famiglia e disinformato pressoché su tutto quel che concerneva Fil e i suoi, provava una grande tristezza a vedere quanto, a volte, l'incomprensione tra genitori e figli generi inutili pa-timenti, che si potrebbero evitare se uno soltanto ci met-tesse un po' piú di buona volontà. Ma uno chi? Il padre, la madre o il figlio? E poi veramente si trattava solo di buona volontà, o non ci voleva forse qualche dote in piú, qualche rara e preziosa capacità che ben pochi davvero hanno, e che neanche lui era certo di possedere?

Era stato fortunato lui con i suoi figli? Sí, gli sembra-va di sí. Finché la sua Edith era stata in vita, erano stati una famiglia molto felice. Poi lui aveva fatto il possibile, i figli bene o male erano diventati grandi e alla fine, com'è giusto, uno per volta erano andati per la loro strada. Una buona strada, gli pareva. Ma chi può dirlo?

Non può dirsi fortunato un uomo fino alla fine della sua vita… Dov'era che l'aveva letto?

Parte terza
Ceiling Theory

Capitolo primo

Estati a Bristol

Sessantaquattro chiamate perse, ventidue sms, sua madre.

Una chiamata persa al giorno, suo padre, quasi tutti i giorni alla stessa ora, verso cena.

Zia Giu una decina di tentativi il primo giorno, cinque il secondo e due o tre il terzo e quarto giorno, poi piú niente. Un unico sms, ma lungo, accorato.

Jeremy e Gheri solo qualche chiamata i primi due giorni. Nessun messaggio.

Quando Filippo Cantirami, qualche giorno dopo aver invaso il Balliol College con il gregge, aveva riacceso il cellulare, gli era piovuta addosso una caterva di segnali, messaggi e squilli che non finiva piú. Sommerso. Travolto.

Sorpreso? Sí. Evidentemente lo avevano saputo, delle pecore. Ma lui non riusciva proprio a immaginare come. Erano tante le cose che non poteva lontanamente immaginare: che la sua vecchia fidanzata Cami lo aveva visto, che i suoi erano partiti per cercarlo, che la zia era andata a trovarlo a Stanford e che lí a un caffè aveva casualmente incontrato Jeremy. Non sapeva niente, Fil.

E ora se ne stava sul ponte del traghetto, quel mattino, in piedi, controvento, a prendersi tutta l'aria addosso. L'unico lí fuori, in quell'alba livida, ancora buia, con quel freddo.

Era partito il 13 novembre. S'era fatto le valigie, aveva

salutato il Duca, Thomas, e se n'era andato. Il suo era un viaggio lungo, ci sarebbero voluti quattro o cinque giorni. Ma ora che era su quel piccolo traghetto semideserto, si sentiva quasi arrivato. Era l'ultima tappa. Ancora un giorno e una notte, e sarebbe giunto a destinazione.

Gli dispiaceva.

Gli dispiaceva enormemente aver creato quel trambusto. Mai avrebbe voluto disturbare tutti a quel modo, i suoi genitori in primo luogo. Si rendeva conto di cosa voleva dire, per una madre e un padre, perdere i contatti con il figlio. Di tutti i messaggini che al volo aveva scorso in fretta in un'unica, rapidissima occhiata, gliene era rimasto impresso uno, di sua madre. Uno degli ultimi, conciso:

Fil!!! Vuoi farmi morire?

Lo aveva colpito in pieno. Con quei tre punti esclamativi che non erano da lei. Non li usava mai. Era un modo disperato di chiamarlo, ovvio, di lanciare il suo nome forte, sfidando la distanza. E poi quella domanda... Retorica, d'accordo, sua madre era sempre cosí esagerata. Ma c'era un po' di vero: sparendo, ingannandola, lui le aveva inferto un colpo mortale. L'ultima cosa che voleva nella vita era fare del male a sua madre...

Ma come avrebbe potuto far diverso?

Aveva pensato di chiamarla, certo. A vedere tutto quel diluvio di chiamate e sms, era stato il suo primo pensiero, il piú naturale. Ma lo aveva ricacciato subito indietro. Cosa avrebbe detto, come avrebbe spiegato, e cosa poi? Quindi, aveva fatto l'unico gesto che poteva fare: aveva spento il telefono all'istante.

Naturalmente lo avevano richiamato tutti subito, perché tutti avevano ricevuto l'avviso automatico che arriva quando l'utente riaccende: *Il numero da lei chiamato è ora disponibile*. Ma avevano trovato il solito, tristissimo, ipnotico messaggio vocale.

Fino a che non fosse arrivato dove doveva arrivare, non

avrebbe piú riacceso. Ci avrebbe pensato poi. Poi. Intanto i suoi lo avrebbero capito che non era vero: lui *non* era disponibile. Non ancora.

Aveva bisogno d'altro tempo. Non tantissimo, un po': il tempo di quel viaggio. Che aveva deciso di fare non in aereo. Non voleva piú aver fretta, andar veloce. L'aereo ti sposta, ti cambia di luogo che manco te ne accorgi, non ti dà modo di capire, di renderti conto, di sentirla dentro di te, la vita che ti passa. Lui voleva accorgersene, invece, della vita. Erano troppo belle le ore lunghe. Non saper che fare, mettersi su un sedile, distendere le gambe, chiudere gli occhi. O tenerli aperti a guardare la gente, leggere, camminare un po', andare fuori, fumarsi una sigaretta, prendere qualcosa al bar. Le sale d'attesa. La bellezza estenuante delle sale d'attesa. Oh, se la vita fosse questo: una gigantesca sala dove aspetti, e intanto giri, e fai, e pensi. E il tempo passa, e tu te lo prendi.

Fil se l'era ripreso, se l'era guadagnato, e ora lo voleva *sentire*, il tempo che trascorre, sentirlo *mentre* trascorre, coglierlo sul fatto, minuto per minuto. Voleva la lentezza, adesso. Ci aveva messo ventotto anni, la sua vita intera, ad accorgersi di che pasta era fatto. Ma ci era arrivato. Fino al gran finale delle pecore nel college. Da lí, tutto era diventato chiaro. Gli era diventata chiara la sua vita, la vita futura tutta insieme, fino alla fine dei suoi giorni. Allora aveva fatto quel che finalmente, senza piú fingere, poteva fare: era partito. Aveva preso treni, autobus, battelli. Ed ora era su quel piccolo traghetto quasi vuoto, all'alba, in mezzo a un mare verde scuro, teso, metallico.

Quando glielo avevano sottratto, il tempo? Chi era stato? Perché non aveva protestato? Dov'era, lui, quando gli facevano questo? Davvero possono passare anni, può passare tutta la giovinezza, la nostra vita intera addirittura, senza che ci rendiamo conto? Può succedere, una cosa simile?

Le estati a Bristol. Forse era tutto cominciato lí. Sí, forse era cosí. Le estati a Bristol.

Capitolo secondo
Scogli

L'uomo è un animale sociale. Cosí è stato autorevolmente detto, e non vi sono ragioni per sostenere il contrario.

A quei tempi era piú vero che mai: l'umanità s'era convinta che la fitta rete di relazioni interpersonali fosse il fulcro dell'esistenza stessa sulla Terra, che non ci potesse essere miglior modo di vivere che star connessi l'un l'altro sempre, a tutte le ore del giorno, tutti i giorni dell'anno, nonostante le distanze geografiche. Si viveva per connettersi e ci si connetteva per vivere, in un certo senso. Le gigantesche, sorprendenti e velocissime innovazioni tecnologiche che allora, nell'arco di pochi anni, avevano completamente trasformato la vita quotidiana della stragrande maggioranza delle persone, avevano notevolmente contribuito ad alimentare tale convinzione.

Era in atto, insomma, una vera e propria ridda esagitata di frequentazioni elettroniche tutto in giro per il pianeta: contatti, dialoghi, messaggi, post, link, tweet. Un incessante chiacchierio virtuale che produceva esaltati entusiasmi e prendeva ad ognuno, si può ben capire, una non indifferente quantità di tempo giornaliero. Si navigava in rete, e poco altro. Tutti, comunque e in ogni dove: al computer o al cellulare, in casa o in ufficio o all'aperto, poco importava.

La conseguenza fu che vennero messi un po' da parte quei mondi mentali, quei puri luoghi dello spirito, della riflessione ovvero della speculazione squisitamente teoretica, che da sempre traggono giovamento proprio da ciò che è opposto all'orgia di relazioni, e cioè dalla solitudine e dall'assenza d'ogni contatto o distrazione che possa interrompere la concentrazione. Mondi mentali che, essendo sempre esistiti, continuarono anche allora a esistere, ma furono un pochino accantonati, relegati in certi spazietti esigui, marginali e bui. Permanevano codesti mondi, ebbene sí, affermando in tal maniera una loro tenace eternità, ma ridotti, e appartati: sembravano scogli, per cosí dire. Piccoli isolotti scogliosi. Per dirla in altro modo, chi amava stare solo, isolato e fermo, continuò a farlo: come uno scoglio, appunto, in mezzo alla capricciosa variabilità del mare, ora impetuoso ora calmo.

Uno di questi scogli era Fil. Ed essere scoglio in tempi in cui gli altri erano onde tumultuose non era facile.

Quando lo mandano la prima volta a studiare all'estero, Fil sta per compiere dodici anni e non ci vuole andare, perché ha altri programmi: finire di costruire un grosso camion con dei pezzi di latta e di legno. È questa la sua prima, pallida ribellione, che se ne rimane tacita a covare sotto la cenere di un fuoco che nessuno vede, neanche lui. Quindi ci va, a studiare all'estero, perché gli costerebbe troppo fare opposizione, troppo disagio, dolore anche. Ci va interiormente recalcitrando, solo interiormente. È estate, ha due mesi di vacanza pura davanti, e non vorrebbe altro che rimanere in campagna dai nonni dove il tempo è eterno e le giornate non passano, cosí ce la potrebbe fare a finire il camion. Invece un mese all'estero gli interrompe il lavoro, gli toglie quel tempo vuoto che sarebbe necessario a costruire, e gli dà un tempo pieno di qualcosa di cui non gli importa niente.

Lo mandano a Bristol. Lí vicino c'è il mare, gli fa sua madre, puoi fare anche un po' di vela. Lui non dice niente. Cosa può dire? Sono tutti cosí contenti. Sente sua madre che lo annuncia al telefono alle amiche: «Quest'anno lo mandiamo a Bristol, cosí studia un po' d'inglese». E si gonfia mentre lo dice (Filippo riconosce quando sua madre si gonfia). Non gli dispiace che sia fiera di lui, ma non capisce perché il fatto di andare un mese a Bristol la renda cosí fiera di lui. A suo parere dovrebbe esser fiera del camion, molto piú fiera del camion.

Naturalmente non lo finisce, il camion, neanche l'estate dopo. Passa tutto l'inverno a sognare di finirlo, ma quando torna in campagna dai nonni non ritrova piú nemmeno i pezzi. Hanno ripulito la legnaia ed evidentemente non hanno ritenuto che quell'ammasso di latta e legname potesse mai servire a qualcosa, tantomeno che fosse un inizio di camion. Buttato via tutto, insieme al resto dei rottami sparsi.

Ogni tanto qualcuno gli chiede perché gli piacciano tanto i camion. Che ne sa lui del perché? Gli piacciono e basta. Perché sono grossi e pesanti, risponde. Perché vanno cosí lenti che possono sembrare quasi fermi. Per questo gli piacciono, perché sembrano fermi. Anche se trova strano dover sempre spiegare tutto.

Ci va sette volte consecutive, a Bristol. Sempre interiormente recalcitrando. Sempre ospite presso una famiglia, perché tra l'opzione «college» e l'opzione «famiglia» i suoi scelgono la seconda: dicono che s'impara di piú abitando con dei veri inglesi. A scuola si va sei ore al giorno, quattro al mattino e due al pomeriggio. Il resto sono sport e gite. Football, tennis, piscina, cavallo, golf. Cattedrali gotiche, college, campagna inglese, qualche pub.

Di famiglie, in sette anni, gliene capitano di tutti i tipi. Famiglie che lo ignorano con eleganza e gentilezza, famiglie che lo viziano come un figlio, famiglie che lo trattano come una pezza da piedi, famiglie che non parlano inglese e spesso non parlano proprio per niente e prendono studenti solo per raggranellare un po' di soldi, famiglie che non si fanno mai vedere ma alle cinque del pomeriggio gli lasciano sul tavolo della cucina una coscia di pollo bollita, tenuta al caldo tra due piatti.

234

Ha modo, insomma, di esperire un discreto numero di varianti della modalità «famiglia», nonché di comprovare che il buono o cattivo esito di tali esperienze si lega a una sola e determinante variabile: la famiglia, appunto, in cui vai a capitare. Matura una specie di sua personale filosofia secondo la quale nella vita ti capita quel che ti capita, e non importa, perché tanto poi alla fine tutto passa, e comunque non muori. Anche perché c'è sempre qualcosa che si salva. Il mare per esempio da quelle parti era come diceva sua madre: cosí bello...

La cosa buona è che comincia ad annotare pensieri, famiglia dopo famiglia, su un bloc-notes che porta sempre con sé. Gli parte questa abitudine. Ovunque si trovi e qualsiasi cosa faccia, Fil si ferma un momento a scrivere quel che gli capita di fare o di pensare. Gli piace. Pensa che cosí nulla andrà mai perduto. E infatti, se non proprio tutto, almeno molto si è salvato.

Naturalmente non ha mai detto ai suoi che in quel mese all'estero d'estate non ha imparato l'inglese come credono loro, né che la maggior parte delle famiglie, dove i suoi lo hanno mandato perché stesse a contatto con dei veri inglesi, non erano affatto inglesi. Perché mai deluderli?

Il vero problema sono i camion. Ma Filippo è un ragazzo paziente, pensa che un giorno, prima o poi, ce la farà a costruirne uno.

Quando Fil arriva alla mitica London School of Economics, è l'autunno del 2006. Sono passati cinque anni dall'ultima estate a Bristol, Fil ha appena compiuto ventitre anni e non si può dire che si trovi benissimo a Londra. All'inizio, potesse, tornerebbe volentieri indietro. Prenderebbe il primo aereo, o treno, o passaggio in auto, o tir. Il primo tir che si ferma, per esempio.

Piú che altro si chiede cos'è venuto a fare lí. Per carità, gli era parsa una cosa buona, e soprattutto naturale,

studiare alla LSE dopo la Bocconi, naturalissima. Un po'
com'era stato scegliere Economia: una di quelle scelte che
non è nemmeno il caso di fare perché tanto è già stata fatta e che poi si rivela, miracolosamente, proprio la scelta
giusta, che va bene per te. Inoltre, a chi non piacerebbe
vedere posti nuovi, farsi amici di tutto il mondo, vivere
per conto proprio fuori casa, studiare in una città come
Londra (Londra!), e poi magari andare negli States? Anche solo dirlo, quando incontri un vecchio amico: Tu cosa
fai? Studio a Londra…

È un privilegio, Fil lo sa bene. Ma gli capita spesso
questa cosa spiacevole di chiedersi perché. Non che abbia
dei dubbi, no: si fa solo qualche domanda. Ad esempio si
chiede perché è finito lí. Fil – ma soltanto all'inizio, poi
gli passa – fa questo errore di chiedersi perché uno come
lui deve prendersi quel mal di pancia di lasciare la casa, e
la famiglia, e la città dov'è nato e dove poteva benissimo
continuare a vivere, normalmente, facendo le sue cose, bene, senza strafare, senza inventarsi chissà ch…

Fil ha una sua idea molto semplice. Secondo lui quando nasciamo, ognuno viene buttato in una corrente, e di
conseguenza si sente subito molto… travolto, molto in
balia di una forza oscura. Annaspa, ha paura di annegare,
trascinato com'è da una specie di acqua vorticosa che lo
sospinge e lo ammassa insieme a mobili, arbusti, tronchi
galleggianti… Fil la chiama «corrente della vita», questa
cosa oscura. Poi però crescendo, secondo lui succede che
ognuno si costruisce un riparo come può.

E qui per riparo Fil intende qualcosa di molto complicato: non solo avere una casa e una famiglia, ma delle abitudini, delle cose che tu fai sempre uguali e che ti fanno,
appunto, da riparo: per esempio andare sempre nello stesso bar, o dare da mangiare al gatto sempre alla stessa ora e
nella stessa ciotola, quella un po' sbeccata, o scostare piano
il tendone della doccia che è troppo pesante e vecchio…
Ecco, la pesantezza unica di quel tendone vecchio di casa

236

tua, che è cosí solo a casa tua... Quelle banalissime cose... *familiari*. Cioè le cose che *diventano* familiari con il passar del tempo, ecco, cioè solo *perché* è passato del tempo. Vuol dire tana. Vuol dire costruirsi la propria tana, questo. È architettura. Cosí pensa Fil. Arte della costruzione, mattone per mattone.

Fil pensa questo. E pensa che, invece, andare a studiare all'estero è venir sbattuti di nuovo in mezzo alla corrente e trascinati via. Via le abitudini. Via la tana. Studiare all'estero ti spazza via la tana. Poi certo che uno se la ricostruisce, ci mancherebbe... Solo che ci vuole tempo, e in quei due o tre anni che stai all'estero non ce la fai, non ti basta, riesci al massimo a tirar su un inizio di tana, un'impalcatura, una trave; poi quando sei a buon punto è già il momento che te ne devi andare, e allora è tutto da ricominciare, e chissà dove ti sbatte adesso la corrente.

Ma queste cose Fil non le dice a nessuno. E come può? Lo prenderebbero per un vecchio, uno che se ne vuole solo stare a casa tranquillo invece di andare a conoscere il mondo e fare esperienza. Non ci prova neanche, non è mica matto.

Una volta, aveva quattordici anni, era con la sua prima fidanzata al mare. Se ne stavano tutto il giorno sulla sdraio. Prendevano il sole, parlottavano, si baciavano. Andava tutto bene, ma poi una sera sua madre gli aveva detto: «Mi sembrate due vecchietti, tu e Martina. Possibile che ve ne stiate sempre seduti? Non potete fare uno sport, affittare una tavola, un gommone, vedere gli amici, andare a ballare...?» Due vecchietti... Per questo Fil non ci prova neanche piú a dire che a lui andrebbe bene star fermo, che lui è fatto cosí. Ha imparato. E ha deciso. Ha deciso di assecondare, nella vita. Assecondare! Dire di sí. Niente fatica per lui, niente dolore per gli altri. C'è un prezzo? Sí, certo che c'è, un prezzo: la verità. Non sei piú vero, sei un altro. Dissuoni da te stesso, si può dire? Sei dissonante. Ma poi, esiste un te stesso?

237

D'accordo, il camion dai nonni non l'ha poi costruito mai. E allora? E allora una salvezza c'è: ti sdoppi. Il te stesso finto, quello che vogliono gli altri, va dove vogliono gli altri. E il te stesso vero lasci che vada dove vuole. Lui sí. Dove vuole! È semplice. Uno va a Bristol, va a Londra... E l'altro invece parte, prende un treno, un traghetto, una moto...

E allora a Londra Fil dice a tutti quel che tutti si aspettano: che è contento, che va tutto bene. Anche perché, poi, non è cosí tragica. In fondo si sente solo un po' spaesato. Ma anche lí, spaesato, che razza di parola è? Senza paese? Sí, gli manca un po' sua madre, le abitudini... la cosiddetta tana. Ma può dirla una cosa simile? Può un ragazzo di ventitre anni, a Londra per un master nella mitica LSE, dire che gli manca la tana, che gli manca la mamma? No che non può.

Infatti, Fil non dice niente. Impara. Impara a dire che sta benissimo, che è felicissimo, che ha un sacchissimo di amici straordinari, che fa cose interessantissime. Tutto al superlativo. A volte esagera, inventa parole che non esistono: strabiliantissimo, a postissimo, okayssimo. E alla fine diventa tutto anche un po' vero. Diventa che lui davvero si trova bene a Londra, benissimo.

In effetti, essere proprio in quel periodo uno studente di Economia, e a Londra per giunta, alla LSE, nel cuore della City, non fa certo schifo, anzi... C'è il lavoro con Jeremy, l'algoritmo delle bolle, i loro studi, gli amici, i compagni di corso, tutta gente in gamba, un bel gruppetto quello della LSE, ragazzi di ogni parte del mondo che sognano di occuparsi di management, governance, finanza internazionale. E poi c'è Londra! Londra è una città cosí cangiante, mobile. Ad ogni angolo diversa: moderna, antica, caotica, silente, misteriosa, ciarlatana, rozza, elegante. E Fil ha quell'appartamentino con giardinetto che gli affittano i suoi, dove invitare gli amici. A Marylebone, un quartiere cosí intrigante... Fil impara persino a pronunciare bene il

238

nome, mangiandoselo mezzo, come solo i londinesi sanno. Impara a dirlo da londinese puro, *Merlbone*, o giú di lí. Si dà un sacco di arie a pronunciarlo a quel modo. Poi la sera con gli amici prendono qualcosa al take-away thailandese, stanno a parlare tutta la notte, magari fuori, in giardino, col giaccone imbottito e la luna, o si va tutti a bere birra, per esempio al Rabbit and Child.

E poi, ha una ragazza.

La incontra subito. Appena arrivato, le prime settimane. Si chiama Angelica. Angelica Shauner. Una ragazzina dai capelli ramati e le lentiggini, che frequenta l'ultimo anno del liceo lí a Londra. Anche se fa freddo in quell'autunno, esce con certi vestitini a fiori attillati e una catenina con i cuoricini alla caviglia destra, nuda, senza calze. Minuta che assomiglia a un elfo. Sembra uscita da un libro delle favole. L'anno dopo vuole iscriversi a Ingegneria aerospaziale. – Ti porterò con me su Marte! – dice a Fil. Con quel sorriso.

Insomma, a parte proprio solo l'inizio, il primo trimestre a Londra non è niente male. Fil studia come un matto, segue conferenze, seminari, passa test, prepara paper e vede Angelica.

E a Natale torna a casa, per le vacanze. C'è la cena di famiglia, poi va qualche giorno a sciare, passeggia con zia Giu. Quando riparte per Londra è sereno, trasparente. Riprende a studiare come un treno, passa tutte le prove, è tra i migliori.

In primavera accusa un po' di stanchezza, ma tutti gli dicono che è normale. Secondo lui si tratta di un'altra stanchezza, qualcosa di diverso dal solito, ma non sa spiegarsi meglio. Vorrebbe avere piú tempo, per discutere con Jeremy, per studiare certi libri dalla prima pagina all'ultima, non solo estratti, riassunti, schemi. Gli stanno venendo delle idee buone, anche piuttosto originali, ma è costretto a lasciarle lí sul nascere, appena abbozzate: deve dare altri esami, passare altri test, preparare altri paper, frequentare altri seminari. Deve rispondere alle mail, parlare su Skype, mandare sms.

Comincia a fare meno. Ogni giorno un po' meno. Spesso tiene spento il computer, per esempio, o il cellulare. Poi, ogni volta che riaccende gli viene giú una scarica di sms e mail da rimanerci secco. Allora deve mettersi a rispondere, richiamare, inventare ragioni, chiedere scusa. Gli costa ancora piú fatica e tempo, lo chiama il prezzo: il prezzo che paghi per tener staccato.

Il brutto è con i docenti, quando deve chiedere un appuntamento, magari per farsi rispiegare qualche pezzo di lezione o annotarsi una bibliografia. Gli appuntamenti si chiedono per e-mail, funziona cosí. Solo che lui non guarda la posta di continuo, quindi ogni tanto capita che si perda la risposta del docente. Magari legge la mail alle dieci di sera, e c'era scritto di trovarsi in un certo posto alle due del pomeriggio. L'appuntamento *era* alle due. *Sarebbe stato* alle due. E si mangia i pugni. Ogni volta cerca di starci attento, ma è piú forte di lui: chiude, si dimentica, non riapre, riapre quando gli pare, quando si ricorda.

Non solo i professori. Fil si perde anche un mucchio di amici, con questa storia che lui non legge la posta o non guarda il cellulare. Non sempre, questo è il punto: non è assiduo. Assiduo è l'aggettivo giusto. Cioè non vive a computer e cellulare accesi 24 ore su 24. Non lo fa apposta. È preso da altro durante la giornata, non ha la pazienza di farsi interrompere dai messaggini, solo questo. – Mi interrompono quel che sto facendo, – dice. – Ma si può sapere cosa stai facendo? – gli chiedono, e lui scrolla le spalle: deve proprio dire quel che sta facendo, è necessario? Fa altro, possibile che sia cosí inconcepibile? È inconcepibile. Oppure fa anche niente. Oppure *non* ha voglia di aprire tutto quell'ambaradan di mail, Twitter, Skype e il resto. Gli pesa. Vuole stare leggero. Può capitare, no, di non aver voglia? Fa parte, farebbe parte, della libertà personale quotidiana, decidere se vuoi aprire la posta o no.

Invece no. C'è sempre quest'idea che se non apri il computer ti perdi tutto. Non ti è concesso stare scollegato. Se lo fai, manchi gli agganci. E senza agganci non sei nessuno. Diventi inesistente, uno che non c'è.

– Ma controlla 'ste cazzo di mail! – gli dicono i compagni. Secondo loro l'errore è suo, e sarebbe anche facile correggerlo, basterebbe un minimo d'impegno.

Fil invece s'intestardisce. Ne fa un punto d'onore. – Non posso mica vivere davanti al computer, – dice, – tenerlo acceso anche quando vado al cesso. Cosa devo fare, attaccarmelo al collo?

– E un BlackBerry? Ehi, cervellone, non ci hai mai pensato? Devi fare sempre l'originale? – lo sfottono.

Per Fil non è questione di originalità. Non la vuole l'originalità, lui. Potesse confondersi con il grigio della nebbia uniforme e indistinto, lo farebbe. Vuole solo non avere la catena di star sempre lí attaccato a chi ti scrive, chi ti risponde, cosa ti dice, dove ci si vede, quando, perché... Com'è che gli altri non la sentono, la catena?

Cosí, si perde anche Angelica Shauner. E questo è un brutto colpo. Dura sei mesi la storia con Angelica. Molto meno di quanto era normale immaginare, visti i propositi «spaziali» con cui lei, futura studentessa di Ingegneria aerospaziale, era partita.

Fil la portava al mare qualche volta nel weekend, in un bed and breakfast sulle scogliere della Cornovaglia. Ma in settimana si vedevano poco perché lui aveva da studiare. E lei gli mandava una pioggia di sms. Di continuo, anche dieci al giorno. Per questo dura solo sei mesi. Povera Angelica, ha anche ragione: cos'altro può fare? Ma anche povero Fil, vive con l'incubo del segnale acustico che annuncia il messaggino. Inutile anche mettere la modalità silenzioso: l'aggeggio gli s'illumina sotto gli occhi. E ronza sul legno della scrivania. Allora se lo ficca in tasca, ma il dannato si mette a vibrare e lui si sente quel tremore sordo fin nelle ossa. Un inferno. Il piú delle volte risponde, anche solo per farlo smettere. Con le dita svelte digita qualche mezza sillaba di risposta. Ma non ne ha voglia, e comunque non basta mai. Lei gli manda dei poemi di sms. Una roba che schianterebbe un bisonte. Magari Fil è lí che s'impegna su un pensiero, a leggere un articolo, o è a lezione. O sente musica. Oppure è semplicemente sull'autobus a pensare agli affari suoi, o al supermercato a comprarsi i biscotti per la colazione e sta scegliendo meticolosamente tra i tanti tipi, quelli con le gocce di cioccolato, con nocciole e lamponi, con crema alla vaniglia e pistacchio. Insomma, è concentrato su una certa cosa, non importa quale. È *concentrato*. E lo vuole rimanere, santiddio! È cosí difficile? Sí. È difficile. La gente vive in una specie di festa virtuale collettiva no-stop, tutti insieme stretti e connessi l'un l'altro, al di là delle differenze e delle distanze. È il sogno della democrazia totale, un sogno lungo millenni che finalmente si realizza. Come diavolo fai a tenerti fuori dal *global dream*?

Cosí, dopo quei sei mesetti circa di bed and breakfast, scogliere a strapiombo, seratine a lume di candela e migliaia e migliaia di sms che Fil lascia cadere nel vuoto, Angelica ne ha abbastanza: la bellissima astronave spaziale modello elfo lo lascia. Con il seguente sms:

It was fun Fil. It's ova, whateva. Lets be friends 4eva.

Seguito dal seguente faccino-icona sorridente per traverso:

:)

Intanto in Italia i genitori di Fil sono abbastanza all'oscuro di come si svolge la vita del figlio. Ne hanno, per cosí dire, un'infarinatura leggera, e perlopiú sbagliata: sanno quel che dice loro Fil, cioè che è contentissimo e che va tutto benissimo. Ma che cosa sia poi esattamente, quel tutto, lo ignorano.

A loro basta che il figlio studi all'estero, questo li rende paghi, li fa sentire con la coscienza a posto e con le carte (sociali) in regola.

Allora era cosí: i genitori (di un certo ceto sociale) si sentivano bene solo se i figli andavano a studiare all'estero, possibilmente in altri continenti. Allo stesso modo anche i figli (di un certo ceto sociale) si sentivano bene solo se andavano a studiare all'estero, almeno qualche mese, almeno a qualche centinaio di chilometri di distanza.

Il fatto è che il mondo, di colpo, era diventato grande. O, per meglio dire, la gente s'era accorta che era grande. Si cercava in quegli anni di allargare i confini, anzi, di eliminarli. Si aveva un'idea piú «larga» dei popoli e delle nazioni, che coincideva con la globalità e l'interplanetarietà.

Si cominciò pertanto a pensare che muoversi era tutto. Il valore di un essere umano iniziò a misurarsi in massima parte proprio dalle estensioni geografiche che nella vita riusciva a coprire: dal chilometraggio, in un certo qual senso. I giovani in particolare venivano giudicati a seconda di quanto piú si esponessero al lontano e al diverso. Il che complessivamente veniva riassunto nel concetto del «fare esperienza». Il giovane piú meritevole (andavano anche molto di moda le parole merito e meritocrazia) era un giovane capace di stare almeno un anno in Perú, per esempio, a studiare Ingegneria cavalcando lama.

C'era qualcosa di sbagliato in tutto questo? Certo di costrittivo sí, come a dire: caro ragazzo, liberissimo di non andare all'estero, però se non ci vai, il nostro giudizio su di te peggiora e il punteggio che ti daremo non sarà dei piú alti. Inoltre, a voler essere pignoli, veniva a perdere un po' valore, per forza di cose, una particolare forma di esperienza che era l'esperienza interiore, ovvero quella capacità, tutta invisibile e... molto immobile, di esperire dentro di sé il significato stesso dell'esistenza, senza bisogno di andare a sbattersi in giro qua e là per il pianeta: si trattava di qualcosa di cosí invisibile e immobile che ovviamente non poteva essere misurato né valutato con un adeguato punteggio. E quindi veniva ignorato.

Il fatto è che si ragionava a punteggi, allora. E non solo all'università. Era iniziata una strana stagione della Storia, dove tutto doveva essere «oggettivamente misurato», e quindi valutato secondo certe tabelle internazionali. Si lavorò molto a queste griglie di valutazione, veri e propri schemi o gabbie, arrivando a edificare una macchina burocratica veramente impressionante. L'incubo di uno dei piú grandi sociologi europei di fine Ottocento si avverava: Max Weber. Secondo lui il capitalismo, a forza di burocrazia, sarebbe presto diventato una gabbia d'acciaio. Aveva detto proprio cosí: una gabbia d'acciaio…

Va da sé che alcune esperienze venivano fatte dai giovani al solo scopo che fossero opportunamente riportate in un curriculum. Questo finí col distorcere non poco il senso stesso dell'esperienza, cioè, in poche parole, della vita umana in sé. Erano le normali e inevitabili conseguenze di quella, come dire?, compulsione allo studio estero, che all'inizio del terzo millennio divampò nella vecchia Europa.

Comunque, alle famiglie privilegiate, come dicevamo, andava benissimo.

Per questo, quando Fil approda a Londra, i suoi genitori sono contenti: hanno un figlio che è esattamente dove deve essere e fa esattamente quel che è bene faccia.

Certo, Nisina patisce un po' che torni cosí poco a casa. Ovvio che non può essere come quando studiava a Milano, però secondo lei cosí è esagerato, Fil torna troppo poco. Sostiene che viaggiare lo distrae. E lei è sempre lí a dirgli che sbaglia, che l'aereo ci mette solo un paio d'ore, che sarebbe anche un modo di svariarsi un po', cos'è mai quel suo vivere attaccato ai libri, e che insomma, può ben studiare in viaggio, se proprio ci tiene…

A lei basterebbe vederlo una volta al mese: prepararglì la vecchia stanza, fargli trovare qualche vestito nuovo nell'armadio, cucinare qualche piatto sfizioso.

Cosí, quando arriva l'estate e Fil torna finalmente a casa, la famiglia organizza una grande festa, cioè una grande cena di famiglia. E c'è l'increscioso episodio della cartella di cuoio. Niente di grave, solo un tassello in piú. A cena tutti gentili e cari, a rimpinzarlo di manicaretti, a chiedergli come si trova a Londra, come vanno gli esami, cosa fa di bello e cosa farà di ancor piú bello nei prossimi mesi, nei prossimi anni. Tutto perfetto. Quand'ecco che i suoi gli consegnano un regalo, cosí, per festeggiare la fine del suo primo anno di master: una cartella in cuoio martellato, color antracite con le chiusure in acciaio. Bella, un bellissimo oggetto. Anche di gran marca.

– Per le tue prossime riunioni di lavoro, dottor Cantirami! – gli dicono, ridendo, i genitori.

Doveva essere una battuta affettuosa. Fil non dice niente, ringrazia. Rimane cupo tutta la sera. C'è qualcosa che non gli suona: «dottor Cantirami», «riunioni di lavoro»...

Ma a chi può dirlo? E come spiegarlo? E dove fuggire? E per andare a fare cosa?

Capitolo terzo
L'uomo che pescava le foglie

C'è una persona, a un certo punto.

C'è sempre una persona che a un certo punto, magari senza volerlo, dirige la nostra vita, le fa prendere una piega piuttosto che un'altra. Soprattutto quando siamo giovani. Può essere qualcuno di molto vicino, o anche un estraneo. Qualcuno che ci vive sempre accanto o che vediamo una volta sola ma in un modo cosí intenso che ci lascia il segno. Non si può dire. In ogni caso è una persona che noi chiameremo maestro, anche se di fatto non ci avrà insegnato niente.

A Fil capita allora, all'imbocco del secondo anno londinese. Autunno 2007, c'è appena stato il disastro dei mutui *subprime*, l'inizio di una delle piú grandi crisi economiche del mondo occidentale. Fil torna a Londra e si butta a capofitto nello studio. Ma non è piú lui. Jeremy glielo dice, gli chiede cosa gli stia capitando. Ogni tanto vanno a farsi una bevuta come al solito, ma non gira piú allo stesso modo. Fil è entrato in una sua nuvola d'irrequietezza, non sta mai bene dov'è. Sembra morso da una tarantola.

Sei mesi prima si è comprato una moto. La usa per andarsene nei boschi. Ad esempio la domenica, invece di annegare in quel suo studiare cupo, convulso. I boschi non sono vicino a casa, deve fare una bella quantità di chilometri per trovarsi fuori, in un altro mondo: grandi alberi umidi di muschio, odor di terra, brughiera, le foglie che s'impastano al suolo e diventano una poltiglia sola. Gli piace, ci affonda morbido coi piedi, vuol dire che non è vero che le foglie muoiono: diventano. Lo rallegra un pensiero del genere, che le cose cambino, che ci voglia tempo ma poi si trasformano. È bello che il tempo non sia poi cosí breve, dobbiamo solo metterci noi uno sguardo lungo, sulle cose. Credere in questo gli piace, lo ripaga delle sue giornate zeppe, senza respiro.

A volte si spinge verso Oxford, va oltre e si ritrova in una zona meno piana, con vallette, radure, montagnole e ruscelletti. Sembra un po' com'è dalle sue parti, ai piedi delle Alpi, in certe valli strette che riposano sul fondo in mezzo a rocce, nevi, vette che paiono invalicabili anche all'occhio, pietraie che ti si ergono davanti, e tu lí sotto, piccolo come un cerbiatto, un capriolo.

È lí che una domenica incontra Malmecca.

C'è una grande casa a un certo punto, un po' nascosta da alberi secolari: una villa di campagna del Settecento o giú di lí. Abbandonata, mezza in rovina, i mattoni rosso cupo sbrecciati, il tetto andato, verdastro di muschio. Intorno è un deserto incolto: erbacce, vecchi tronchi abbattuti, legname sparso, rovi. Fil ci passa tutte le volte, è una specie di punto di riferimento: se è piú stanco, si ferma lí e poi torna indietro; se si sente in forze, va avanti anche il doppio della strada. La chiama la Casa Rosa perché, nei punti dove l'intonaco ha resistito, si vede che i muri erano rosa.

Una di quelle domeniche vede un uomo seduto sull'ultimo gradino, rannicchiato come se avesse un male. Guarda avanti a sé, immobile. Porta una giacca frusta tra il verde e il marrone, che si confonde con la terra. Fil lo saluta, gli dice buona domenica. L'uomo muove il capo, a fargli segno che può mettersi su quello stesso gradino. Fil vede che poco discosto, piantata nel terreno, c'è una canna da pesca.

– Viene spesso da queste parti? – gli chiede.

– Abito qui.

– Qui in questa casa? Credevo fosse disabitata…

– Un po' sí e un po' no.

Gli risponde in italiano. È italiano. Un caso. Quante

probabilità aveva, Fil, di trovare un italiano in mezzo a quei boschi? Gli chiede da dove viene esattamente. Dal centro, risponde. Centro Italia, pensa Fil, o centro di cosa? È un uomo di poche parole. Alto, asciutto. Una sessantina d'anni, forse meno. I capelli scuri ancora folti, corti, divisi da una perfetta riga laterale. Quando ride, gli compare una cornice concentrica di rughe sulle guance. Sembrano i cerchi che si disegnano sull'acqua, un momento, poi il lago torna liscio.

– Certe case non si fanno abitare, – aggiunge. E la cornice gli si disegna per un istante. Poi si rimette a guardare dritto, senza dire piú nulla.

Fil non sa se andarsene o restare. Gli sembra che, se resta, deve dire qualcosa per riempire quel silenzio.

– Abita qui da tanto? – comincia.

– Sí.

– Passo quasi ogni domenica, strano non averla mai vista.

– Vengo di rado.

C'è qualcosa, nelle sue brevi risposte, che non quadra col senso, come una sfasatura logica, un piccolo deragliamento. Come sarebbe che viene lí di rado se ha detto che ci abita?

– E… ci viene per…? – continua Fil, ma non sa cos'altro chiedere, in quale modo: lavorare o cosa? Cambia domanda: – E… come passa il tempo?

– È lui che passa, non io.

Risponde da pazzo, ma Fil lo vede che non è pazzo. È un uomo con un segreto dentro. Ma se adesso lo riempisse di domande scapperebbe, chiaro. Quella canna da pesca piantata lí, per esempio… Non ci sono laghi, fiumi, torrenti. Quantomeno non nelle immediate vicinanze. Perché quell'uomo se ne sta seduto con una canna da pesca accanto?

– E… va spesso a pescare? – chiede Fil.

– Sí.

– Ah… E dove va di bello?

– Qui.

– Qui intorno?

– Qui dove siamo. Pesco le foglie.

Fil rimane interdetto, lui ride. E gli si apre ancora una raggiera intorno agli occhi:

– Va tutto bene, ragazzo, hai solo sbagliato domanda: dovevi chiedermi non dove pesco ma cosa pesco.

Si fermano lí. Quell'uomo a Fil non ha fatto neanche una mezza domanda, non gli ha chiesto né chi sia né che cosa faccia. E cosí anche Fil non gli chiede altro, lo saluta e se ne torna a casa.

Lo rivede molte altre domeniche. Non tutte, perché è vero che quell'uomo non viene sempre; a volte Fil si avvicina alla casa, cerca un po' intorno ma di lui nessuna traccia.

Si chiama Malmecca, gli dice una volta. A Fil viene in mente l'isola davanti a Venezia, la Giudecca. Non gli chiede nemmeno se è il nome o il cognome. Malmecca. Tutto lí. Forse è ebreo.

La Casa Rosa è la casa della sua famiglia, ci ha vissuto ventiquattro anni con la moglie e i tre figli. Poi lei se n'è andata portandosi dietro i figli. E lui da allora abita in una camera in affitto giú in città, da solo. Ma abita anche nella Casa Rosa, in un certo senso. Si siede davanti e pesca le foglie. Dentro non ci è mai piú entrato, non ha neanche provato ad aprire la porta. Sta davanti e basta. Secondo lui, le case si possono abitare anche cosí: andando a trovarle ogni tanto. In questo modo loro non si sentono abbandonate e non se ne vanno. Perché – dice – le case possono anche andarsene se vogliono, si allontanano se sentono che noi ci siamo allontanati. Lui ha molto amato quella casa, ci è stato bene, lí ha costruito la sua vita. Quindi ora non vuole lasciarla andare, per questo la tiene legata a sé come con una corda, stando seduto lí davanti.

Tutte queste cose Fil le viene a sapere col tempo. Ci vogliono molte domeniche, perché quell'uomo parla poco. Ogni domenica una frase o due, non di piú. Cosí, mese dopo mese, Fil riesce a ricostruire la sua storia. Non tutta, solo qualche brandello. Per esempio sa che Malmecca è un medico. Un neurochirurgo, per l'esattezza. È stato primario di Neurochirurgia nel piú grande ospedale di Londra. Ma a un certo punto, dall'oggi al domani, ha lasciato e nessuno lo ha piú visto.

Un giorno Malmecca porta una seconda canna da pesca, la pianta vicino alla sua e dice a Fil:

– Questa è per te, quando vuoi proviamo.

Provano subito. Si tratta di questo: bisogna mettersi seduti sotto gli alberi, acquattati, fare attenzione ai colpi di vento, e agganciare una foglia nell'attimo prima che cada. La lenza infatti non finisce con un amo, ma con un gancio molto appuntito e arcuato, una specie di arpione in grado di acchiappare la foglia forandola. Si scaglia per aria la lenza e si pesca la foglia. Una cosa a metà tra il lazo per catturare un toro selvaggio e la pesca a mosca, quando si lancia la lenza sulla superficie di un torrente di montagna e si spera di prendere al volo una trota. Solo che lí non è né un toro né una trota, è una foglia.

C'è qualcosa d'infantile in quel gesto, sembra un gioco. Ma Malmecca lo fa con una serietà assoluta, e Fil cerca d'imitarlo. Per molte domeniche senza successo. La prima volta, però, è una gioia indescrivibile. La sua prima foglia pescata. È larga e gialla, e ha venature fitte parallele.

Malmecca se le mette tutte accanto per terra, le foglie pescate, e poi alla fine della giornata le raccoglie, le prende tra le braccia a cesto e con un gesto largo le lancia in aria, cosí gli ricadono ai piedi. Fil ha la faccia di uno che non capisce.

– Scusa, Malmecca, ma perché? Se le butti a terra non le salvi…

– Salvarle, ragazzo? Cosa ti salta in mente?

– E allora?

– E allora noi prendiamo la loro caduta. La afferriamo, la agganciamo…

– Che cosa agganciamo? – Fil annaspa.

– La loro caduta… Ci accorgiamo che cadono, ci facciamo… attenzione. È una questione di attenzione.

È vero, ogni volta la nota meglio, la cura che ci mette, l'amore con cui stacca ogni foglia dal gancio, come se la ripone vicino e la guarda. E con quale serietà poi le sparge tutte insieme al vento e le osserva ricadere a caso, alcune piú vicino, altre piú lontano. È un saluto. Saluta le foglie che muoiono. Le accompagna. Alle foglie non cambia niente, ma a loro due sí. C'è bisogno di spiegarla una cosa simile? No, non c'è bisogno.

Capitolo quarto
Rat race

Un giorno all'università lo convoca il tutor.

Le ultime prove non sono andate benissimo: troppe domande e troppo poco tempo, Fil ha fatto l'errore di pensare. S'è preso tutto quel tempo, e quel lusso, di pensare. Ha pensato troppo. E gli è mancato il tempo. Ha consegnato mezzo in bianco, ovvio. Non ne ha voluto parlare con nessuno, neanche con Jeremy, che invece ha consegnato tutto intero, bravo lui, chissà come fa. Ha solo protestato tra sé e sé. Se mi fai una domanda, lasciami il tempo di pensare, no? cos'è, una gara al cronometro? cosa vuoi da me, che capisca le cose, che ci pensi, o solo che sia veloce?

Ma non è questo. È che il tutor ha saputo la storia del poster, che lui non lo ha voluto fare, che si è staccato dagli altri. Ha saputo del tavolo addosso a Sheffield. E ora gli chiede a che punto è con gli studi. Lo sonda.

Fil allora gli parla delle sue ultime ricerche, delle idee che gli sono venute. È l'inizio del 2008. A settembre crollerà la Lehman Brothers. Il mondo è sottosopra, e lo sarà ancor di piú di lí a poco. Fil ha un suo punto di vista, preciso. Spiega al tutor che vuole lavorare sulle crisi dei mercati, che secondo lui il problema è riuscire a prevederle. Gli parla a lungo. Ci mette troppa enfasi, forse. Ma è tipico dei giovani infervorarsi, caricare le parole. Il fatto è che per lui si tratta sempre di salvare il mondo, non una riga di meno. Forse studia Economia per questo: per salvare il mondo.

Il tutor è un professore sui trentacinque anni. Porta un completo scuro, una cravatta stretta come una stringa, anche un po' unta, sembra viscida. E una camicia bianca, tirata sul petto. Dalle maniche gli escono dei polsini corti, pinzati da un paio di gemelli in smalto amaranto con al centro uno stemma dorato, tipo drago rampante. I capelli né lunghi né corti e la barba di qualche giorno, com'è di moda fra i trentenni. Guarda Fil ottusamente per tutto il tempo. Quando ha finito gli dice:

– Lei cos'ha pubblicato –. È una domanda, ma nella voce non c'è nessun punto interrogativo.

– Ma... niente... Non ancora.

– E cosa ha in mente di pubblicare.

– Ma... non ho ancora pensato...

– E cosa aspetta.

Il tutor s'informa sui mesi di master che ha già fatto, i suoi punteggi, i progetti futuri.

– E lei come pensa di andare avanti se non pubblica. Alla sua età. Alla sua età c'è gente qui che ha già tre-quattro articoli, fior di *referees* e riviste con *impact factor* elevatissimo.

Fil gli fissa i polsini, il drago dorato dei gemelli che si muove al movimento delle mani. Non sa cosa dire. Alla sua età... ma cosa gli sta dicendo? Alla sua età uno non si pone il problema dei *referees*, dell'*impact factor*... *Impact factor?* Ma cos'è? Ma perché?

Ne parla subito con Jeremy. È su di giri, pieno di rabbia.

– Ti rendi conto? – gli dice. – Importa solo quanto il tuo nome rimbalza, quanto riesci a farti citare da una parte all'altra del pianeta! Ting... tong... Ma cos'è, siamo palle da biliardo?

– Ma dai di testa o cosa? – Jeremy reagisce male, quasi urla. – È il nostro lavoro! Certo che ti devi sbattere! Devi pubblicare? E pubblica! Devi prendere un punteggio? E prendilo! Fai tutto quel che ti serve! È tanto difficile? Se vuoi far ricerca è cosí! Se vuoi farti solo gli affari tuoi, allora, be'… sta' fuori, vattene su un albero, o rinchiuditi da qualche parte, non lo so!

Jeremy è offeso. A Fil dispiace. Non vuole irritarlo, non vorrebbe mai. Smette di parlare, gli abbozza un mezzo sorriso. Ma Jeremy non sorride per niente:

– Non piacciono neanche a me questi discorsi, – gli dice risentito, triste. – Cosa credi? Anch'io preferirei chiudermi a studiare in biblioteca e basta. Ma se le regole son queste… Se per andare avanti bisogna far cosí… E poi… – fatica a tirar fuori il nocciolo, si vede che gli sta in gola. – E poi è molto comodo, Fil. È molto comodo… fare solo le cose che ti piace fare! Tu… te lo puoi permettere…

Fa una pausa. Aggrotta la fronte:

– Si vede che tu te lo puoi permettere. Io no…

Sono a casa di Fil, quella sera, quando si parlano cosí. Fil a quel punto esce nel suo pezzo di giardino, gli manca un po' l'aria. Sta lí in piedi a guardare avanti, le braccia poggiate sul muretto di confine. Jeremy lo raggiunge, gli chiede scusa. Fumano una sigaretta. La lucina del tabacco che brucia si accende a intermittenza, ora all'uno ora all'altro. Scusa tu, gli dice Fil. Non sa cos'altro dire. Lascia cadere il discorso.

Escono nella notte londinese, tesa, impaziente. Vanno a prendersi una birra, e si mettono a parlare dell'algoritmo, dei loro calcoli, delle loro nuove congetture. Ritrovano il piacere di stare insieme.

Poi Fil accompagna Jeremy a casa:

– Dài… magari un giorno ne facciamo un libro! Io e te, Jer, che ne dici? Ho in mente un grande affresco, un panorama storico del problema, un inquadramento filosofico… Un libro! Capisci, Jer? Un libro! Non un articoletto di quattro pagine…

– Un libro, Fil, sí… Ma non lo so… Un libro-libro adesso non lo vuole piú nessuno –. Qui Jeremy si blocca. Guarda l'amico, non sopporta di fargli tutto quel male.

– Va bene, Fil, va bene... forse un giorno ne faremo un libro... perché no?

Fil se ne torna a casa a piedi, lento. Fa apposta il giro lungo, passando per strade laterali, vicoli bui, stretti.

E quando arriva a casa scrive sul suo bloc-notes:

Sto studiando. Sono uno studente, sto facendo ricerca. Non siamo all'università per questo? E cosa vuol dire ricerca se non che uno è lí per... ricercare? Cercare in una spiaggia di chilometri il sassolino giusto, quell'unico che ha quella forma e quelle dimensioni, e quel colore e quelle striature... Perché mi fate fretta? Datemi tempo! Magari lo trovo al fondo della vita, quel sassolino, da vecchio... Che ne so? Lasciatemi studiare! Lasciatemi invecchiare!

Dopo l'incontro con il tutor, Fil comincia ad andare meno a lezione.

Non che gli eventi della vita siano sempre cosí strettamente correlati, ma diciamo che in quei mesi (che però erano proprio gli ultimi del master, i mesi cruciali) gli viene bene di allentare un po', con le lezioni.

Passeggia molto, e certi giorni invece non fa assolutamente niente, sta in camera a pensare.

Pensa alle sue questioni di teoria economica, ma anche parecchio ai genitori. A suo padre in particolare, perché vorrebbe parlarne un po' con lui delle sue delusioni, e difficoltà. Cioè, non sono esattamente delusioni e difficoltà. Non è deluso. Si sente pesante, piuttosto. Ma non sa in che modo prendere la cosa, che non sembri l'ammissione di un fallimento. Non vuole dire questo a suo padre, che ha fallito. Anche perché non ha fallito. Fallito cosa, poi? È un'altra cosa. Ma cosa? Forse suo padre gli manca e basta. Gli manca la sua presenza massiccia, rassicurante. È stato sempre cosí suo padre, per lui: un uomo grande e forte vicino al quale mettersi al riparo. Da bambino, per strada, gli bastava sentire la sua massa corporea al fianco, vedere la sua ombra sopra di lui. Era un po' come passeggiare dando la mano a un albero. Gli piaceva, gli faceva bene.

A volte basta niente, pensa Fil. Glielo scrive per e-mail, una sera che non riesce a studiare e fuori c'è una pioggia sottile che manco si vede. Una mail che poi non gli manda. La stampa e la conserva in una cartellina.

Gli era venuto in mente un episodio lontano. Suo padre lo aveva portato al mare. Era d'estate, una domenica. Loro due da soli, la mamma e Gheri quel giorno facevano altro. Avrà avuto dieci anni e non era mai stato una giornata intera solo con lui, lo stomaco gli era salito in gola dall'emozione: cos'avrebbero mai fatto di grandioso tutto quel tempo insieme? Non fecero niente. Finisce cosí, la mail:

Tu ti eri portato da lavorare, papà. C'era un bar sulla spiaggia, con i tavolini quasi sulla riva. Ti sei seduto a uno di quei tavolini e sei rimasto lí tutto il tempo, a scrivere una lettera che dovevi mandare a non so chi. Io mi ero portato un pallone e una betoniera di plastica. Cosí, tanto per portarmi anch'io qualcosa. Ma non avevo voglia di giocare da solo. Mi ero seduto accanto a te, per terra. Guardavo il mare. E automaticamente toccavo la sabbia intorno, la prendevo nei pugni, allentavo un po' la stretta e la lasciavo scorrere attraverso le dita, come fosse acqua che scende da un rubinetto. Lo facevo meccanicamente, era un passatempo. Poi mi sdraiavo un po' a guardare il cielo, le braccia sotto la testa che mi facevano da cuscino. Ero contento di essere lí con te.

Poi passano giorni, anche mesi. Ripesco i pantaloni che avevo indosso quella domenica, e nelle tasche trovo un po' di sabbia. A volte basta niente, papà! Non sai che gioia quella sabbia in tasca… Era la prova, una specie di conferma che ci eravamo veramente andati, al mare, io e te. Quella sabbia era tutto il tempo. Il tempo che mi avevi dato.

Non dice nulla, quando l'edificio della sua vita di studente modello comincia a vacillare. Lo sa che suo padre soffrirebbe, che se ne farebbe una colpa. Come se, quando un figlio smette di fare quel che sta facendo (per esempio studiare), fosse colpa dei genitori... che assurdità! Inoltre Fil non pensa che quel che gli sta capitando sia cosí grave. Non vede nessun edificio crollare, ecco. Ma nemmeno restare in piedi. Non pensa ci sia, un edificio.

Si limita a ritrarsi. A farsi vedere meno. Mette in atto certe piccole, minime, strategie di allontanamento. Non ancora una sparizione, solo un tenersi un po' indietro. Va, come abbiamo detto, sempre meno a lezione.

E, andando sempre meno a lezione, trova il tempo. Il tempo di leggere moltissimo, per esempio.

La biblioteca diventa la sua nuova tana. Si mette lí e tutto il resto della vita gli sparisce. Via gli esami, i compagni, la crisi dei mercati, i genitori... Restano solo i pensieri, le idee. Cose aeree, leggere. Astrazioni. Altri mondi. Dov'è escluso che ti trovino.

Fil ci va quasi tutti i giorni, e ci resta fino a tardi. Fa una cosa sola: si prende un libro e se lo divora, piano, un pezzetto al giorno. Ci va anche la domenica, cosí gli riesce di azzerare un po' quella malinconia, quella morsa di vuoto che ti prende ogni domenica, cascasse il mondo, qualunque cosa fai, tutte le domeniche della tua vita.

È lí che scopre i classici. Il secondo anno a Londra, in biblioteca. Affonda. Affonda nella lettura. Adam Smith, Schumpeter, Von Hayek, Ricardo, Milton Friedman, Keynes... E Robert Solow, soprattutto lui, un classico vivente...

Preso da quelle letture intense, assolute, comincia a non studiare piú. A non studiare piú *per* gli esami, cioè secondo quella particolare forma di studio non libero, finalizzato al superamento di una prova: un'attività competitiva, piú che altro, ben poco rilassante, solo utile (ma utile a che cosa, poi?) Si immerge in letture anche un po' eterodosse. Autori che nei manuali trova citati. *Soltanto* citati: puri nomi o, al massimo, mezza paginetta di riassunto e finita lí. Ben altra cosa è andarsi a prendere i loro libri, sfogliarli pagina per pagina, vedere l'indice, scoprire il titolo di ogni singolo paragrafetto e infine leggerli, dalla prima all'ultima riga. Si riesce a ricostruire un senso, il lento dispiegarsi di un'idea in parole, frasi, periodi. Si gode la mirabile costruzione del pensiero umano, là dove ha trovato modo di esprimersi: cioè, nei libri. E scopre, leggendo quei libri, che ci è voluto tempo. Capisce che per questo i libri sono lunghi, per questo ci mettiamo giorni, a leggerli. Perché i libri *sono* il tempo. E leggere, poi, è solo questo: vedere il tempo mentre passa.

Fil si prende persino la libertà di leggere altro, non solo i classici dell'Economia, ma anche libri di altre discipline, Max Weber, Spengler, Huizinga... Cose magari lontane anni luce dalle sue. Legge per esempio Malthus, Lotka e Volterra, quella loro straordinaria teoria che riguarda la dinamica delle popolazioni e parla del rapporto tra prede e predatori. Qualcosa tra la Demografia e la Zoologia... È da pazzi per uno studente di Economia, non sta in nessun programma d'esame, in nessun seminario o corso, Fil se ne rende conto. Ma viene attratto da quei libri come da un magnete, non ci può fare niente. E non ne parla con nessuno.

È allora che comincia a prendere dei voti mediocri, e addirittura a far fatica a passare alcune decisive prove d'esame.

A quel punto s'iscrive a una palestra.

Lui che odia le palestre.

Le ha sempre trovate tutte uguali, grandi sale maleodoranti, umide, con quella specie di vapor acqueo perenne sospeso in aria, con quella parata di macchine da guerra per far muscoli.

Va lí come potrebbe tirar di boxe: per sfogarsi. Si sente oppresso da un peso che non sa bene neanche lui cosa sia. Non è solo per le prove andate male, né per l'eccesso di studio. È qualcos'altro. Si sente pesante. Qualunque traguardo raggiunga, non è mai abbastanza. C'è subito un altro ostacolo davanti che lo sfida, la settimana dopo, il mese dopo. E poi ci sono i compagni, quelli tipo Roger Sheffield. Forse, pensa, il mondo è fatto tutto di «roger-sheffield». Scrive sul bloc-notes:

Mi sento circondato da orribili rogersheffield blu untuosi e molli con le zampe, le chele e i tentacoli. Mostri che mi si avvinghiano e non si spengono mai.

Quei ragazzi hanno dentro un fuoco che li tiene accesi sempre. Davvero non si spengono mai. È questo che, nonostante alcuni di loro siano anche amici, glieli fa sentire lontani: che non si fermano un momento. Fil li guarda. Si mette da una parte, sull'autobus o per strada, o nell'atrio. Li guarda girare con i loro borsoni a tracolla, il laptop, gli occhiali, il cellulare all'orecchio, il Kindle nel palmo, sempre in cerca, sempre a dover raggiungere un luogo, una persona, un'informazione, un sito, un giorno, un'ora, un pub, un Nobel... Li guarda anche a lezione, quando ci va, sempre attaccati ai video, alle tastiere, a copiare file, a inviare mail. Li guarda intervenire, alzar la mano, la matita in aria, l'aria intelligente, la domanda geniale... Sono bravi. Sono i migliori. Ovvio, hanno vinto un posto, passato una prova, un colloquio, una selezione... Vengono da tutto il mondo, hanno le carte in regola.

Anche lui le ha, quelle carte? Sí, le ha. Ma si sposta. Il suo problema è che a un certo punto gli viene da spostarsi: si mette di lato e si ferma. Si toglie da quel fiume in piena, da quell'acqua marrone che non sta mai ferma e travolge pezzi di legno, rami, lamiere arrugginite, pattume, carcasse...

Sarà la palestra. Finisce per fargli piú male che bene. È una palestra frequentata da decine di persone, con bravi allenatori, fornita di strumenti e attrezzi. C'è una sala, in particolare: Fil la chiama sala macchine. Gli fa impressione, gli sembra di entrare nella pancia di una nave, nel vano motori. Forse perché non ci sono finestre, solo degli sfiatatoi in alto. Una luce forte, artificiale. Silenzio, solo ogni tanto un insegnante che batte il tempo, e lo sfrigolio meccanico di catene, molle, stantuffi, motorini. E quell'odore caldo, un po' dolciastro, di sudore fresco. Tutti che si sfiancano su quelle macchine a pedalare, a correre. Tutte quelle macchine infernali che non si fermano, e se ti fermi tu, chissà dove ti sbattono. Effetto centrifuga.

E poi il tapis roulant.

Quella del tapis roulant diventa la sua ossessione. Ce n'è uno gigantesco dove si può correre in tanti, uno dietro l'altro in fila indiana. Ogni tanto ci sale anche lui. Siccome non va piú il mattino presto sul Tamigi, corre la sera tardi in palestra, sul tapis roulant. Sarà meno bello, ma va bene cosí, è meno dispersivo. È per gente come lui, che non ha il tempo, che non lo trova.

È lí che vede chiaro. Vede tutti che corrono, come topi. C'è quell'espressione inglese, *rat race*, ecco, proprio quello. Fare una vita di corsa, sempre in gara. Senza pensare.

Cosí Fil ogni tanto scende. Ma il problema è che non si può scendere, da un tapis roulant. È un disastro per quelli dietro. Fil però ogni tanto lo fa. I compagni un po' sopportano, un po' gliene dicono quattro. Ma pazienza. Lui chiede scusa, dice che è stanco. Non vuole essere uno dei topi in corsa. Si mette in panchina, contro la parete, e sta lí a guardare.

La panchina... Gli piaceva già da piccolo, quando sua madre lo portava a pallacanestro. Ci andava solo per la panchina, non per la pallacanestro. Ci andava per starsene lí seduto a guardare gli altri. Certo, qualche volta doveva anche giocare, se no poi non lo lasciavano mettersi in panchina. Giocava, non è che non gli piacesse. Il problema era che bisognava far rimbalzare la palla continuamente, solo quello non gli andava. Guai se stava ferma, se uno se la teneva tra le mani un attimo, quella benedetta palla: il coach subito fischiava. E le gambe, anche loro sempre in moto. Gli si annebbiava la vista a forza di saltellare di continuo, come poteva centrare il canestro? Certo, lo sapeva che a pallacanestro si saltella di continuo. Ma era quel «di continuo» cosí assoluto, quella... perentorietà senza scampo! A lui sarebbe andato bene un «di continuo» un po' piú elastico, meno esagerato, magari con qualche sosta in mezzo... Invece no. E gli occhi alla fine gli ballavano, con tutti quei saltelli e scatti.

Molto meglio allo scadere della lezione, quando gli facevano fare i canestri da fermi, uno per volta; si arrivava lí ben sotto rete, si prendeva la mira immobili, occhio sinistro chiuso, ginocchia leggermente piegate e... tac, canestro! Ma in partita... con tutti che ti venivano addosso... Non solo gli avversari, anche i compagni di squadra.

Squadra, poi... mah! Sua madre pensava fosse uno sport formativo perché era un gioco di squadra, non come il tennis che eri tu da solo contro l'altro e non serviva a farti crescere, secondo lei. Anche suo padre era d'accordo: il gioco di squadra è tutto, anche sul lavoro, quindi la pallacanestro è un'ottima lezione per la vita. Invece non era vero: Fil lo vedeva chiaro che ognuno giocava per sé. Federico Taccia, per esempio. Alto uno e novanta già alle medie, ogni volta finiva la partita e contava i suoi canestri. I *suoi* canestri. Giocava per fare il record, essere il migliore.

Comunque, scendere è un errore. Se siete su un tappeto che corre, qualunque tappeto, non scendete. Se lo fate, vedrete gli altri correre come dei pazzi, e voi non sarete piú dei loro. Non sarete piú niente.

Capitolo quinto

La notte del farfallino storto

Fil sta elaborando una nuova, strana teoria economica, una cosa tutta sua. Poi, quando esce la sera con Jeremy e col gruppo e parlano di Economia, sta zitto. Li ascolta e basta.

Molti di loro sono attratti dalle teorie americane, in particolare dalle politiche di espansione del credito, secondo cui proprio nei momenti di recessione bisogna stampare denaro per rilanciare la spesa e far ripartire l'economia. Fil non è di quel parere, gli altri sí. Soprattutto quel Roger Sheffield che ogni volta gli butta contro una citazione dietro l'altra, articoli a destra e a manca. Sono keynesiani spinti, Roger e gli altri, pensano che il debito è un problema che può andare anche a quel paese.

Una sera si trovano col gruppo, lui e Jeremy, e c'è lo scontro. È già quasi primavera, metà marzo 2008. Sono a una festa, perché uno di loro s'è appena laureato. C'è stata la cerimonia e quel tale li ha invitati tutti in un locale molto esclusivo, molto da studenti di Economia, che si chiama Clouds and Shortage. C'è un gran frastuono, tanta gente, musica. Si beve. A Fil non piacciono le feste, ma quella sera, per far piacere a Jeremy, che non vede da un pezzo, ci va. Si mette lo smoking come gli altri, e ci va. Poi si trovano un tavolo un po' in disparte, loro del gruppo, Fil e Jeremy con Roger e altri. Si buttano a parlare delle nuove teorie americane e Fil non è d'accordo. Pensa che non è bello lasciare che la gente spenda soldi che non ha, poi i nodi vengono al pettine, i debiti si devono pagare. Sheffield lo attacca:

262

– Ecco, ci risiamo! Sempre questa tua visione cristiana delle cose... Verrà un giorno, il giudizio universale... Ma Dio non esiste in Economia, te lo vuoi mettere in testa?

Male, dovrebbe esistere, pensa Fil. Diciamo che se Dio esistesse sarebbe meglio.

È il colmo. Fil che non va in chiesa, che non prega. Ha però una sua idea di Dio, non ne parla volentieri perché si sente a disagio, non se li è ancora chiariti abbastanza, i pensieri. Diciamo che Dio è il suo nervo scoperto. Ma sull'Economia invece ha una chiarezza maggiore e la sua è una visione strettamente morale delle cose. A quel punto della serata, dopo aver mescolato vino, birra, whisky e poi ancora vino, prova a esporla.

Ma poco. Qualche frase rada. Non vuole mai esagerare. Preferisce andarci piano, mettere solo qualche parola lí nell'aria, e vedere come sta, sospesa.

Però non è cosí semplice. Gli altri attaccano, intervengono in massa e non si capisce piú niente, sono tutti ubriachi e tutti giú a dare addosso a Fil.

Una gragnuola di colpi. Jeremy sta zitto. Era cosí contento che quella sera Fil avesse accettato di unirsi a loro, gli era parso un cosí buon segnale, e invece... Ora Jeremy guarda Fil. Lo conosce bene, sa cosa succederà di lí a due minuti, e infatti... E infatti Fil prende un'aria assente, dolce, trasognata, come se si beasse di guardar le nuvole o si fosse incantato sul dipinto di un angioletto con le ali. Lo fa sempre, quando si discute con lui. Arriva fino a un certo punto, poi non è esattamente che cede, no: se ne va. Fil a un certo punto se ne va da un'altra parte, è chiaro. Soprattutto se si esagera con i toni, si alza la voce, si parla tutti insieme, se qualcuno lo guarda di brutto e gli urla contro: allora lui va via, è il suo modo. Anche quando ha ragione, anche quando basterebbe una frase per mettere tutti in riga, e lui, novantanove volte su cento ce l'avrebbe quella frase, eccome se ce l'avrebbe! Ma non la usa. Semplice, non la dice. Anzi, piú è convinto di aver ragione, di avere in tasca la risposta giusta, piú sta zitto. È come se dicesse: «Che bisogno c'è?» Quello è il suo motto, Jeremy glielo ha sentito dire cosí tante volte. «Che bisogno c'è?» Per Fil non c'è mai bisogno di fare niente. Lui preferisce levarsi dalla mischia, incamminarsi per certi suoi sentierini ombreggiati, per certi praticelli digradanti che si porta disegnati nella mente, sicuro che se li porta, Jeremy lo sa bene!

Non può farci niente. Si mangia i pugni ogni volta. Perché lui lo sa che se Fil soltanto volesse se li divorerebbe tutti in un boccone, e non capisce perché lasci cadere. Perché a un passo dalla vittoria uno abbandona, gira i tacchi e dice: prendetevi pure la medaglia voi, se la volete!

Anche quella sera, in quel preciso momento: Jeremy lo sa che Fil saprebbe eccome cosa ribattere, perché ne hanno parlato tanto, loro due, certe sere fino a notte, una birra dopo l'altra e poi ancora camminando per le vie di Londra. Fil pensa che se ci si continua a indebitare, verrà il giorno in cui i Paesi creditori ci compreranno. Compreranno il mondo, non solo le nostre disgraziate aziende, ma le terre. Fil potrebbe fare un discorso lunghissimo su questi temi, ma non lo fa. Se ne sta zitto come una tomba, a contemplare chissà che, con quel suo sguardo che passa oltre, trapassa anche le pareti, accidenti a lui. Eppure non è un vigliacco. Non è nemmeno un perdente... Non perde mai, Fil, neanche quando se ne va a quel modo. Ha una sua aria vittoriosa, sempre. È come se andasse a vincere da un'altra parte. Un po' come al casinò: tu stai vincendo a un tavolo e lo abbandoni per andare a vincere in un altro, lontano, nascosto, dove nessuno ti vede.

– Va be', ragazzi... – dice Jeremy, stremato. – S'è fatto tardi... Che ne dite se ci si aggiorna?

Lo mandano a quel paese. Tanto lo sapeva. Tocca sempre a lui fare la parte di chi molla, prendersi gli insulti. Ma è il suo modo di aiutare Fil, anche se Fil non ha nessun bisogno di essere aiutato. È che cosí gli sembra di metterlo al riparo, di salvarlo da un fuoco che non vede nemmeno, d'accordo, ma che comunque è un fuoco.

Quella sera invece va diverso. Fil si alza prima che Jeremy completi il salvataggio. Fa un rapido cenno di saluto ed esce. Se ne va *fisicamente* via, quella sera: esce dal locale e buonanotte. Non l'ha mai fatto.

Jeremy gli corre dietro perché pensa che stia male. Ma non sta male. Ha bevuto e barcolla un po' ma non sta male. Allora a Jeremy è chiaro che il fuoco, un qualche fuoco che non riesce a capire quale sia, Fil ce l'ha dentro ed è inutile provare a spegnerlo.

Fil esce sfatto da quel locale, un sudore appiccicoso che gli incolla gli abiti sul corpo, i capelli, troppo lunghi, sul viso. Ha caldo, in quella notte di marzo ancora gelida.

Va veloce senza meta infilando una strada dopo l'altra, la giacca dello smoking aperta e il cravattino nero allentato. Ogni tanto si appoggia a un lampione e, a quella luce gialla, calda, si guarda le mani. Lunghe, bianchissime. Tremano. Sono mani che non prendono niente, vogliono solo scappare.

Vaga per un bel po' nella notte, finché non va a sbattere contro qualcosa che non ha visto. Procedendo a testa bassa, immerso in sé, oscurato dentro, non badava a dove andava. Quando alza lo sguardo, si vede davanti una ragazza. Ecco contro chi è andato a sbattere. Alta e magrissima, un viso tondo, arrampicato in cima a un collo da giraffa. I capelli cortissimi, biondo chiaro. Luminosa. *Fosforescente*, un vero e proprio bagliore giallo che si trova davanti all'improvviso nella notte, e a cui come in trance chiede scusa.

– Scusa un bel niente! Adesso per favore ti volti e guardi cos'hai combinato…

Fil rimane interdetto. Quel bagliore alto e giallo, con quel collo esile come un gambo e i capelli da maschio, di cosa diavolo lo sta rimproverando? Con una voce che vuole essere severa ma che poi, chissà come, tradisce qualcosa di giocoso, e divertito.

Si volta, automaticamente. Non vede niente. Cos'è che dovrebbe vedere? Tutto fioco, ottuso. Quel giunco di fanciulla gli indica un punto per terra e lui allora vede dietro di sé, per qualche buona decina di metri, una scia pazzesca di rifiuti. Foglie secche e cartacce sparpagliate alla rinfusa. Gli viene da ridere. Cosa diavolo è successo? Dov'è capitato? E cosa ha fatto lui di male per irritare quella ragazza? E chi è quella ragazza?

La guarda meglio. Si accorge che lo è davvero, fosforescente: porta uno di quei gilet giallo acido che indossano le persone sul lavoro, per segnalare la loro presenza sulle strade, per non venir travolte dagli automobilisti. Vede anche che ha alle mani dei larghi guanti di gomma arancioni, e che imbraccia una grossa scopa di finta saggina, plasticosa, verdepisello. E di nuovo gli viene da ridere.

– Ma cosa sei, una spazzina?

– Che razza di parola è?

– Be', non volevo… era solo una domanda.

– Sono una che *adesso* sta spazzando *questa* strada. E se non incontrava uno come *te*, il lavoro lo aveva bell'e che finito!

– Per questo avevo osato chiederti scusa. Ma se ti dà cosí fastidio, ti chiedo scusa d'averti chiesto scusa… Come ti chiami?

– Stine.

– E che razza di nome è?

Finisce che Fil passa un'ora a spazzare le strade con quella ragazza che si chiama Stine perché è norvegese, e non è una spazzina.

La aiuta, visto che è stato lui a sparpagliare il mucchio di pattume e foglie che lei aveva appena terminato di ammassare ai bordi della strada e che si apprestava a portare sul camioncino.

Spazzano in silenzio, insieme, a cento metri di distanza, l'uno partendo dalla fine e l'altra dall'inizio di quella striscia interminabile di foglie.

A quell'ora della notte, si sente il loro ritmico frusciare, qualche ronzio di bici, un'auto ogni tanto, una sirena. Finito ognuno il proprio pezzo, si trovano vicini. Le loro scope s'incrociano, a un passo l'uno dall'altra. Stine posa gli arnesi, si avvicina ancora di piú, lo guarda dritto negli occhi e senza parlare gli rifà il nodo al farfallino, glielo aggiusta bene. Senza dire una parola, quegli occhi spalancati addosso chiari, acquosi, come un lago che si sgela a primavera; una ragazza sconosciuta, che spazza strade nella notte, lí davanti a lui adesso, vicina a un palmo che la potrebbe, volendo, anche baciare: una ragazza che si chiama Stine, e lui non sa che nome sia Stine, gli fa il nodo al farfallino, e poi... E poi sorride.

Ma si può? Fil la guarda, quella ragazza chiara, luminosa come il ghiaccio e, sopra, il sole che lo scioglie. Non sa come fare, cosa dire. Avverte che gli scappa via, e non vuole. Gli sembra d'essere dentro uno di quei sogni spaventosi in cui stai scalando una montagna e cadi, e senti la tensione muscolare del compagno che ti sta tenendo la corda. Fil non sa se è quello che tira o quello che precipita, ma sente la tensione della corda, l'attimo che molla.

È già mattino, un mattino imbozzolato nella nebbia, da cui non trapela ancora nulla. La giornata sta per cominciare, e li riporterà ognuno alla propria vita. Ma in quel momento sono ancora lí vicini, insieme, col loro cumulo di foglie rastrellate ai piedi, e tutto è ancora possibile.

Rimangono a parlarsi un po', seduti sul gradino della strada, che a poco a poco si popola di gente, macchine, rumori. Si raccontano qualcosa l'uno dell'altra, in quel poco tempo. Non proprio tutto, qualcosa. Fil le parla della sua famiglia, e di Jeremy, e persino un po' di Economia. Stine gli dice che viene da un piccolo paese della Norvegia, nascosto in mezzo ai fiordi. Un piccolo paese di quattro case, a nord di Oslo.

Gli dice anche il nome, Fil non lo ha mai sentito. Quel lavoro da netturbino l'ha preso per raggranellare qualche soldo, e pesare meno sulla famiglia. Suo padre pesca merluzzi, li fa essiccare e poi li vende in tutto il mondo, anche all'Italia, e lei era venuta a Londra a studiare Lingue, per aiutare un po' suo padre, in futuro, nel commercio. Ma adesso che sta per finire e tornare al suo paese, non le va piú di aiutare il padre, vorrebbe girare il mondo, viaggiare. Magari fare la giornalista. O aprire una piccola scuola in un qualche deserto sperduto del pianeta. Le piacciono i bambini.

Si prendono qualche ora cosí, rubandola agli impegni della giornata, ma poi finisce il tempo, devono lasciarsi. Si salutano. È allora, stringendole la mano che lei gli ha porto come fossero niente, due colleghi di lavoro per esempio; è allora che Fil le dice di non partire. Solo queste due parole: «Non partire...» Sa che è solo una frase, anche banale, ma gliela dice. Si sono appena conosciuti, non vuole dire nulla, quella frase, ma la butta lí. È solo un modo per fermarla, non ha nessuna idea del suo futuro, Fil, in quel momento della sua vita. Può solo chiederglielo cosí, di restare. E basta. È un bambino quando vuole un giocattolo, solo perché lo vuole. Non ci sono ragioni.

Anche Stine non ha nessuna idea del suo futuro. È in un'età sospesa, in quella specie di non-tempo in cui ci si può permettere ancora qualche vaghezza. Si può guardare nella nebbia, e le cose possono ancora essere sfocate. Per un po', certo non per molto. Ma Fil e Stine s'incontrano proprio in quel momento e non in un altro, proprio in quello spazio piccolo e delimitato del loro tempo, un cono, una specie di esiguo angolo acuto: come quando da un corridoio luminoso si apre la porta di una stanza buia, e la luce disegna uno spicchio sul pavimento. È solo quello spicchio, il loro tempo.

Un attimo prima di sparire, sul traballante camioncino della nettezza urbana, sporgendosi dal finestrino, anche lei gliela butta lí una frase:

– Perché non vieni tu a trovare me, un giorno? – gli dice, e mette in moto. E Fil rimane muto, fermo, a guardare il camioncino allontanarsi nella luce nebbiosa della strada.

Quella sarà per sempre *La notte del farfallino storto*, cosí se la annota Fil sul bloc-notes. La notte in cui mezzo ubriaco spazza le strade insieme a un giunco di ragazza nordica, e non sa niente di come andrà poi la loro storia. Non sa neanche se ci sarà, una storia. Perché è cosí, il bello degli incontri: non sai mai se sono un punto e basta, o se da quel punto partirà un disegno nel foglio bianco, e se quel disegno prenderà solo quel foglio o l'album intero.

Il mattino dopo Fil va a lezione. È un bel po' che non ci va, Jeremy se lo trova in aula seduto accanto come ai bei tempi, e ne è felice. È una giornataccia, ore e ore di lezione, fino a sera. Poche pause, poco tempo per parlare. Si fanno giusto un panino e Jeremy gli chiede come sta, se va tutto bene, dopo quella serata contro i keynesiani.

– Ho conosciuto una ragazza, – dice Fil, secco.

– Bene! Come si chiama?

– Stine.

E poi non c'è piú verso. Jeremy continua a fargli un sacco di domande, le solite: dove l'hai conosciuta, quando vi rivedete, dove abita, com'è. Fil se ne rimane zitto, dopo quel nome, Stine, cosí leggero, aereo, una piuma che s'è messa tra di loro e basta. Se n'è come andato via, in un suo vagare buio, teso.

– L'ho persa, – dice alla fine, uscendo da lezione.

– Hai perso chi?

– Stine.

Di nuovo quel nome-piuma che aleggia in mezzo a loro, nell'aria.

– Cosa vuol dire che l'hai persa? Non l'hai appena conosciuta?

– L'ho lasciata andare. Non ho avuto il tempo!

È angosciato. Occupato da angosce che Jeremy non capisce: secondo lui non è il caso, Fil la fa troppo grossa. Cosa vuol dire che non ha avuto il tempo? Gli sta dando di volta il cervello?

– Va be', Fil, cercala! – gli dice. – Una ragazza non sparisce nel nulla... Vai a ripescarla, torna dove l'hai incontrata...

– Lascia perdere, Jer...

Quand'è cosí, meglio davvero lasciarlo perdere, Jeremy lo sa. Vanno alle altre lezioni della giornata e non si dicono piú nulla.

Sono quasi le otto di sera, e c'è un'aria umida, spessa. Fil se ne va a piedi, scomparendo dietro la prima curva, nella nebbia. Jeremy prende la sua bici, monta le lucine intermittenti e fila via, scegliendo le strade meno trafficate.

È allora che Fil torna da Malmecca.

Ci prova. Prende la moto una domenica e va dritto alla Casa Rosa. Vuole dirgli di Stine, parlare di come fare a ripescarla. Quasi fosse una foglia che cade...

È tanto che non va da lui. Ma adesso ha voglia di tornare, ne ha davvero voglia. S'avvicina alla casa. Appoggiata al muro vede la canna da pesca. Malmecca invece non lo vede.

Torna la domenica dopo, e quelle dopo ancora.

Torna tante volte davanti alla Casa Rosa, anche non di domenica. Ma non lo trova mai, Malmecca. Non lo rivede piú. L'ha perso per sempre. Come un oggetto. Solo che con gli oggetti lo accettiamo che possano andar persi. Con le persone no. Non si perdono le persone cosí, senza sapere come e perché. Un bel giorno non le ritroviamo e non è pensabile, una cosa del genere.

Forse sua moglie è tornata e si sono ricongiunti, anche con i figli. Fil pensa cosí, all'inizio. Ma non ci giurerebbe; ha dentro come un tarlo, il pensiero che Malmecca magari sia morto. Può essere, perché no? Forse si è sentito male in quella sua stanza in città dove vive solo, e che lui manco sa dov'è. Non glielo ha mai chiesto. Si rende conto che in tutti quei mesi non gli ha mai chiesto niente di concreto, tipo dove vive. Come ha potuto? Per lui era l'amico dei boschi, l'uomo della Casa Rosa, il maestro, Malmecca... e basta. Ma non si fa così. *Vorremmo almeno salutarle, le persone che scompaiono*, – scrive Fil nel bloc-notes, il 12 aprile 2008. – *Quando muoiono, o anche solo quando se ne vanno. Non ci va bene che se ne vadano così, senza dir niente. Soprattutto le persone che per noi hanno contato tanto... Non si fa. Lo facevamo con le foglie, di salutarle. Cos'altro era pescarle un attimo prima che cadessero? Era salutarle, no? E poi invece cosa? Te ne vai così?*

Capitolo sesto
Il giorno del calabrone

Poi c'è il giorno del calabrone.

In biblioteca, un pomeriggio di aprile. Per Fil è la svolta. Sul bloc-notes c'è scritto proprio cosí: *22 aprile 2008 – giorno del calabrone*. Può sembrare inverosimile. Un calabrone! Un episodio tanto minimo, insignificante... Ma poi a ben pensarci, perché no? Cosa ne sappiamo noi di quel che è insignificante o non lo è?

Quel pomeriggio Fil è in biblioteca che studia. Un pomeriggio come gli altri, lui è lí, al solito posto, a una certa sedia di un certo tavolo, in sala lettura. Non stacca gli occhi dal libro, se li sente bruciare. La testa gli scoppia. Ma deve andare avanti, non può perdere un minuto. Non legge uno dei suoi amati classici, studia il manuale di uno dei corsi che sta seguendo, quei corsi affastellati l'uno sull'altro, senza fiato.

A un certo punto passa nell'aria un calabrone.

Strano, non entrano calabroni in biblioteca. E poi non è nemmeno estate. Eppure è lí. Un calabrone. Chissà come ha fatto a entrare, com'è rimasto imprigionato. Cerca l'uscita, non si raccapezza. Vola all'impazzata, radente i tavoli, le teste degli studenti chini. Sfiora la guancia di una ragazza, che si spaventa, salta sulla sedia, agita le mani, fa cadere i libri...

Ecco, è stata questa ragazza con i capelli lunghi, riuniti in una treccia che appoggia di lato, sulla spalla. E il ragazzo che le siede accanto, un tale con una gran testa di capelli rossi e una maglia a righe. È stato questo, per Fil:

272

il frastuono, i libri che cadono, le penne, i fogli, lo spostamento delle seggiole, i gesti convulsi che fanno quei due per scacciare il calabrone. Nella quiete assoluta della biblioteca, uno sconquasso. Poi, di colpo, i due che si mettono a ridere. Felici, pieni di una gioia incontenibile che però devono in qualche modo contenere, perché quella è una biblioteca. Una gioia che si vede, si tocca quasi con mano, si trasmette agli altri. Si sentono nel mezzo di qualcosa che non sanno cosa sia, ma che assomiglia tanto a un'avventura. È questo. Un'avventura che loro due sono molto intenzionati a vivere, a non lasciarsi scappare. Ridono, contratti, la mano sulla bocca come i bambini, per non fare rumore.

Fil li guarda.

Li guarda molto.

Poi i due ragazzi escono insieme, di corsa, radunando in fretta i libri e gettandosi la giacca sulle spalle, senza pensare ai gesti, vogliosi solo di filarsela, di continuare altrove a ridere, a vedersi, a conoscersi... chissà. Escono, si buttano nelle strade, per il mondo. Magari vanno a prendersi un panino, un tè, a farsi una passeggiata. Magari il ragazzo dai capelli rossi dice alla ragazza con la treccia laterale di andare su da lui, che lui abita lí vicino. O magari invece la porta al mare. La fa salire in auto, o in moto, e guida per ore nella notte fino all'alba, poi quando scendono c'è la sabbia, le scogliere, lo strapiombo, e da lontano il fragore delle onde, la luna che si dondola nell'acqua, ancora poco perché poi, tanto, sta venendo giorno, e poi un'altra notte, e ancora un giorno, ed è cosí, ed è cosí la vita... La vita che Fil non ha.

Li guarda, finché può guardarli. E subito non vede piú niente, perché è un attimo. Cosa ne sa? Vede quel che può vedere, due ragazzi che escono di colpo dalla biblioteca smettendo di studiare, solo questo. Li vede uscire, andare via a passi veloci, sparire dietro la porta a vetri della sala. Ecco. Del dopo non può sapere niente. Ma è quel momento. Quando li vede andarsene. È in quel momento che capisce come la vita si spalanca, come ti fa uscire se tu la lasci fare, se glielo permetti…

Allora Fil immagina, e pensa piú o meno questo: che lui non ce l'ha quel tempo, il tempo di fermarsi a ridere per un calabrone e poi uscire a razzo e andare a perdersi per strada con una ragazza sconosciuta. Quel tempo è un lusso. Il lusso di permettere che un calabrone ti cambi la vita, che te la sposti dove vuole lui… È quello il tempo vero. Il tempo che non ha. Qualcuno glielo ha preso, e lui non sa neanche dire chi, perché, e quando se l'è lasciato prendere, e in cambio di cosa… Sa solo che lo vuole, lui, adesso, quel tempo.

Pensa a Jeremy. Lui sí. Lui sí che ha chiaro dove vuole andare. Quel pomeriggio non è venuto a studiare in biblioteca: c'era un tale importante che teneva una conferenza, proprio lí a Londra, uno che lavora in una certa Banca, e Jeremy non è venuto in biblioteca per inseguire quel tale importante, per conoscerlo, parlargli, chiedergli chissà cosa. Anche solo farsi vedere, prendere contatto. Da cosa nasce cosa, Jeremy gli dice sempre. E Fil pensa che lui non vuole che da cosa nasca nessuna cosa, non vuole niente, non sa neanche quali cose e perché mai dovrebbero nascere, e da quali altre.

Jeremy sí. Sa cosa volere e come fare ad avere quello che vuole… Ma lui?

Lui non è Jeremy.

Lui, il suo tempo, lo rivuole indietro.

È a quel punto che ha chiaro cosa fare. Due giorni dopo, lascia la London School of Economics. A metà d'una lezione.

È un mattino terso di fine aprile che promette luce, e un ozio quasi vacanziero. Fil si alza dal banco. Il professore spiega, scrive alla lavagna, e lui si alza, di scatto, e come niente fosse a passi lunghi scende i gradini a due a due, e si avvia verso la porta, disturbando enormemente tutti, col rumore dei suoi passi. Ha un paio di scarponi con la gomma sotto che fanno quell'insopportabile miagolio ritmato sul parquet tipico degli scarponi con la gomma sotto. E infine esce definitivamente da quell'aula, da quella sua vita non vera, cercando di non sbattere troppo forte la porta.

I corridoi, le scale, l'atrio, e poi la strada, le vie adiacenti, i ponti, le piazze, percorre tutto con quello stesso passo, esatto, spedito. Non lo cambia di una virgola. Va diritto a quel modo, sparato, con quelle sue falcate lunghe e lente, un po' da montanaro. Come se dovesse a ogni passo guadagnare metri. Come se dovesse arrivare da qualche parte ben precisa e in un tempo definito. Per esempio raggiungere una vetta prima che diventi notte. Invece non sa per niente dove andare, e non ha orari. Gira, vaga. Svolta dove capita, ripassa anche per gli stessi posti, si perde.

Poi, a un certo punto, senza una ragione al mondo, si ferma.

Dopo una mezz'ora buona, di colpo, si pianta in mezzo a una di quelle strade, in pieno traffico, la gente che quasi lo travolge. E rimane lí, come un palo. Come se si fosse bloccato e niente e nessuno lo potesse mai piú riavviare.

Allora, a quel punto, respira. Solo questo: prende fiato, respira. Ma lo fa come se non l'avesse fatto mai. Inala un fiume d'aria su dal naso, quanta piú ne può inspirare, se la tiene un bel po' dentro e poi la manda fuori lentamente, con un soffio lungo, che non finisce, che lo svuota. E rimane lí. Non si muove. È contento, gli pare d'aver fatto una cosa incredibile, che non gli era mai stata concessa. È contento, perché s'è preso questa libertà pazzesca di fermarsi, e di respirare.

Poi, ricomincia a camminare. Cammina. Non fa nient'altro per tutto il giorno. Cammina e basta. Ma lo fa come se non avesse mai camminato nella vita, come se non gli fosse mai stato possibile prima, come se qualcuno gli avesse ordinato di non farlo. Certo non è cosí, mai nessuno gli ha posto un divieto simile. Eppure la sensazione è quella di una libertà mai conosciuta. Se ne stupisce lui per primo. E pensa: ma guarda un po'! Guarda un po' qual è la cosa che mi metto a fare per prima: camminare!

Gli pare anche, guardandosi intorno, che nessuno lo stia facendo. Che nessuno cammini, né lo abbia mai fatto. Lui è il primo. Ed è davvero buffo, questo, perché lí intorno tutti invece non fanno altro che camminare. D'altronde, cosa mai si fa in pieno centro, in un normale giorno di una qualsiasi settimana? Si cammina. Avanti e indietro, a destra e a manca. Eppure Fil è convinto che a camminare, quel giorno a Londra, sia lui solo. Che lui solo abbia quella straordinaria libertà. E si stupisce anche di quanto poi la libertà sia fatta, a ben guardare, di cose cosí semplici come fermarsi, o fare un bel respiro, o muovere i piedi.

O entrare in un caffè. Questo fa a un certo punto, cosí, perché gli va. Libero.

Libero di essere chi è, e felice soprattutto di non esserlo ancora. Ecco, è questo! Lasciando la London School, Fil si è concesso di nuovo di non essere ancora niente, come quando era piú giovane. Si è regalato questo ritorno a una fase informe della vita: di colpo, è uno che non ha iniziato nessun percorso, non ha intrapreso nessuna carriera. Torna a essere un disegno solo abbozzato, una figurina nella nebbia, vaga. È esattamente un sentimento di vaghezza che lo prende allora, e lo esalta, riempiendolo di una strana, anche un po' colpevole contentezza. Gli pare gli si prospetti davanti un meraviglioso tempo ambiguo, indefinito, in cui lui si prepara sí a diventare qualcosa, ma se Dio vuole non sa ancora cosa. E in virtú di tanta indefinitezza può prendersi il lusso di andarsene a zonzo senza una meta, e magari un giorno anche inseguire il volo di un calabrone, di un fottutissimo calabrone...

Si sente anche, però, un po' sperso. Libero, e sperso. Quel non capire cosa fare delle proprie ossa, quel non sapere dove passare il tempo (di colpo, tutto quel tempo addosso come una montagna!) e soprattutto come, in quale modo farlo passare, quel montagnoso aguzzo tempo che lo punge da ogni lato come un punteruolo, lo dispongono in uno stato di nervosa attesa. È un'irrisolutezza nuova, che lo meraviglia e anche un po' lo indispone. Il tempo pare un oceano che si apre davanti, cosí immenso che scappa da ogni parte, non sai come contenerlo in un solo sguardo.

Anche per questo è entrato in quel caffè: per contenere un po' l'immensità di quel mare che lo avvolge da ogni parte. È in quel caffè che gli viene chiaro cosa fare, cioè cosa non fare: non frequentare piú la London School of Economics. E quindi, tantomeno andare a Stanford a fare il dottorato. Fine. Non sa assolutamente che cosa farà, ma sa cosa non farà, cosa non vuol piú fare.

Il giorno dopo prende la moto e si mette a vagabondare. Passa senza volerlo dalle parti di Malmecca, ma non si ferma. Va oltre, arriva in un posto che si chiama Bleckway. Non l'ha mai visto prima, non sapeva neanche che esistesse. È un'unica strada che finisce in uno spiazzo con un botteghino. Vendono i biglietti per lo Stenheim Palace. Fil non l'ha mai sentito, non sa cosa sia, ma decide di fare un giro. S'infila tra i turisti, entra, si perde nell'immensa tenuta. Cammina con quei suoi passi lunghi. Ci sono interi boschi di platani. In lontananza, un laghetto tinta argento, anatre in controluce che sfilano sull'acqua, nere, sembrano ombre cinesi. Tutto pare finto, come in un teatro. Incontra un uomo. Gli dice che cerca lavoro, un lavoro qualsiasi, gli chiede se secondo lui quello può essere un buon posto. In quel momento inizia la sua nuova vita.

Adesso deve cominciare a fingere. O meglio, non si tratta proprio di fingere o di dire cose false. Si tratta di non dire, è diverso. Non può. Si accorge che non può dire la verità, perché quello che è vero è anche maledettamente indicibile. Come si fa a *dire* che a due mesi dalla fine del tuo master lasci, che rifiuti un dottorato e te ne vai a vivere in campagna a pascolare pecore? Come fai a dire queste cose ai tuoi genitori (a *quei* genitori, poi)? Fil non dice. Non dice che va a vivere dal Duca di Glensbury. Non dice che impara a fare il pastore, che non va piú all'università.

Inizia a inventare, ci prova. Ma non è facile. Quanto può inventare una persona? Per quanto tempo? Dopo un mese Filippo ha la mente vuota, e la nausea. Gli viene il mal di mare a dover creare dal nulla corsi, lezioni, amici, compagni, tutta una serie di aneddoti e storielle, la messinscena complicata di una vita che non sta vivendo. Ma continua. Prima fa lavorare la fantasia, poi Jeremy. Non è solo che vuole bene ai suoi e non può deluderli. È una cosa piú sottile, piú sua: è che deve difendersi. Proteggere la sua vita vera, che sta cercando di far nascere; ci ha messo tutto quel tempo, e adesso non può tradirla. Deve nasconderla alla vista, negarla. Non è bontà. Non è devozione filiale, o pietà. È qualcosa di meno altruistico: autodifesa, amor di sé. Anche a costo di tirar su un recinto, un muro di finzioni, menzogne. Pazienza. È un egoistico barricarsi dentro, per far crescere la pianta. Che pianta, non lo sa ancora. Ma vuole che cresca. È come quando mettiamo un fiore sotto serra. È per difenderlo dalle intemperie, dal gelo, ma certo è anche rinchiuderlo, sottrarlo alla vista, negarlo agli altri. È cosí. Nessuno deve vedere. Nessuno deve sapere.

Fil non fa niente di terribile. Proprio niente di scorretto, illegale, immorale. Vuole solo mettersi da parte. Allevare pecore va benissimo. Potrebbe essere anche altro, ma le pecore gli funzionano a pennello, fanno al caso suo. Gli servono, ne ha bisogno per sfilarsi dalla bolgia, togliersi dalla corrente. Scendere da quel famoso tappeto… Gli sembra la cosa giusta, allevar pecore. Anche se, che ne sa lui di quel che è giusto o sbagliato? Non c'è niente di sbagliato nelle cose che i suoi vogliono per lui. C'è solo il fatto che lui non le vuole per sé, quelle stesse cose, e quindi per lui non sono giuste.

E Fiona: è giusta per lui Fiona? È una no-global, ha i capelli fucsia, ma gli sembra una ragazza cosí sperduta e disarmata, con tutta quella sua finta spocchia, quel rosa finto in testa... Anche con quei suoi occhi cosí rotondi, però, cosí meravigliati. Jeremy lo ha sempre preso in giro, per quella storia inverosimile: l'economista e la no-global, li chiamava. E rideva. Vediamo quanto dura, diceva. Ma quanto dura cosa? pensava Fil. Dura tanto, d'accordo. Ma non sa neanche bene cosa sia quel legame, e se sia un legame. Non può fare a meno di lei. Gli piace. Gli ha fatto anche capire meglio tante cose, l'ha aiutato a entrare nelle idee di chi protesta per esempio, di ragazzi che non gli assomigliano per niente ma che come lui scalpitano. Ci sarà ben qualcosa in comune, pensa Fil. Chiaro che la protesta dei no-global non è la sua protesta. Ma Fiona e i suoi amici gli hanno stimolato i pensieri, gliene hanno fatti venire di nuovi.

Insomma, Fil è confuso, irrequieto. Non sa contro che cosa esattamente protestare. Non sa nemmeno *se* vuole protestare. Lui non è *contro*. Non è contro lo Stato, contro la Borsa, le banche, il capitalismo, l'America, suo padre, sua madre... Non è contro nessuno. Lui è solo fatto in un altro modo. Non vuole fare la vita di suo padre, tutto lí. Ma questo non significa andargli contro. L'unico gesto che compie contro di lui è scrivergli una mail. *Contro* si fa per dire... Sí, è una mail un po' dura, ma è una sera che si sente particolarmente giú.

Mi sembri sempre uno che sta per partire. Mi chiedo cosa ne acchiappi tu, della tua vita. Quand'ero piccolo pensavo che non c'eri mai perché eri un capitano di mare, per questo partivi sempre, e non me lo dicevi chi eri solo perché un giorno volevi farmi una sorpresa. Un giorno mi avresti portato davanti alla tua nave, un transatlantico lungo due chilometri

che fumava e faceva il suono lugubre delle navi quando par-
tono, e lí mi avresti detto: Vedi? Sono il capitano! Sí, pensa,
tuo padre è un capitano, sei contento? Cosí mi avresti detto.

Salva la mail nella cartella *Bozze*, la stampa e non la
manda. Neanche questa. La tiene lí a far niente. Il bello è
stato scriverla. Gli ha fatto bene. Ogni tanto lo fa, di scrivere lettere ai suoi, che poi non manda. Non ha voglia di
parlare *davvero* con loro. Non sa come dirgliele certe cose. Non sa neanche se vuole dirgliele. Forse per questo è
andato a vivere nell'Oxfordshire e si è messo ad allevare
pecore: per non dire a suo padre le cose che non sa nemmeno se vuole dirgli.

Forse allevare pecore è solo questo: un modo per non
parlare ai genitori.

Capitolo settimo

Il cielo sopra di noi

Non ci sono piú da secoli i venditori di almanacchi. Però noi tutti continuiamo a pensare che l'anno nuovo sarà migliore del vecchio. E che l'anno appena passato sia stato molto particolare, destinato a rimanere nella Storia.

Il 2011 è davvero un anno cruciale. Dilma Rousseff viene proclamata presidente del Brasile, prima donna a ricoprire tale incarico. In Tunisia cade la dittatura di Ben Alí e in Egitto il regime di Mubarak. Si verifica un terribile incidente nella centrale nucleare di Fukushima. Osama Bin Laden viene ucciso. Mu'ammar Gheddafi viene ucciso. Un asteroide passa tra la Terra e la Luna, a poco piú di 300 000 km dal nostro pianeta. La Grecia è sull'orlo del fallimento. In Italia il governo cambia e lo spread è quasi a 600 (forse il governo cambia proprio *perché* lo spread è a 600...) E Jeremy sta finendo il dottorato. È nella fase cruciale, appunto: deve consegnare la tesi.

Questo provoca in Fil, che ormai da tre anni è immerso dentro tutta un'altra vita, una sorta di sdoppiamento. Si sente due persone in una. È un po' pastore e un po' dottorando a Stanford. Da una parte, si alza all'alba e scende all'ovile, si occupa di rigirar la paglia, filtrare l'acqua, controllare l'erogazione mista di cereali e vitamine per la crescita (delle pecore). Dall'altra, dovendo fingere di fare una vita che non fa, ed essendosi quindi ormai identificato con Jeremy, sta per finire la tesi di dottorato e manda ai suoi genitori mail del tipo:

Cari mamma e papà,

stanotte sono stato alzato fino alle tre, a finire l'ultimo capitolo della tesi. Comunque non vi preoccupate: reggo benissimo! Mi faccio solo un barile di caffè e funziona...

Non l'ho finito il capitolo, ma solo perché mi sono venute in mente altre idee che miglioreranno ulteriormente tutto. Sono molto soddisfatto. Il professore l'ho incontrato ieri e mi ha detto che, se viene bene come lui spera, dopo la discussione della tesi presenterà il lavoro a una sua collega che lavora per le Nazioni Unite.

Qui è un autunno tenue, delicato. Non sembra ancora autunno. Con gli amici andiamo spesso a spassarcela a San Francisco, magari a qualche partita di baseball. Pensavo di mettermi anch'io a giocare quest'anno, c'è una specie di squadretta dei dottorandi che si sta formando adesso, qualcosa di simile... Mi vedete col berrettino?

Non so se riuscirò a tornare per Natale. Magari mi fermo fino alla discussione della tesi, e mi raggiungerete voi per la cerimonia... Sarebbe bello! Cominciate a pensarci...

Bene, ora vi lascio. Vorrei lavorare ancora un po' stasera, cosí mi porto avanti.

Saluti dal vostro Fil

È Jeremy che scrive questa mail e la manda a Fil perché la inoltri ai suoi. È Jeremy che sta per finire il dottorato, e non sa ancora che di lí a poco tornerà lui in Italia e farà una sorpresa ai suoi e a sua nonna. Non lo sa perché non ha ancora incontrato Giuliana, non è ancora andato a Oxford per la conferenza al Balliol e non ha ancora avuto lo choc di vedersi tutte quelle pecore in sala. Tutto deve ancora succedere. E lui è lí beato nel suo campus, che fa le tre di notte sulla tesi, ogni tanto va a spassarsela a San Francisco, medita di giocare a baseball.

Attraverso i resoconti dell'amico, Fil può vivere due vite. Si scinde, si raddoppia. Nella prima vita pascola pecore inglesi col muso nero, nell'altra si addottora in Ame-

282

rica e, forse, gioca a baseball. Per quanto possa sembrare inverosimile, l'una vita non è meno vera dell'altra. O meno finta, dipende dal punto di vista.

Il momento della tesi lo galvanizza letteralmente. Jeremy gli racconta tutto, è commovente: i colloqui col suo professore, con gli altri docenti, i discorsi con un compagno cinese, le serate con le ragazze. Ce n'è una, per esempio, che viene dal Kazakistan, mangia solo gelati e ha un faccino da statuina dell'Ottocento, con i capelli tirati su. Si chiama Dala.

Ma soprattutto Jeremy gli racconta della sostanza della tesi, capitolo dopo capitolo. È il suo studio sull'equivalenza ricardiana, sta venendo fuori un gran bel lavoro, e Fil ci si appassiona di giorno in giorno, tanto che ormai al pascolo si porta il suo laptop e lí, sul prato, seduto contro il suo platano preferito, lavora alacremente proprio alla tesi di Jeremy. Un giorno prova a fare certe simulazioni, un altro scarica dei dati che gli sembra Jeremy non abbia preso in considerazione e invece spostino il discorso, un altro ancora cerca sul web un capitolo di Ricardo che secondo lui illumina un aspetto, e ne parla in rete, lí sul prato, subito con Jeremy. Sembra sia lui a doversi addottorare.

Le pecore intanto pascolano. Cos'altro dovrebbero fare? Ogni tanto Fil ne perde una. Ma è tranquillo, la ritrova il giorno dopo. Le pecore non si perdono mai (o quasi mai). Questo lo ha imparato. Dipende solo da quanto lontano va il pastore, non dipende mai dalla pecora in sé. Lei, in generale, sta piuttosto ferma. E se anche il pastore sta fermo, allora non c'è problema. La pecora smarrita, in fondo, è sempre un figliol prodigo: torna. Le favole, le parabole, pensa Fil, si mescolano le une con le altre, bisogna solo aspettare che s'intreccino tra di loro e ne generino di nuove, *La pecora prodiga*, per esempio.

Però è incredibile che le pecore perdute si ritrovino sempre, in quegli spazi cosí grandi. Sembra quasi che si ritrovino proprio *perché* lo spazio è cosí grande. Come se fosse l'ampiezza stessa a non permettere alla pecora di perdersi, come se le facesse da recinto.

Fil ne parla spesso con Thomas. Stanno ore insieme, magari a rivoltar la paglia o pulire mangiatoie, ad accatastare balle di fieno o rastrellare prati. O anche a passeggiare tra le pecore, con Yuppie e Slowly, i due cani da pastore, che corrono avanti e indietro a fare il loro mestiere di tenere compatto il gregge, e quando viene sera si torna verso casa, lentamente. Per le pecore viene sera presto, verso le cinque al massimo si riprende la strada per l'ovile. Fil si ferma un po' con loro, a volte. Ne accarezza qualcuna, toglie i rametti che restano impigliati nella lana, i fili d'erba. Si accoccola sulla paglia, in quell'odore caldo, forte.

Thomas gli ricorda un po' Malmecca. Un Malmecca radioso, però, che non ha fatto errori su cui stare a tormentarsi. Un ragazzo di trentotto anni che è nato lí, e non è sempre stato cieco. Ha cominciato a perdere la vista intorno ai vent'anni. Questo non gli ha impedito di costruirsi una vita con Kathy, che ha conosciuto in ospedale, dove lei studiava da infermiera. Adesso hanno due figli già grandi, uno di sedici e l'altro di quattordici anni, che studiano in città, a Oxford. Il piú grande vuole fare Legge, magari al St John's. Ha le idee chiare, e Thomas è contento, lo si capisce dal fatto che chiude gli occhi quando ne parla, quegli occhi che sono per sempre chiusi. Ma il piú delle volte, dice, non ci pensa al destino dei suoi figli, gli sembra un sogno troppo bello, ha paura che a coltivarselo troppo, poi, non si avveri.

Thomas insegna a Fil un sacco di cose su come allevare le pecore: dove portarle al pascolo, quanto tempo tenerle fuori, quando tosarle, come vendere meglio la lana, cosa dar loro da mangiare in modo che non prendano le malattie. E anche come giocare con loro, perché, dice Thomas, l'umore va mantenuto gaio:

– Se non son gaie, le pecore, fanno una lana triste, e il latte anche non è buono.

Sui formaggi Fil rimane indietro. Non lo ispira fare il formaggio, tutto quel pasticciare il latte, rimestare il caglio. Preferisce guardare Thomas, s'incanta a seguirne i gesti. E la sera gli piace mangiare la ricotta insieme, seduti fuori, col cucchiaio e una scodella sulle ginocchia. Thomas parla e Fil guarda la luna, che all'inizio sembra niente, un pizzo rarefatto che si vede appena, e poi col buio invece diventa l'unica luce sulla terra.

Dopo l'estate, la crisi economica dei Paesi occidentali raggiunge il punto di massima gravità. Si teme persino per l'esistenza stessa dell'Europa. L'euro è in pericolo: alcuni economisti pensano che sarebbe bene che i Paesi riprendessero ognuno la sua moneta, cosí da poter ricominciare a stampar denaro e parzialmente arginare i danni; altri pensano che sarebbe sufficiente spaccare l'Europa in due, o meglio, prevedere una doppia moneta: da una parte un euro forte per i Paesi meno indebitati, dall'altra un euro debole per i Paesi piú indebitati. O, come si dice, un euro per i Paesi-formica e un euro per i Paesi-cicala.

In questa situazione mondiale davvero cupa, i giovani di tutto il mondo si uniscono. O meglio, i giovani che erano già uniti (già pacifisti, ambientalisti, no-global, no-Tav) si uniscono piú di prima. E variamente ridenominano i loro movimenti. Fiona ad esempio, con i suoi amici, va a far parte degli Occupy Wall Street, sezione londinese. E la storia con Fil ormai fa acqua da tutte le parti. Incredibile a dirsi, ma Fiona patisce sempre di piú le pecore.

Quando Fil aveva lasciato la LSE e si era trasferito in campagna a fare il pastore, Fiona aveva pensato: è un eroe. L'aveva presa anche un po' come una sua personale, schiacciante vittoria: come se Fil, redento dai suoi benefici effetti, avesse finalmente messo la testa a posto schierandosi dalla parte giusta, cioè la sua. Ma poi, con l'andar del tempo, le pecore le erano sembrate un eccesso. Un'esagerazione bella e buona. Va bene il ritorno alla natura, la scelta anticapitalistica, ma cosí era troppo.

Alla fine le pecore spuntavano sempre tra di loro a mettere zizzania, a fare da intralcio. Fiona non lo sopportava. Ad esempio diceva a Fil di una festa, o di andare al cinema tutti insieme o magari che c'era una galleria d'arte dove uno del gruppo esponeva le sue foto, ebbene, Fil no grazie, non vengo perché ho le pecore. Qualsiasi cosa, lui con la scusa delle pecore si defilava.

Poi, un giorno di ottobre del 2011, Fiona lo invita a un evento molto importante, a cui tiene da pazzi: è una recita speciale della sua compagnia, niente meno che al Globe, la prima del *Re Lear*. Cioè, una loro personale rivisitazione in chiave no-global, con le figlie di Re Lear unite contro il padre, il padre come metafora del potere economico, naturalmente. Una cosa in grande, con tanto di inviti stampati, critici autorevoli, testate di giornali. E Fil? Fil no grazie, ho le pecore! Lei non ci vede piú, gli scrive un sms di fuoco, che termina con le seguenti parole: e le pecore sai dove te le devi mettere...? Puntini puntini.

E su quei puntini finisce, tra di loro.

Era da tempo che non quadrava. Litigi, discussioni. Non c'era verso, avevano due teste diverse, Fil e i no-global ora Occupy.

– Occupy che cosa, poi? Bastasse occupare Wall Street per salvare il mondo! – diceva lui.

Loro erano per la decrescita. Un'economia solidale che livelli ricchezza e povertà eliminando le ingiustizie. Che i Paesi ricchi diventino meno ricchi, che si torni quasi a uno stadio pre-capitalistico. Decrescita felice, okay, leggono Latouche. Basta la schiavitú dei consumi, i desideri che non hai, i bisogni indotti dal mercato. Lui era scettico, vedeva i limiti:

– Certo, molto poetico! Cibarsi di radici, intrecciar vimini e coprirsi con pelli di animali, vere, non sintetiche visto che le industrie sarebbero sparite... A proposito, se bisogna tornare a cacciare, come la mettiamo con gli animalisti? Per non parlare delle mie pecore, Fiona... Com'è che le ami cosí poco? Non dovresti impazzire di gioia per tutto ciò che è naturale e animale e selvaggio?

– Se la smetti di sfottere... Se credi di cavartela prendendoci per il culo... Due battute sull'uomo primitivo e finita lí? Bell'economista che sei!

Secondo lui era troppo facile, per i Paesi ricchi, dire agli altri: non datevi troppo la pena di crescere, anzi, vedrete che emozione non diventare mai ricchi. Ma soprattutto, per lui, il problema era il debito.

– Ok, decresciamo pure. Autolimitiamoci e diventiamo pure felicemente frugali. Frugali... Ma sí, diamoci alla piú sfrenata frugalità! Sbattiamocene della crescita. E il debito? – diceva. – Si può sapere cosa pensate di farne? Lo ignoriamo? Benissimo, cosí arriverà un bel signore cinese, o brasiliano... Ecco, vi piace brasiliano? Okay, un bel brasiliano che si comprerà la Ford. E poi l'Eni. E poi la Grecia, tutte quelle sue isolette deliziose una per una, con il meltemi, le casette bianche e blu, l'aperitivo con l'ouzo sulla spiaggia... E poi l'Africa... Vi piace la Cina che si compra l'Africa, cosí risolve i suoi problemini demografici, e già che c'è si accaparra le terre del petrolio e tutte le materie prime? Pensate che bello, gli africani colonizzati dai cinesi... Fine! Come altro volete che vadano le cose? Ma no! Invece voi pensate che sia colpa dei finanzieri brutti e cattivi che si sono arricchiti alle spalle della povera gente! Magari fosse cosí! Li fermiamo e buonanotte. Non pensate invece che siano proprio i Paesi emergenti ad aver creato gli squilibri, pagando cosí poco chi lavora... No, vero? Questo non vi piace. I cinesi producono a delle condizioni impensabili per noi, sottopagano i lavoratori, esportano selvaggiamente, ci invadono di merci taroccate... I cinesi colonizzano l'Africa... ma non importa! A voi non interessa perché tanto sono cinesi, non sono mica quei brutti cattivi degli americani... Per voi solo gli americani sono imperialisti... E invece no, mi spiace, invece dobbiamo vedercela con 'sti cinesi, che vi piaccia o no! Come possiamo competere con loro? Ve lo ponete il problema? No, a voi importa solo di mantenere i nostri privilegi, assicurare l'occupazione, lo stato sociale, i diritti garantiti a tutti... E come? Aumentando le tasse, ma certo! Espropriando i ricchi! Peccato che questi benedetti super ricchi siano solo quattro gatti, ragazzi, non ce la faremo mai, non ci bastano le loro ricchezze...

Fil si faceva queste sparate colossali, con gli amici di Fiona. Gli dicevano che era peggio della Merkel. O, bene che andasse, lo lasciavano parlare, poi a un certo punto si alzavano e se ne andavano per i fatti loro. E lui rimaneva lí da solo, a parlare a quattro pecore brucanti. E quando rientrava in casa passava in cucina a farsi un caffè o si metteva sul divano ad ascoltare musica, e magari Fiona era ancora lí, e c'era tutto quel rosa, quel rosa cosí finto dei suoi capelli... Non lo voleva, un colore cosí per casa. Era eccessivo, stonato. Era tutto eccessivo con Fiona, tutto troppo...

Non era Stine. Semplice! Stine... La ragazza nordica di quella notte del farfallino, quanto tempo fa? Anni, secoli. Se l'è tenuta in mente sempre, non gli è andata via. L'aveva messa dentro i pensieri, al riparo. E lí era rimasta. Faceva parte delle cose vere che nessuno sa, segrete.

Stine era stata come quando la vita ti si para davanti all'improvviso tutta insieme, lunga come sarà. Un disegno che qualcuno ti srotola davanti un attimo, ti dice: guarda, sarà cosí, ti piace? E tu non fai a tempo a dire: sí da pazzi, che lui te lo ha già sfilato via, e ora lo ripone nel tubo portafogli e tu te ne rimani lí, stordito, non sei riuscito a vedere quasi niente, se non che c'era tutto... Tutto! Ecco perché non importa poi tanto, quanto stai con una persona. Alle volte basta un pugno d'ore, se in quelle ore tu vedi il tempo che ti viene incontro. Poi, d'accordo, svanisce. Ma tu ormai lo hai visto, sai com'è, cosa ti aspetta.

Fiona era solo la sua ragazza.

Stine è il disegno.

E la crisi, secondo lui, non è finanziaria. A questo pensa. A questa idea sta arrivando Fil a poco a poco, studiando, riflettendo. Ci sono le acciughe e ci sono i tonni, per esempio. I tonni mangiano le acciughe. Quindi le acciughe diminuiscono. Ma piú le acciughe diminuiscono, meno i tonni hanno da mangiare e piú muoiono. E se i tonni muoiono non mangiano piú le acciughe, e quindi le acciughe riprendono a crescere. Ma piú riprendono a crescere, piú nutrono i tonni e quindi i tonni aumentano e mangiano le acciughe. Ma piú le mangiano, meno ce ne sono, e quindi i tonni muoiono di fame…

Si tratta piú di Zoologia che di Economia.

Non lavora quasi piú con Jeremy all'algoritmo. È contento che l'amico continui quella ricerca, e se c'è bisogno lui è disposto ad aiutarlo da lontano, come può. Ci crede ancora, che si debba migliorare la capacità di fare previsioni; non può essere che gli economisti, neanche a tre mesi dallo sfascio, non fossero riusciti a prevedere niente. Lo ha detto persino la Regina, lí, nel Regno Unito, e ha ragione. Lo ha detto il 5 novembre del 2008, proprio alla LSE. Ha chiesto a un professore che aveva illustrato lo scenario della crisi: «E come mai nessuno se n'è accorto?»

Però adesso Fil va al pascolo. Coltiva altre idee, altri progetti. Pensa anche in un altro modo, forse. Gli è nato questo pensiero nuovo che c'entra con i tonni e le acciughe. Forse sono stati quegli studi sulle popolazioni. O è stato a forza di star disteso sull'erba a guardare il cielo, tutto quel tempo inerte a pascolare pecore. È lí che gli è venuta l'idea del tetto.

A Fil piacciono tutti i cieli. Azzurri, o giallini. Rosso fuoco, grigi, e anche bianchi. Ci sono a volte certi cieli bianchi, di quel bianco compatto, uniforme, senza una sfumatura una, che tu ti chiedi: ma cosa c'è dietro, o di lato? Si perdono le dimensioni, con cieli cosí bianchi sopra, si naviga nel nulla. Come in una nebbia spumosa.

Sono il suo soffitto, i cieli, per Fil. È ciò che la vita gli ha dato da guardare, in quel periodo. È un pastore, e quindi guarda il cielo. Non è vero che i pastori guardano le pecore: guardano i cieli che stanno sopra le pecore. Nessuno ci pensa, ma è cosí. Forse le pecore servono per poter guardare i cieli, sono la scusa, il pretesto: se non avessi pecore da guardare, non guarderesti i cieli che ci stanno sopra, ovvio, perché dovresti?

Ebbene, il bello del cielo è che ci fa da tetto. D'accordo che è infinito e che si perde nelle buie galassie dell'interspazio. Ma a noi che ce ne importa? Noi lo percepiamo come tetto. Una specie di lastra gigantesca piatta, semmai un po' arcuata, che qualcuno ci ha messo sopra e che ci fa da coperchio. Per fortuna. Ci fa stare coperti. Ci contiene. Se no, ci disperderemmo nell'etere. Non avremmo la consistenza che invece abbiamo, se non avessimo sopra di noi un coperchio. Un tetto. Proprio come lo vedeva Tolomeo, tanti secoli fa.

In Economia è la stessa cosa. A Fil sta venendo in mente che c'entri l'idea di avere un cielo sopra la testa. Che si debba accettare l'idea di tetto a proposito del problema della crescita, la crisi dell'Europa, l'America di Obama, il debito spaventoso, il PIL che non si muove, anzi, arretra, lo spread, la fiducia dei mercati che vacilla… C'erano già arrivati nell'Ottocento, all'idea del tetto, era tutto scritto in quei classici che aveva letto in biblioteca.

Conosce un ragazzo, in quel periodo a Londra, un giovane giornalista del «Financial Times». Appena glielo dice che lavora lí, Fil scoppia a ridere perché si ricorda gli articoli che suo padre gli propinava a dodici anni:

– Odio il «Financial Times»! – gli dice, e diventano subito amici.

Si chiama Hector Grant e vive con la sua ragazza Josephine che fa anche lei la giornalista e si occupa di società e cultura. Una sera invitano Fil a cena e parlano di Economia tutto il tempo. Hector gli racconta di una ricerca che stanno facendo al giornale, sul benessere delle famiglie dal dopoguerra in poi, su quale livello abbiano raggiunto le varie generazioni, piú o meno dal 1960 al 2010. Lui ha accesso all'UK Data Archive, una marea di dati, piú di settecentomila famiglie. Se vuole, può passargli il file.

Il giorno che Fil li ha sotto gli occhi, quei preziosi dati, non ci può credere. Guarda i grafici, estasiato. Osserva il procedere ora zigzagante ora lineare del percorso di ogni generazione. È esattamente come aveva pensato, i numeri gli danno ragione. Le ultime due generazioni sono cresciute meno, anzi, adesso non crescono affatto, perché... sono partite altissime! Semplice, si vede dalla linea. L'ultima generazione, la sua, la generazione detta dei precari, i cosiddetti giovani senza futuro, non può muoversi non solo per la crisi, ma perché parte dal livello massimo raggiunto dalle generazioni precedenti. E certo che non si muove: per muoversi davvero dovrebbe forare il cielo.

Bisogna mettere un cielo-tetto alla crescita. Non si può continuare cosí, a dismisura. Chiaro. È come per i pesci: i tonni devono smettere di mangiare troppe acciughe, se no finiscono. Sono costretti ad accontentarsi. Gli Stati uguale. Ogni Stato deve imparare a dire: bene, io sono partito di qui e arrivo fin qui, grazie, mi basta, gli altri arrivino dove possono arrivare, essendo partiti da dove son partiti. Certo che se partono da piú in basso fanno piú strada. Se io parto dall'arrivo, sono già arrivato, e quindi di strada non ne faccio neanche mezzo metro. Ovvio. Per una persona come per uno Stato. Che poi, a ben vedere, gli Stati sono abbastanza uguali alle persone. Se uno è già arrivato, dove deve ancora andare? Magari si ferma un po'. Magari gli viene quella voglia di smettere di correre...

Arrivare, il segreto sta tutto nel significato etimologico

di questo verbo: se uno ha già toccato la riva, ovvio che poi sta fermo. Sono gli altri che navigano ancora a vele spiegate.

È una verità cosí evidente… Fil se li vede come in una gara di corsa campestre, gli Stati Arrivati, chiamiamoli cosí. Compresa la vecchia Europa. Belli seduti in cerchio ai bordi della pista, lí dove comincia il prato, esausti, sudati, ognuno con la pettorina numerata un po' sgualcita; sotto lo striscione del traguardo, all'ombra, dopo la gara, a strimpellare una canzone, bersi un'aranciata, sbocconcellarsi un panino, o anche appisolarsi, se quello è in quel momento il loro massimo piacere, aspettando con fiducia che gli altri Stati del mondo a poco a poco arrivino, e si siedano anche loro lí al fresco, in modo che alla fine tutti diventino Stati Arrivati e si crei un colossale ammucchio, una specie di globale *Déjeuner sur l'herbe* collettivo, planetario.

È una visione un po' semplice, certo, per un economista. Anche piuttosto… immaginifica, d'accordo. Surrealista, astratta. Fil se ne rende conto, non è cosí ingenuo. Ma vorrebbe davvero che la crisi dei Paesi ricchi non fosse considerata una tragedia. È solo un arrivo, secondo lui. Certo non gli sfugge che essere arrivati ponga qualche non piccolo problema: l'arresto della crescita in un Paese, comunque lo si voglia chiamare (decrescita, arrivo, stagnazione o picnic sull'erba), è un guaio. E non perché si smetta di arricchirsi, ma perché se la torta non cresce piú, la gente comincia a strapparsi di mano le ultime fette rimaste. Invidia sociale, odio di classe, violenza. Il problema sta tutto lí, Fil lo vede con chiarezza: far vivere tutti bene, *nonostante* una crescita zero.

È una sfida nuova: non solo far crescere i Paesi emergenti, ma far sopravvivere i Paesi già emersi, non farli sprofondare. Forse si può cercare di farli avanzare in qualche altro modo, o far sí che accettino di non avanzare piú, continuando però a stare bene a galla. Non c'entra la decrescita. L'idea è di prevedere uno «stato sereno di non avanzamento»: come continuare a essere degli Stati

Arrivati, insomma, come far proseguire quella condizione di arrivo, renderla in un certo senso perpetua... Perpetuare l'Arrivo, ecco. Un fermo immagine fisso sull'atleta che taglia il filo del traguardo, che non torna indietro e nemmeno si mette in un angolo, a riposare.

Sopravvivere alla propria ricchezza. Rimanere abbastanza ricchi senza piú smaniare e sgomitare, anzi, aspettando gli altri, magari aiutandoli. Si tratta d'inventare una nuova vita, niente meno! Prevedere un altro tipo di progresso, in questa era di post-progresso. Forse, non porselo nemmeno, il problema di un progresso.

A tutto questo arriva Filippo Cantirami, sul finire di quel 2011: all'idea di un tetto, all'immagine rilassante e utopicamente equa di un «cielo economico» che abiti stabilmente sopra di noi e ci faccia un po' da tetto, protezione e limite allo stesso tempo, sotto il quale provare a vivere, e a progredire, in modo nuovo.

Che poi a questo pensiero arrivi leggendo nuovi economisti o i classici che nessuno legge piú, o guardando pascolare pecore, o pensando ai tonni e alle acciughe, o consultando i dati dell'archivio britannico, importa poco. Ci arriva, e proprio nel momento in cui Jeremy sta per finire il dottorato a Stanford al posto suo, e tutti pensano che lui sia lí, e invece lui se ne sta sui prati intorno a Oxford, dove nessuno sa chi è e che cosa fa, e studia, e pensa, e prende placidamente appunti per quella sua nuova teoria economica, che di lí a qualche anno sarà nota come Ceiling Theory.

Capitolo ottavo
Pecore al Balliol College

Non ha mai deciso di portare un gregge di pecore in un college inglese. Quel preciso mattino di novembre lui non pensa affatto di guidare le pecore di Thomas dentro al Balliol College. Non lo pensa, non lo decide. Non gli viene neanche in mente, una cosa simile.

Si tratta soltanto di una combinazione casuale di eventi.

Tanto per cominciare, la lettera che suo padre gli scrive proprio qualche giorno prima. Gliela allega alla mail: il file si chiama *CaroFilippo7bis.doc*. Sette versioni, piú una variante della settima, denominata 7 *bis*: che elaborazione complicata, pensa Fil.

Anche se lui legge le mail molto raramente, quel giorno le legge. Poteva non farlo, e invece lo fa. E legge la lettera del padre: un macigno, che gli cade addosso e che nessuno gli può piú togliere.

Caro Filippo,
finalmente trovo il tempo e la calma per parlare un po'
con te, e decido di scriverti questa lunga lettera visto che su
Skype non è cosí agevole parlarsi e poi, per una serie di ovvie
ragioni, siamo sempre di corsa.
Per prima cosa, mi auguro che tu stia bene. Non sai quan-
to mi aiuta e mi ha aiutato – in questa lontananza che, non
credere, al tuo vecchio padre non poco è pesata e pesa – di-
cevo non sai quanto mi aiuta e mi ha aiutato sapere con cer-
tezza che gli studi che tu hai intrapreso, e che stai con tan-
to successo portando a compimento, tu li senta cosí consoni

alla tua natura, al tuo essere. Non puoi immaginare quanto un padre possa sentirsi fiero di un tal figlio. Mi devi credere, è per me motivo di quotidiano orgoglio saperti là, nel Tempio degli Studi Universitari, in quel punto dell'America che a ragione viene considerato Fucina delle Idee e Tempio delle Invenzioni piú importanti dell'Occidente.

È per questo che ora mi accingo a esporti, per esteso e con la maggior esattezza possibile, i miei pensieri. O meglio i nostri pensieri, miei e della mamma, sul tuo avvenire.

Il tuo fulgido corso di studi sta per completarsi, Filippo. Presto discuterai la tesi di dottorato e lascerai Stanford, coronato degli allori che meriti, e io e la mamma non possiamo che augurarti le piú grandi soddisfazioni per tutti gli sforzi che hai sostenuto, insieme a noi, in questi anni. Ma ora è tempo di pensare al futuro. Questo è il momento in cui un giovane deve giocare le sue carte. Prendere le decisioni piú importanti, per indirizzare definitivamente la sua vita.

Come sai, né la mamma né io abbiamo mai ostacolato le tue scelte. Abbiamo lasciato, com'era giusto e sacrosanto, che fosse la tua volontà a guidarti, assecondando sempre, per quanto ci era possibile, i tuoi gusti e le tue inclinazioni.

Ora però permetti al tuo vecchio e saggio padre di guidarti un po' nella complessa, intricata, ma anche entusiasmante scelta della tua professione futura. Permettimi di prenderti per mano come quando eri bambino...

Grazie alla tua bravura e costanza, molte strade si aprono ora davanti a te, tutte egualmente degne. Si tratta di scegliere la migliore, affinché la tua vita, professionale e non solo, trovi ora il suo giusto compimento.

Ho parlato a lungo di te in questi anni, ma soprattutto in questi ultimi mesi, a esimi miei colleghi e cari amici. Si sono mostrati tutti sinceramente interessati. D'altronde, un giovane come te non può che essere molto ambito... Ben pochi hanno oggi la tua preparazione, la tua intelligenza, e anche la tua disponibilità, virtú obsoleta ma preziosa piú che mai, soprattutto in certi ambienti, soprattutto se uno vuole davvero scalare le vette del successo, come io mi auguro tu possa e voglia fare.

Veniamo al dunque.

Mi si prospetta per te, ad esempio, tramite colleghi milanesi, un ottimo posto in una grande compagnia di assicurazioni di Milano. Saresti vicino a noi, la mamma ne sarebbe felice come immagini, e noi tutti pure, e avresti buone prospettive di un avanzamento rapido e fruttuoso, sotto tutti i punti di vista.

Ti mancherebbe, forse, un aggancio piú internazionale. Quindi ti presenterei anche l'opzione di restare negli States, a Washington in particolare, dove un mio vecchio compagno di università, che ha fatto là una brillantissima carriera, mi assicurerebbe per te un posto niente meno che al Pentagono! Non ti dico di piú, perché preferirei parlarti di tutto a voce, ma ti assicuro fin d'ora che la proposta è piú che allettante.

Infine, l'offerta piú recente mi viene dal vecchio amico di famiglia Ludovico Frinzi che, come sai, è un pezzo grosso a Wall Street e ovviamente ha le conoscenze giuste in mezzo mondo, Londra compresa. Lui ti metterebbe in contatto con il direttore di una grande banca d'investimenti londinese, che mi pare proposta da non scartare. Anzi, a dirtela tutta, ti consiglierei vivamente di prenderla seriamente in considerazione: potresti cosí ritornare a Londra, che è città a te ben nota e cara. Mi è parso d'intuire che il consiglio d'amministrazione sarebbe ben lieto... che sí, insomma, il nostro nome – il nome della nostra famiglia – sarebbe accolto piú che favorevolmente... E poi di lí certo ti sarebbe aperta anche una carriera piú stricto sensu politica e diplomatica, diciamo su base piú internazionale, con prospettive anche insomma... governative, tu mi capisci... Ma non mettiamo il carro davanti ai buoi, direbbe la mamma. Ogni considerazione ulteriore sarebbe, non lo nego, alquanto prematura.

Quanto mi premeva dirti ti ho detto, cosí che tu abbia il modo, in questo periodo di attesa fino al conseguimento del dottorato, di riflettere, di fare le dovute considerazioni per decidere al meglio. Naturalmente sotto la mia guida, non du-

bitare: non ti lascerò mai solo, figlio mio! Conta su di me,
io ci sono e ci sarò sempre per ogni tua necessità, dubbio, o
momentanea esitazione.

Un caro abbraccio

papà

Fil legge questa lettera e si sente mancare il fiato. Come se qualcuno gli avesse tolto l'aria, di colpo non è piú capace di respirare. Come se fosse caduto in un cunicolo profondo e stretto, per esempio un pozzo. Appena ci riesce, si scolla dalla sedia e fa due passi per la stanza. Si sente pesante, piombo. Apre le finestre. Finalmente respira un po', ma poco. Torna al computer e cancella la mail. Clicca su *Elimina*, poi vuota il cestino e guarda l'icona animata.

Quella notte non riesce a dormire. Si alza per farsi un bicchiere di whisky, e subito dietro una tisana alle erbe svizzere. Rimane steso sul divano, a guardare il buio. Esce, vaga per le colline e i prati.

Nei giorni successivi le cose vanno un po' meglio. Col passare delle ore, tutto si distende, si placa. Fil riacquista una certa calma, almeno apparente. Pascola le pecore, studia, ascolta la radio con Thomas, lo guarda fare il formaggio. Ma dentro è un turbine di pensieri che però tiene tutti per sé. Non si confida né con Thomas né con il Duca, non divide quel peso con nessuno. Pensa. Riflette. Sta come accovacciato sui suoi pensieri, sperando di trovare un varco a un certo punto, qualcosa che lo faccia uscire da quel buco nero. Sa che adesso deve prendere una decisione, venire allo scoperto, non può continuare cosí. Suo padre sta programmando la sua vita, ma è la vita di un altro. Prima o poi glielo dovrà pur dire.

La sera dell'8 novembre, Thomas dice a Fil di sentirsi poco bene. Ha un forte mal di gola e teme di avere la febbre, Fil gli tocca la fronte e la trova caldissima: non c'è problema, lo rassicura, porterà lui le pecore al pascolo il giorno dopo.

E cosí fa. Apre l'ovile all'alba, verso le cinque, fa uscire quel centinaio di pecore e lentamente si dirige verso Port Meadow, dove si estendono i *commons*, gli sterminati, verdissimi prati lungo il Tamigi che il comune mette a disposizione dei cittadini per far pascolare i loro animali. Poteva scegliere di stare nei prati del Duca. Oppure di andare piú a nord verso i Cotswolds. Ma quel mattino ha voglia di guardare un po' l'acqua del Tamigi. Si sistema a riva, seduto per terra con la schiena appoggiata al grosso tronco di un platano. S'è portato un articolo sullo spread e, appena fa chiaro, comincia a leggerlo, mentre le pecore come sempre vagano e brucano qua e là.

È riposante stare lí, vedere il mattino che prende forma, e dietro di sé sentire il sordo rumore della città che si sveglia, il traffico, la gente che comincia la giornata, va al lavoro, corre. E lui è lí con le sue pecore, i due cani, i libri, i pensieri. Tutto gli sembra si distenda quando è nei prati, quando contempla quel brucare lento, metodico, inconsapevole. Ah, come vorrebbe essere una pecora, in certi momenti!

A quel punto accende il telefonino. Se l'è portato perché Thomas potesse comunicare con lui, glielo aveva promesso. È un bel po' che non lo accende. Subito viene sommerso da una gragnuola di piccoli bip: solita storia, decine di sms gli si scaricano addosso, come a fargliela pagare di aver tenuto spento. E lí, sotto quell'albero, in una pausa dalla lettura, Fil dà un occhio a quegli sms. Poteva farlo o non farlo, di guardare i messaggi. Nessuno lo obbligava, ha portato il telefono solo per Thomas, in caso di bisogno. E invece li guarda. Li scorre, uno via l'altro. Messaggi di amici, compagni, ex fidanzate… e di Jeremy.

Jeremy, accidenti! Lo ha chiamato tre volte verso le nove, e gli ha mandato cinque messaggi. Ma certo, la conferenza! Come ha potuto? Oxford, il 9 novembre, al Balliol College. Quel mattino è il 9 novembre, lui è a Oxford e ha un appuntamento al Balliol College.

E adesso ha tutte quelle pecore dietro…

Preso dai pensieri convulsi di quei giorni, Fil s'era dimenticato che Jeremy lo aveva invitato a parlare del loro algoritmo. Gliel'aveva proposto mesi prima, gli aveva detto se per favore stava al suo fianco, che per lui era importante, che era il loro algoritmo, la loro creatura, che non poteva lasciarlo solo. Poi per mesi glielo aveva ripetuto: «Dài Fil, non puoi farmelo di non venire! Sei a un passo. Io arrivo dall'America e tu vivi giusto lí vicino, che ci metti da Londra a venire a Oxford? Uno sputo!» E la sera prima, e il mattino lo tempesta di messaggi: non ha piú sentito Fil, recentemente, non si fida cosí tanto, meglio ricordarglielo. Ha paura che se ne sia scordato, Fil è sempre cosí altrove...

È infatti, Fil se n'è scordato. E ora, al pascolo di Port Meadow, legge gli sms di Jeremy...

Fil dove sei? Non riesco a trovarti.

Fatti vivo per piacere!

Fil! Ti aspetto al college.

Balliol College ore 11.

Non mi dare buca, Fil, che ti ammazzo!

Lui ha le pecore con sé: centosessantotto lanose, belanti pecore Suffolk.

Può abbandonarle lí nei prati? Essendo animali cosí mansueti, non combinerebbero alcun guaio... Ma si può fidare? No, meglio di no.

Può riportarle all'ovile, cambiarsi, prendere la moto e fiondarsi al college? No, troppo lontano, non farebbe in tempo.

Può far finta di non averle? Pensare che non siano vere, per dire? È evidente che *ha* quelle pecore: sono lí, accanto a lui, ne sente anche un po' l'odore, quel misto di lana e carne tipico. Insomma, lui *è* un «ragazzo con pecore», niente da fare. Non proprio un pastore, d'accordo, semmai un aiuto-pastore. Piú che altro un conduttore di pecore. Il punto è che in quel momento *sta* pascolando pecore. E non sa proprio dove metterle.

Quindi, le possibilità sono solo due: o non va al college, o si porta dietro le pecore.

Ma sono veramente due le possibilità? Può veramente non andare alla conferenza di Jeremy? Può fargli questo? No, non può. Non ci pensa neanche.

Quindi, non rimane che una possibilità: portare le pecore alla conferenza del Balliol College.

Non c'è altro. E come si vede, poi, nella vita le cose sono spesso molto semplici, e se uno lavora di logica, se uno ci mette del ragionamento, non può che arrivare a un'unica conclusione sensata.

Può contare giusto su un'ora. Camminando in fretta ce la può fare. Calcola il percorso, la distanza, il tempo. Sí, è possibile. Basta andare per Woodstock Road, che è una bella strada larga e dritta e porta esattamente in centro, a St Giles, e poi di lí si gira a sinistra in Broad Street e a venti metri si trova il Balliol. Perfetto, si può fare.

A quel punto Fil si ferma un attimo. Pensa. Non è stupido. Né ingenuo o impulsivo. È un ragazzo posato, serio. Lo è sempre stato. Si prende un momento di tempo e pensa. Le pecore intanto continuano a fare quel che stavano facendo: pascolano. E lui riflette. Lo sa che è da pazzi portare un intero gregge dentro un college. Ne è perfettamente consapevole. Perfettamente. Si vede già la scena. La gente, i professori, Jeremy... La cosa piú sensata sarebbe non andare. Telefonare a Jeremy e dirgli:

«Scusa Jeremy, ma ho un gregge di pecore con me, come faccio a venire?»

Jeremy sulle prime non capirebbe un accidenti perché lui cosa ne sa di quelle pecore e di cosa fa lui adesso, e di dove diavolo è andato a vivere? Ma lui glielo racconterebbe volentieri, certo in breve, il tempo di una telefonata, d'accordo...

Sí, potrebbe non andare a quella conferenza. Certo che potrebbe. Anzi, sarebbe la cosa giusta, diciamo piú razionale. E invece Fil ci va. Con le pecore. Cioè fa questa cosa che non sta né in cielo né in terra, e che nessuno avrebbe mai scelto di fare. Probabilmente gli viene un gusto, una voglia di fare proprio quella cosa lí da pazzi: portare pecore in un college a Oxford. A poco a poco, però, gli viene quel gusto. Gli viene mentre lo fa: camminando, portandole già con sé quelle pecore. È in quel momento che si convince che è perfetto, che è proprio la cosa che vuole fare. Ma tutto questo, a poco a poco: camminando, andando con quel suo passo lungo, quieto eppure deciso, percorrendo tutta Woodstock Road, quella strada larga, comoda, elegante, con le case rosse vittoriane, i loro bei muretti bassi di mattoni, le finestre quadrettate bianche, e gli alberi… tutti quegli alberi che spuntano dai giardinetti, ancora con le loro foglie nonostante sia novembre… una meraviglia.

Noi non sappiamo. Neanche Fil lo sa, se c'entra o non c'entra quella lettera del padre che, appunto, se arrivava in qualsiasi altro momento della sua vita faceva diverso, e che invece arriva giusto poco prima della conferenza al Balliol. Non sappiamo, perché, come potremmo? Nessuno di noi sa come si mescolano gli ingredienti, in quale arcano modo e in quali misteriosissimi alambicchi reagiscano tra di loro. Ma succede che si mescolino, e reagiscano. Succede. È la chimica della vita. Fil non sa, va solo avanti. Ma piú va avanti, piú gli risulta chiaro che gli va bene quel che sta facendo. Gli piace. Piú lo fa, piú si sente a posto. Contento, o quasi. Qualcosa che assomiglia molto alla contentezza di sé.

In poche parole, prende quelle benedette pecore e va, convinto, soddisfatto, sempre piú soddisfatto.

Cioè, in un certo senso, lo fa contro suo padre. Cioè… non proprio contro contro. Lo fa solo per fermare quella macchina infernale di suo padre, ecco, per bloccarla un attimo. Tanto, prima o poi andava fatto. Le cose sono andate troppo avanti. Se n'è stato buono e zitto, seduto comodo in quel suo beato silenzio come su una bomba, tre anni. Un po' tanto… Ora deve levarsela da sotto il sedere, quella bomba, e lasciare anche un po' che esploda. Senza che nessuno si faccia male, ovvio...

Le pecore, intanto, lo seguono ordinate e buone: sono pecore e fanno le pecore. I cani dietro, a contenerle. Quando lui si volta a guardarle, le vede in fila una dietro l'altra, chine, con lo sguardo a terra, così ammassate che non passerebbe un filo d'erba tra l'una e l'altra. Commoventi. Compatte e unite che sembrano formare una piccola lingua di terra, una specie di isola lunghissima e semovente, che placida eppure inesorabile viene giú da Woodstock Road. Una lunga isola mobile di pecore obbedienti, ammassate e buone, che vanno sul marciapiede e, non si sa come, non scendono mai il gradino. Solo una ogni tanto, raramente. Due o tre volte, non di piú.

E anche le auto, stranamente, si scostano. Anzi, si mettono ad andare piano. Come se capissero che quel gregge potrebbe anche sbordare un po', si tengono preventivamente larghe e vanno piano. Preventivamente... Bello! Cosí non capita niente. Due chilometri nel chiaro tiepido di quel mattino di novembre, Fil davanti e quasi duecento pecore dietro, tutta Woodstock Road occupata, e non capita niente.

Fil guida le pecore come un automa. Dritto, spedito. Da Port Meadow al centro, nel traffico, senza piú fermarsi, senza piú pensare. Non è una scelta. Non è un gesto che abbia un senso preciso, polemico, politico, disperato. Non è una provocazione. Non è nemmeno, però, qualcosa che ormai Fil possa decidere di non fare o ancora dilazionare. È il gesto che bisogna compiere. È il giorno in cui compierlo. Fil non se lo aspettava che arrivasse cosí, lo vede quando ormai è lí, il giorno in cui dirà a suo padre, tanto per cominciare, che se lo scordi: lui non ci andrà proprio per niente a Washington, a Londra, al Pentagono o dove altro vuole lui. Anche perché non ha le qualifiche per farlo: nessun master alla LSE, nessun dottorato a Stanford.

Lui non ha niente. Lui non è niente.

È arrivato il momento di dirglielo, a suo padre. Tutto lí.

Avrebbe potuto prendere il telefono e informarlo, questo sí, o scrivergli anche lui una lettera, magari lunga dieci pagine, in cui gli spiegava per filo e per segno com'era andata, cosa voleva nella vita e cosa non voleva. Avrebbe potuto far cosí, certo. E sarebbe stato anche piú normale. Naturale, semplice. «Senti papà, volevo dirti che non ci sono andato a Stanford, mi sono fermato qui, abito vicino a Oxford, allevo pecore e va bene cosí, non ti affannare per me». Ci voleva tanto? No. Né tanto né poco. Ci aveva pensato mille volte. Oppure in quest'altro modo: «Guarda papà, ho un business con le pecore». Ecco, dirglielo cosí gli era sembrata, a un certo punto, una buona idea: c'era di mezzo la parola business, poteva fare meno male. Certo, la parola pecore rovinava un bel po' l'impatto. Le pecore sanno subito di agricoltura e povertà, ovile, formaggi, puzza di letame. Sanno di un figlio che ha fallito...

Quindi aveva lasciato perdere. Quello sforzo di dirlo a suo padre non l'aveva compiuto. Fine. E ormai era tardi. Adesso non poteva piú *parlare* a suo padre. Erano tre anni che taceva, che fingeva. Era diventato tardi. Come quando alziamo gli occhi dopo una giornata di lavoro e di colpo ci accorgiamo che è diventato buio. Non l'abbiamo visto venire, il buio, ma ora che lo vediamo è tardi: tutte le cose che volevamo fare con la luce non le possiamo piú fare perché la luce se n'è andata. Semplice. Banale, anche. Le parole adesso non bastavano piú, ci voleva qualcos'altro. Un gesto, appunto. Non poteva essere che un gesto, e anche clamoroso. Gigantesco. Un'enormità. Portare quelle pecore nel college. Per combinazione, Jeremy con la sua conferenza, e Thomas con la sua febbre, glielo avevano servito su un piatto d'argento, quel gesto. Un'*occasione* da cogliere al volo, avrebbe detto Roger Sheffield, tutti i rogersheffield dell'universo... Pam-pam, e giú la quaglia! Un po' brutale, forse. Ma almeno era un gesto chiaro e definitivo. Era il suo modo di dire basta. Non solo a suo padre, però. Basta a tutto il resto, anche. Già che c'era, quelle pecore le portava contro tutti. Perché no? Contro i test, i rogersheffield, i keynesiani, i no-global, internet, l'università, i tutor, i compagni, i banchieri, le palestre, i tapis roulant, i topi che corrono, i capelli fucsia, i microchip... Sí, i microchip. Aveva letto che in futuro avremmo avuto tutti dei microchip piantati nel corpo. Quindi, anche contro i microchip portava le pecore, anche contro quel futuro lí che non gli andava bene proprio per niente.

E poi, era un gesto perfetto. Metteva meravigliosamente tutti davanti a un fatto compiuto. Meglio, li metteva tutti davanti a un gregge.

E poi, un altro gesto non l'aveva trovato, diciamoci le cose come stanno. Magari ci aveva pensato anche prima, ma non gli era venuto niente. D'altronde, poteva schierare eserciti, far piovere stelle, rovesciare i mari?

Ha solo centosessantotto pecore, neanche sue. Ma insomma, le ha. Ha solo quello: centosessantotto pecore. Le può portare con sé. Le prende in prestito, in un certo senso. Thomas capirà. Al momento sono tutto quel che ha a portata di mano. Con la scusa di raggiungere Jeremy alla conferenza e parlare del loro algoritmo, invade il mondo. Già che c'è. Con quella manciata di pecore belanti e buone, lo occupa... Ecco, sí, lo occupa. Anche lui Occupy... Occupy che cosa? Non importa. Lui, da solo. Senza dirlo a nessuno. Senza tanto clamore. Non l'ha neanche mai deciso. Lo fa. E basta.

A St Giles fanno capolinea gli autobus.

Arrivano, si fermano, poi ripartono. Rossi, a due piani. Panoramici. Girano attorno al piccolo cimitero e prendono le vie che vanno verso sud, nord, est e ovest.

Proprio sull'angolo comincia il centro commerciale, con i grandi magazzini e i supermercati: Boswell, Debenhams, Sainsbury's. È pieno di gente, quel punto di Oxford, gente che fa la spesa e scende dagli autobus o li prende, mettendosi in coda. A volte la coda in fila indiana è lunga anche trenta metri, ma non è un problema, si esaurisce sempre velocemente.

Fil passa davanti ai rossi autobus in fila, fermi al capolinea. Gira a sinistra in Broad Street e se lo trova davanti, il Balliol College. Con le sue torrette tonde e il tetto a cono, tipo castello.

Lí la strada si allarga, forse si chiama Broad Street per quello, perché diventa una specie di piazza, lunga, che arriva dritta alla Bodleian Library. Le pecore riempiono tutto quello slargo, quella strada-piazza; stanno lí compatte, ordinate. La gente guarda. Attonita. Non capisce cosa sia quel gregge, chiede se c'è una fiera da qualche parte o cosa. C'è gente anche nei locali, seduta ai tavolini. Per esempio ci sono due anziani e distinti coniugi, Burt e Judith, che attraverso la vetrata contemplano la scena increduli, consumando la loro solita colazione, un caffè, un croissant che farciscono di marmellata alle fragole e poi tagliano a pezzetti, con tanto di forchetta e coltello. La fanno sempre, una colazione cosí, tutte le mattine. È il loro modo di far festa, nel tempo che rimane.

Fil indugia un po', a quel punto, si ferma ancora un istante a guardare avanti. Poi varca il portone di legno e si trova nel parco del Balliol College. Le pecore lo seguono e in un attimo invadono il prato verdissimo rasato a fil di terra, intrufolandosi tra le colonne del porticato.

Fatto. È arrivato. Ha portato le sue pecore fin lí. In centro città. In quel college che è uno dei piú belli d'Inghilterra. Sembra davvero un castello, uno di quei castelli delle favole dove abita il principe che poi sposa la principessa dopo aver ucciso il drago. E Fil ci è entrato con tutte quelle pecore, dentro quel castello, tutto quel gregge, che però non è piú un gregge, è la sua vita, e la gente deve saperlo.

Certo Fil non può prevedere che tra quella gente ci sia anche Cami, la sua ex fidanzata Camilla Bardi Saraceni, che lo guarda divertita e scrive un allegro sms a sua sorella Gheri, avvertendola di quel che lui sta facendo sotto i suoi occhi e mandando quindi, senza saperlo, nel panico tutta la famiglia Cantirami.

Se non lo avesse mandato, quell'sms? Chissà come sarebbe andata la vita di Fil, la vita dei suoi... Vite legate da una catena di *se*: se una persona passa o no per una certa strada, se ha il telefonino con sé, se è carico, se decide di usarlo. Ma che ne sa lui, in quel momento? Che ne sappiamo tutti noi, quando facciamo un gesto, quando guidiamo greggi di pecore, per esempio, cosa ne sappiamo di quel che provochiamo nella vita degli altri? Che ne sa Fil di sua madre, di suo padre? Non lo sa, non lo può sapere che decideranno di partire, che lo cercheranno per mezzo mondo, che a non trovarlo diventeranno matti...

Fil non sa niente di loro. Va dritto spedito alla sala conferenze. Per i corridoi e sulle scale incontra poca gente, qualche studente frettoloso col computer sotto il braccio che si mette di lato e lascia passare lui e le pecore, interdetto. Fil non si ferma piú. Ha il passo veloce e ritmato. Procede sicuro. Con quel suo completo grigio di fustagno che non smette mai, è una specie di divisa per lui, manco si accorge di averla, sciarpa di lana a righe con gli stemmi, la borsa a tracolla con i libri che si porta sempre al pascolo, l'articolo fotocopiato che stava leggendo, e tutte le sue pecore dietro. Un pastore-in-grigio. O un conferenziere-con-pecore. Non si volta e non si ferma. Va cosí filato fin sul palco. Saluta Jeremy e gli altri e si siede.

Decide di non fare caso alla gente che in platea comincia a mormorare, a tutte quelle persone radunate lí per la conferenza che ora non capiscono se devono mettersi a urlare, uscire o restare ferme e mute; decide di non far caso nemmeno alla faccia di Jeremy, che diventa pallida come un lenzuolo, e al decano, e ai discussant che non sanno cosa dire, cosa fare. Fil ha deciso di non guardare nessuno e di non pensare a niente. Si fida. Ha un'immensa fiducia che le cose andranno per il loro verso, che non succederà nulla di grave.

Infatti, Jeremy ricomincia a parlare e poi prende la parola lui, addentrandosi a spiegare il cuore del loro algoritmo. Tutto è perfettamente giusto, e normale. La gente ascolta, i discussant prendono appunti, le pecore stanno dove sono. Ferme. Solo qualcuna manda ogni tanto un fievole belato, ma cosí fievole che non disturba. Fil se ne compiace. È molto fiero, e sorpreso lui per primo, delle sue pecore: non credeva che si sarebbero comportate cosí bene. E a un certo punto neanche piú ci pensa. Se dobbiamo essere sinceri, neanche piú le vede, tanto è preso da quel che sta dicendo, completamente assorbito dall'argomento, immerso, altrove. E anche il pubblico ascolta attento, e si dimentica delle pecore, o – va' a sapere – ci fa l'abitudine, folgorato com'è dall'acutezza delle teorie che i due giovani economisti vanno esponendo.

Alla fine c'è un grande applauso. Soprattutto quando Jeremy racconta la loro storia (omettendo il patto, naturalmente): il loro sodalizio intellettuale, gli studi, le ricerche, le ipotesi future. Quando poi dice che deve tutto a Filippo, che l'idea originale dell'algoritmo è sua, e Fil a quel punto vorrebbe ribattere che non è vero, che hanno lavorato sempre insieme e che è lui, piuttosto, che senza Jeremy non avrebbe mai combinato nulla di buono, l'ovazione diventa totale e irrefrenabile. La gente è commossa, e grata. Ammira l'intelligenza di quei ragazzi, ma anche la loro amicizia e reciproca generosità.

Fil rimane sorpreso. L'applauso non se lo aspettava. Non si muove, guarda abbacinato quella folla che lo osanna, e rimane lí, immobile, una statua. Una tale ovazione lo confonde. Si sente stordito, accaldato. Non capisce bene. Non sa piú dove si trova, perché è in quella sala, cosa ha appena finito di fare. Ha esposto con Jeremy la loro teoria, sí, questo sí. E ora quell'applauso che non finisce, la gente in piedi, qualcuno che si avvicina sorridendo, facendosi largo tra le pecore, per chiedergli qualcosa, per continuare in qualche modo, perché parli ancora. Fil è imbarazzato, sorride a tutti, dà spiegazioni, stringe mani, ma anche si schermisce, cerca di scivolar via.

Quando ripercorre la strada che lo riporta a Bleckway con tutte le sue pecore dietro, è contento. Adesso lui è quel che è, lo ha mostrato pubblicamente, e tutti lo hanno visto.

Non sa di Cami, ma è sicuro che adesso i suoi sanno. Lo sente. È come una magia che si è compiuta, qualcosa del genere. Non conosce il modo in cui sono stati informati, ma sa che lo sono stati. O lo saranno di lí a breve. Lui ha portato quelle pecore perché i suoi lo sapessero, e adesso lo sanno. Dentro di lui succede che lo sanno, e questo è tutto. Torna al Palazzo del Duca, riporta le pecore all'ovile.

– Tutto bene? – gli chiede Thomas febbricitante.

– Tutto bene.

Si fa una doccia. Ha fame. Si prepara un sandwich e va a mangiarselo fuori. C'è un sole tiepido, nebbioso. Si siede sulla sdraio, allunga i piedi e guarda il cielo, le nuvole che passano.

Tutto bene. Peccato solo che li abbia feriti, i suoi genitori. Questo gli è molto chiaro. Lo sapeva, di ferirli, mentre portava le pecore: camminava con il gregge accanto, e se lo sentiva quasi addosso lo scontento dei suoi. Cosa ti devo dire? Non hai nessuna colpa, hai fatto tutto bene, sei stato un bravo padre, sí. Hai voluto sempre il meglio per me. Ma forse è proprio questo, papà. Nessun genitore deve volere il meglio per suo figlio. E sai perché? Perché non lo sa. Un genitore non sa cos'è il meglio per suo figlio. Non lo può sapere, come potrebbe? È Dio? Legge nella sfera di cristallo? No, è solo un genitore. E allora dovrebbe starsene a guardare e basta, in silenzio e con grande calma. Un po' come si sta davanti al mare a guardare il mare. Cosa si fa davanti al mare? Si guarda il mare. Basta. Si accompagnano le onde con lo sguardo. Questo. Una per una. Come faceva il mio amico Malmecca con le foglie: le accompagnava, le prendeva in braccio un attimo prima che cadessero. Le... *accompagnava*. Hai presente? Le onde che si frangono, le foglie che cadono, la canna da pesca che si piega quando il pesce abbocca... Cosí. Accompagnare. Anche i figli bisogna accompagnarli. Stare a guardarli, come le onde. Ma tu mi hai mandato questa lettera terribile... Non dovevi mandarmela, e nemmeno scriverla, nemmeno pensarla. Non dovevi. Cosí non mi hai dato scampo. Come facevo? Dovevo dirti di no, dirtelo, che non la volevo, io, una vita come la tua...

Un figlio che non continua il padre spezza una linea. La rompe. È un elemento di rottura, un figlio cosí, si può dire? L'ho pensato spesso. Ma adesso non lo penso piú. Adesso che mi sono portato dietro quelle pecore lo so, e vorrei tanto dirtelo, papà, rassicurarti: quella linea spezzata continua, solo che continua da un'altra parte, in un altro modo, e va bene lo stesso perché comunque quella linea è nata da te, da voi, viene da lí... Dovete in ogni caso esserne fieri. In ogni caso! Comunque vada! Dovreste essere curiosi, voi genitori. Molto curiosi dei figli. Dovreste morire dalla curiosità di vedere dove diavolo andrà a finire, quella linea spezzata che è partita da voi, e che si spezzerà ancora decine di volte nei secoli, con i figli dei vostri figli e i figli dei loro figli. Decine di volte! Invece, siete sempre cosí scontenti... Cosí incontentabili. Siete cosí privi di curiosità, voi genitori... Sembra che conosciate già tutto, che sappiate al millesimo che fine farà ogni cosa, ogni figlio... Non vi lasciate sorprendere. Non prevedete neanche la possibilità di una sorpresa. Peccato. Vi private di una grande felicità...

Questo pensa Fil, guardando il cielo. E pensa anche a Jeremy, che se n'è andato furente, sicuramente ce l'ha con lui, e chissà quando lo rivedrà, magari mai. Gli dispiace, non voleva...

Bisogna solo che lo dica ai miei, di te. Troppo bella, la tua storia! La devono conoscere. Sei il figlio che avrebbero voluto, tu sí che li continui, tu sí che non la spezzi, la linea. D'accordo, non sei il figlio *vero*… Ma è cosí importante? Cambia cosí tanto? Tu sei perfetto per loro. E loro sono perfetti per te. Per questo sono certo che siano dei bravi genitori: perché lo sono per te. Senza saperlo, però lo sono. Ottimi. Ma non per me. E allora? Va tutto bene, Jer. Tu non potevi averla quella vita, non eri nato nel posto giusto. Invece cosí è andato tutto a posto. I miei genitori ti hanno… spostato. Si chiama ribaltare la frittata. Ma ci pensi? Non se lo sognano neanche quel che han fatto, non ti conoscono, non sanno nemmeno che esisti! Eppure… ti hanno letteralmente cambiato la vita! Un capolavoro. Devi esser molto grato, molto. E loro molto fieri, e orgogliosi. È stata una fortuna per tutti. Anche se non vi siete ancora mai visti né parlati… Bisogna che al piú presto ti presenti ai miei. È una cosa che va fatta. È una cosa buona. E tu farai carriera, com'è giusto… diventerai qualcuno, andrai da qualche parte… e anch'io…

Ecco, quel pomeriggio del 9 novembre, allungato sulla sdraio a godersi quel solicchio stentato, Fil è contento. Sa che adesso può andare dove vuole. Adesso finalmente può. Ci pensa ancora qualche giorno. Poi, con calma, prepara le sue cose e parte. Il 13 novembre. Un pugno d'ore prima dell'arrivo di zia Giu. Se solo l'avesse saputo, se solo un calabrone gli fosse ronzato intorno all'orecchio, l'avrebbe aspettata. Eccome, se l'avrebbe aspettata.

Se ne sta sul ponte, nonostante il vento freddo di quell'ora mattutina, per assaporare meglio l'arrivo. E si gode lo spettacolo dei fiordi, quelle montagne a picco, quei boschi che planano nel mare… Ovviamente non sa se ritroverà la sua Stine, non ne è certo per niente. Non le aveva neanche chiesto l'indirizzo, tre anni prima. Nemmeno il numero di cellulare, o il cognome. Come fai a ritrovare una persona, se non sai niente di lei? Sa solo il nome del paese, quello sí. Se lo è ripetuto nella testa come una cantilena, da quando lei, salutandolo quel mattino, gli ha detto: «Perché non vieni tu a trovare me, un giorno?»

Ora quel giorno è arrivato. Ora che s'è liberato della sua vita finta. Ha cercato su internet e si è stampato la mappa, gli orari dei treni, delle navi, i biglietti.

E adesso è lí sul ponte di quel piccolo traghetto, che guarda l'orizzonte. In quell'alba gelida, col vento che gli sferza il viso.

Spera solo che quel paese sia davvero piccolo: quattro case, gli aveva detto Stine. A vederlo su Google Maps sembrava di sí, era un puntino microscopico. Se è cosí piccolo non sarà impossibile trovare una ragazza che si chiama Stine e ha i capelli corti e gli occhi chiari come la luce dei ghiacciai, che problema c'è?

Non sa assolutamente cosa le dirà, né cosa deciderà di fare. Non ha neanche una mezza idea in testa e non è nemmeno certo che lei si ricordi ancora di lui, né che sia lí e non invece in giro per il mondo chissà dove. Gli aveva detto, quella notte di tre anni prima, che voleva viaggiare e magari costruire una scuola in qualche sperduto deserto della Terra.

Non sa niente di lei. Ma ci prova. Ha tenuto la sua immagine stampata in testa da quella notte. Tre anni. Non gli è mai andata via. È la sua ragazza-giunco, alta e esile, e fosforescente. Un sogno. E i sogni non bisogna lasciarli troppo lí da soli, nascosti. A un certo punto bisogna andare a vedere come stanno, controllare se ci sono ancora. Se per esempio hanno davvero gli occhi cosí, oppure se ce li siamo inventati. Per questo è partito: per controllare. Ha solo dovuto aspettare di portare quelle pecore nel college, prima. Senza quel gesto un po' esagerato, non l'avrebbe mai presa la decisione di mollare tutto e andarsene in Norvegia a cercare una ragazza che ha visto una sola volta eppure gli sta piantata in testa da anni. Ma adesso che ha fatto quella cosa enorme di portare tutte quelle pecore contro il mondo e quel suo futuro che gli si parava davanti come un muro e non gli piaceva (perché, a chi mai piacciono i muri davanti?), adesso che ha compiuto quella specie di rivoluzione pastorale (si può dire cosí?), di cos'altro può aver paura? Di niente.

Quando il piccolo traghetto doppia il promontorio, Fil vede il paesino di Stine. Al fondo di una specie di valle piena di mare, stretta tra due monti che scendono a picco dentro l'acqua con tutto il verde dei loro boschi, lo vede.

Pazzesco i boschi che si buttano nel mare! Fil non ci può credere che esista una tale meraviglia. Ha visto tanti mari dall'alto, per esempio dalle scogliere dell'Irlanda o della Cornovaglia; gli piaceva, lo faceva apposta ad arrivare con la moto fin sull'orlo dell'abisso, dove finiva il prato cosí di colpo, con quel taglio netto, e poi c'era solo lo strapiombo e il mare laggiú in basso, che diventava un mondo irraggiungibile. Ma adesso è il contrario, in un fiordo tu sei nel mare in basso, e la terra ce l'hai tutta in alto, ed è come se qualcuno avesse squarciato la montagna per fare entrare te, e si fosse prodotto un varco, una fenditura profonda proprio nelle viscere della roccia, e tu passassi attraverso la pancia della terra, tra i boschi che s'inchinano sull'acqua al tuo passaggio.

Anche l'acqua. Il miracolo di quell'acqua cosí calma che non sembra piú un mare, ha perso il moto delle onde, la schiuma e ogni possibile ribollire per diventare piana. È mare, sí, però diverso da tutti gli altri mari. È un mare fermo. E lucido. Come uno specchio. Ma non è lo specchio di un lago, per dire. Si vede che non è un lago: ha una sua profondità bluastra, una sua forza interna che viene da lontano: come quando guardi il mare, lo senti che quello che hai davanti è solo un pezzo di un tutto gigantesco che ricopre quasi il pianeta intero, lo senti che guardi l'infinito a cui lui è attaccato.

Fil scende dal piccolo traghetto e se ne sta sul molo, con il naso per aria ad ammirare quelle montagne che su in cima hanno la neve e in basso sfiorano le barche: di colpo i contrari si possono toccare, e il mondo trova pace.

Fa freddo e cade una pioggia sottile che diventa nebbia e a poco a poco toglie qualche pezzo di mondo alla vista.

Quel paese è davvero di quattro case. Forse non proprio quattro, forse venti. Case di legno colorato in rosso, con le finestre bianche. Case che si spencolano sul mare, sorrette da pali che annegano nell'acqua e si ricoprono di un algume verde che sembra il muschio dei presepi. È proprio come gli aveva detto Stine: un paese piccolissimo di quattro case. O meglio, palafitte.

Si dirige all'unico bar, in fondo al molo. C'è un uomo che pulisce i tavoli di legno, col grembiule scuro. Gli chiede se conosce una ragazza bionda con i capelli corti, che si chiama Stine. L'uomo si pulisce le mani sul grembiule e, gentile, gli dà precise istruzioni indicandogli col dito un punto esatto, in alto. Bisogna prendere una strada che dal porto sale un po' e chissà dove arriva: le nuvole sono lame che tagliano in due la montagna.

– Qui è cosí, ci deve fare l'occhio. Solo a metà della salita ricomincerà a vedere…

Fil inizia a salire. Si scivola un po', sul terriccio. Finalmente sta per fare la cosa che piú desiderava al mondo. Non sa se dopo tornerà ad allevare pecore o a studiare Economia o se rimarrà lí, in quel paesino di venti case, magari a lavorare al bar del molo con quell'uomo. Quell'attimo presente è l'unica cosa che conta. È solo il suo presente, è vero, non c'entra con nulla di quel che poi sarà la sua vita. Non è il suo futuro, o meglio, lui non può saperlo. È una cosa piccola e di poco conto: è solo il momento in cui lui arriva dalla sua ragazza. È niente. Ma per arrivare a quel niente ci è voluto cosí tanto. È un attimo. Ma è l'attimo in cui lui è esattamente dove vuole essere e fa esattamente quel che vuole fare.

Capitolo nono

Ritorno a casa

Nessuno si fermò dal Duca di Glensbury, a Bleckway, ad aspettare Fil. Né Guido e Nisina né Giuliana. Nessuno dei tre, forse, credeva veramente che sarebbe tornato. Rimasero alcuni giorni, e poi decisero di ripartire. Il loro cuore era diviso tra la pace di quel luogo e pensieri cupi che li investivano a ondate.

– Ma ti ricordi la gita delle balene, Guido? Avremmo dovuto capirlo da lí! – ogni tanto Nisina emergeva dal groviglio mentale dei suoi pensieri, e ne snocciolava qualcuno ad alta voce al marito, tenendosi la testa tra le mani.

E le lettere spedite, e quelle ricevute col timbro giusto di San Francisco... e lei, sua madre, che lo va a trovare e lo trova, a Stanford! Come mai lo trova?

– Jeremy! L'avevo detto io, che con quel nome ridicolo... – replicava Guido. – Ah ma lo incontrerò prima o poi, e so io cosa dirgli, a quell'approfittatore...

Si sfogava. Non sapeva che cosa fare. Era senza forze. Voleva riportare a casa la sua prostrata consorte: là con calma avrebbero provato a ricominciare a vivere. E poi in un modo o nell'altro avrebbero ritrovato Fil. Certo che lo avrebbero ritrovato, non era mica sparito. Un figlio non si dissolve nel nulla cosí. Prima o poi lo avrebbero risentito, rivisto, gli avrebbero parlato.

Ora erano stanchi. Sognavano solo di tornare. Avevano anche un sacco di cose da fare, a casa.

Giuliana invece si sarebbe fermata volentieri ancora un po'. Aveva tempo, lei. Le pareva di lasciare un mondo che non aveva mai saputo esistesse, e che ora non sapeva se avrebbe mai ritrovato.

Forse, se fosse stata un po' meno concentrata sui suoi pensieri, suo nipote, suo fratello e tutto quel pasticcio delle pecore, avrebbe avuto modo di notare che sul volto del Duca s'era disegnata un'ombra, e avrebbe capito che la sua tristezza di lasciar quel luogo era molto inferiore alla tristezza del Duca di vederla partire. Molto inferiore... Ma, ci chiediamo, se avesse notato quell'ombra sul volto del Duca (proprio solo una virgola, che nell'aggrottar le sopracciglia gli faceva gli occhi piú scuri), sarebbe cambiato qualcosa? Si sarebbe fermata?

Il mattino in cui partí, Giuliana scese lo scalone con passo leggero, cercando di non far rumore, e lo vide lí, in basso, camminare avanti e indietro nervosamente. Per la prima volta notò che zoppicava lievemente, solo un poco, sul lato sinistro, e ne ebbe una pena nuova, che non aveva ancora provato. Pensò che era un uomo in bilico, in equilibrio perfetto su un crinale, ancora qualche passo e l'ombra della sera lo avrebbe avvolto e il suo cammino sarebbe stato in discesa verso valle, abbandonata per sempre la cima illuminata delle montagne. Ancora quasi nulla di percettibile, per carità, solo un cenno di fatica nello sguardo, una spossatezza dei gesti, un'ombra grigia intorno alle tempie. Anche lei d'altronde si sentiva in quell'età della vita in cui non si è piú giovani e non si è ancora vecchi, e ci si trova quindi nella dolorosa condizione di rimpiangere qualcosa che si possiede ancora, ma che assume ogni giorno di piú i contorni di ciò che sarà perduto per sempre.

Quando la vide scendere le scale, il Duca le si fece incontro:

– Giuliana, soprattutto la ringrazio perché... Sappia che questi giorni sono stati per me... Sappia che lei mi ha concesso in dono... Volevo dirle... per qualsiasi cosa, quando lei sarà tornata alla sua vita, qualsiasi dubbio o pena che io possa in qualche modo provare a... Non si faccia scru-

315

polo, mi chiami, mi scriva. Io come potrò le darò aiuto.
Volevo che sapesse che sarò per lei come... Faccia conto
per sempre sul mio appoggio, benché cosí lontano, cosí...

Giuliana, confusamente, lo ringraziò. Si era commossa di fronte a quel signore distinto che non trovava le parole, che non finiva neanche una frase. Pensò che era una cosa bella, un uomo che non finisce le frasi. Vuol dire che ha dentro un grumo di dolcezze che non si sono ancora sciolte. Anche a lei in fondo quel mattino venivano parole stente. Riuscí soltanto a porgergli la mano, arrossendo un po'. Poi arrivarono Guido e Nisina, e i saluti si fecero formali. Dopo nemmeno un minuto, l'autista del Duca apriva ai tre ospiti le portiere dell'automobile.

Nisina, già durante il viaggio di ritorno, cominciò una sua personale, intima risalita della china.

– Ma se ci avesse detto delle pecore, alla fine, poi, che problema c'era...? – diceva a suo marito.

Guido taceva.

– C'era problema? – ridomandava lei. Aspettava qualche secondo e rilanciava: – No che non c'era, Guido, non c'era nessun problema! Se tuo figlio ti dice che vuol allevare pecore, ma che le allevi, santiddio!

All'aeroporto telefonò a Gheri, come faceva ogni giorno. Poi chiamò la sua amica Gelsa. Ora che sapeva, ora che s'era levata quel bel peso dallo stomaco.

– Filippo sta bene, Gelsa! Pronto?

– È lí con te? Passamelo.

– No... non è proprio qui. È quasi qui... Comunque avevi ragione. Avevi proprio ragione. Vedessi in che bel posto sta... stava... Tutta una prateria, con le fontane del Settecento... E poi un clima! Sai, non è vero che in Inghilterra piove. Non piove mai... Insomma, adesso che torno ti racconto.

– Sí, brava. Ma non eri in America?

– Sí, anche… Poi ti racconto, Gelsa, a presto.

Telefonò anche a suo fratello, a sua sorella, ai suoi genitori: che stessero tutti tranquilli, Filippo era sano e salvo e non c'erano problemi.

Alla fine Guido e Nisina arrivarono a casa e si riposarono. Avevano bisogno di tempo. Riprendere il solito trantran, rimettere in sesto gli affari, rivedere gli amici. Ah il tempo, com'è vero che allontana le cose, e le risistema, le ricolloca al loro giusto posto. In fondo, si trattava solo di avere un po' di pazienza, di aspettare che Filippo si facesse vivo.

Cosí le disse l'amica Gelsa, quando Nisina passò da lei per raccontarle tutto. La trovò intenta a fare certi disegnini cosí microscopici da costringerla a lavorare con la lente a tre centimetri dal foglio e una specie di torcia sulla fronte come i minatori. Nisina le parlava le parlava, e a un certo punto le prese anche il nervoso perché le pareva che l'amica non la stesse ascoltando per niente:

– Si può sapere cosa stai facendo?

– Cavallette.

– Cavallette?

– Sí, eleganti cavallette che arrivano in un albergo sul mare e…

– Perché?

– Perché arrivano nell'albergo?

– No, perché le fai.

– Ah, per uno spot pubblicitario.

Invece Gelsa ci aveva fatto una grande attenzione a quel che Nisina le andava dicendo di Fil. Disegnando cavallette, aveva ascoltato tutto per filo e per segno, e alla fine le regalò una delle sue perle di saggezza:

– Sai, Nisi, bisogna aver pazienza. Non si sa mica come va a finire. È l'unica storia di cui non sapremo mai la fine, se ci pensi. L'unica.

– Quale storia? Cosa stai dicendo, Gelsa?

– La storia dei nostri figli. La loro vita. Non vedremo mai come va a finire la vita dei nostri figli. Come divente-

ranno vecchi, che nonni saranno, anche quando poi mori-
ranno... Noi non lo sapremo...

Era bello quando Gelsa diceva «i nostri figli», lei che
non ne aveva avuti. Nisina le voleva ancora piú bene. E
a quella faccenda che della storia dei figli i genitori non
vedono la fine poi ci pensò cosí tante volte. Com'era vero. Le serví molto, in quel periodo, pensarci. Le serví a
mettersi ancora piú tranquilla, e ad avere quella pazienza.
Ma sí. Fil lo avrebbe fatto, prima o poi. A un certo punto
diavolo se lo avrebbe fatto, di rifarsi vivo con loro! Erano
pur sempre i suoi genitori, no? C'era tempo. E col tempo
tutto si sarebbe appianato. Rischiarato. Smussato. E alla
fine, in un modo o nell'altro, si sarebbero capiti. Recipro-
camente. Perché di questo si trattava: di comprendere, ab-
bracciare, appunto, prendere in un solo abbraccio l'altro,
e capirlo proprio in quanto diverso.

E poi, anche lui, santa pazienza! Anche Fil avrebbe capito. Capito le loro ragioni, che diamine! Di loro genitori. Avrebbe capito che non si fa cosí. Che non si lasciano
dei genitori in balia del nulla, a bagno per tutto quel tempo senza sapere. Ci si fa vivi, si parla, si comunica... Non
s'inganna, soprattutto. Questo. Soprattutto questo la tormentava. Anzi li tormentava. Particolarmente all'inizio,
appena tornati a casa, sistemati i bagagli, ripresa la solita
vita. La notte non dormivano, nel loro solito modo diverso
di non dormire: lui da una parte fingendo di lavoricchiare
alla scrivania, lei invece rimanendosene a letto, piena di
Lexotan e gli occhi sbarrati al soffitto.

C'era anche il problema, spinoso, di cosa dire agli amici. Quelli che vedevano a cena o con cui andavano al cinema, alle mostre, e che s'informavano ogni volta di Fil,
dov'era, cosa faceva, come lo avevano trovato. «Bene, –
diceva Nisina, – molto bene. Ma è cosí impegnato, prati-
camente irreperibile...» Con le amiche del club «madri di
figli all'estero» era ancora piú facile: Nisina aveva imparato a glissare. Tanto glissavano tutte quante allo stesso mo-

do sui figli: bastava fare qualche cenno, ammiccare, dare tutto per scontato. Quando le chiedevano: «E tuo figlio, è sempre all'estero?» lei rispondeva: «Sí». «Ah, non me ne parlare...» dicevano subito le altre, piú o meno in coro. Non me ne parlare di cosa? Di niente, era un modo di dire (cioè, di non dire). Una specie di automatismo: «Ah, non me ne parlare...» Qualcosa che scattava e basta.

La verità è che nessun genitore parla mai, veramente, dei figli agli altri, tantomeno agli amici. Quando poi si fanno grandi, meno che mai: diventa una specie di tabú, si mette davanti come una tenda spessa, a proteggerli. E chiusa lí, non se ne sa piú niente, dei figli altrui. E tutto un meraviglioso, complice, collettivo glissare. Molto rilassante, tutto sommato.

Poi, piano piano, ogni cosa tornò al suo posto. Tutto riprese come prima: le abitudini, il lavoro, le cene di famiglia, i viaggi nella campagna senese... Guido Cantirami trovò dei nuovi resort, hôtel de charme, bed and breakfast cosí belli, cosí arrampicati su colline cosí digradanti verso vallate cosí soleggiate, prati, fiumicelli... E a poco a poco lí, tra un bagno in piscina, una visita ai musei, un buon vinello nel ristorantino consigliato dalle guide, si ripresero, un po' per volta, sempre di piú. Fino a che accettarono, se ne fecero una ragione.

– Insomma, Guido, cosa vogliamo di piú? – diceva Nisina. – Nostro figlio ha fatto le sue scelte. Capace poi che abbia ragione lui. Ha scelto la natura...

– Le pecore, Nisina! Ha scelto le pecore!

Per Guido Cantirami era piú difficile accettare. Ne andava del suo nome, della famiglia, della professione onorata di suo padre. Ne andava del suo studio, certo, lo studio Fanti & Cantirami che lui sognava di trasformare un giorno in studio Cantirami & Fanti.

– Non ha finito, Nisina! – diceva alla moglie certe sere, dopocena, per sfogarsi. – Non ha finito il master a Londra... Non è andato a Stanford per il PhD...

– E va be', Guidino, non facciamola cosí lunga... Laureato è laureato. Alla Bocconi! Dici niente? Alla Bocconi!

– Una triennale, Nisi. Una semplice, ridicola laurea triennale...

– No Guido, però... Adesso esageri. C'è gente che ha figli che non si sono laureati neanche una volta... Prendi i Casmacechi, per esempio... Lui che se la tira cosí tanto con il suo ufficio vendite di macchine... che macchine sono già? agricole? Be', lui che figlio ha? Parliamone! Ha un figlio che a malapena ha finito l'istituto tecnico, dài...! Eppure non fa mica le tue storie. Anzi, a sentir lui ha una perla rara di figlio, che adesso pare vada persino in Argentina non so bene a fare cosa...

– In Argentina?

– Sí, in Argentina. Comunque cosí si fa, mica come te che ti lamenti sempre, e di che cosa poi? Hai un figlio... hai un figlio che...

– Ho un figlio cosa? Ma lo vedi che non riesci neanche a finir la frase?

Comunque poi, col tempo, anche Guido Cantirami accettò. Accettò... si fa per dire. Accettare è un verbo un po' impegnativo. Diciamo che abbozzò. Assorbí, ecco. Assorbí il colpo. Ah, la capacità di assorbimento dei genitori! Che arte, che dote! La capacità mirabile che i genitori possono avere di accettare, di assorbire... Carte assorbenti, ecco cosa sono.

Guido Cantirami assorbí. Istigato da Nisina, che lo pungolava ad ammettere che in fondo, guarda i figli di questi, guarda i figli di quelli! Almeno il nostro un lavoro ce l'ha, non beve, non si droga...

Cosí, quando Filippo finalmente chiamò, quando Filippo Cantirami, finalmente, dopo mesi, si degnò di usare il cellulare, riaccenderlo e chiamare; quando da quel paese dov'era finito chiamò suo padre e gli disse che stava bene e di non preoccuparsi per lui, Guido Cantirami quasi scoppiava in lacrime dalla commozione di risentirlo, finalmente, quel figlio che non sentiva e non vedeva da mesi e di cui non sapeva piú nulla, e di cui, anzi, tutto quel che sapeva da anni era sbagliato, falso. Non gli fece domande quando Filippo lo chiamò, cosí, sul cellulare, come niente fosse. Lui era in studio, stava dicendo a Elettrica che certe carte non erano nella cartellina giusta, quando il telefono squillò. Non guardò nemmeno il numero sul display. Schiacciò il tasto e rispose: Pronto?

Sono Filippo...

Filippo!

Fiordi

Fil si fermò in quel paese di quattro case in mezzo ai fiordi.

Telefonò spesso ai suoi, e li rivide circa un anno dopo, quando tornò in Italia portando con sé Stine. L'aveva appena sposata.

Rimase in famiglia una quindicina di giorni. Erano tutti cosí contenti di rivederlo. Parlarono di tante cose, a lungo, Fil e i suoi, Fil e zia Giu. E la nonna organizzò una grande cena di famiglia per festeggiare il suo ritorno e la sua bella moglie norvegese.

Nessuno, né a quella cena né mai, gli chiese nulla delle pecore. Né di quelle che aveva pascolato nelle campagne del Duca, né di quelle che aveva portato nel college di Oxford. Il tempo era passato, e aveva cambiato le cose. Adesso lui era un uomo, aveva un lavoro e una famiglia. Non era piú il caso di far domande dolorose.

Fil rimase in quel paesino tra i fiordi. *Definitivamente*, come scrisse al Duca: *La ringrazio dal profondo del cuore per tutto quello che ha fatto per me. Ho deciso di fermarmi in Norvegia definitivamente.*

All'inizio, diede una mano al suocero, che aveva un peschereccio e andava a pesca di merluzzi, li essiccava al vento dell'inverno appesi a lunghe travi di legno, legati a due a due per la coda, e poi li vendeva in mezzo mondo, insieme ad altri pescatori con cui si era consorziato. Poi, quando suo suocero morí, Fil non continuò ad andare per mare e pescar merluzzi. Rimase negli uffici della ditta, a fare l'impiegato. Si occupava della contabilità, teneva la corrispondenza con i clienti, con i fornitori. Un lavoro quieto, normale, che gli lasciava la libertà di inseguire i suoi pensieri. Dalla finestra vedeva il mare, quante volte al giorno cambiava colore. Bastava che venisse il vento. A volte, nei giorni piú tersi, riusciva a scorgere persino il polverio di gocce che l'aria alzava dalle onde, un attimo prima di lasciarle andare sugli scogli.

Il peschereccio del suocero l'aveva tenuto, per portarci il figlio Daniel la domenica. Gli aveva comprato un berretto da capitano e certe volte lo lasciava timonare. Era contento di fare avanti e indietro per quel fiordo col figlio accanto, entrare nel blu di quel mare che se ne sta nascosto sotto la chiglia, fermo a specchiare il cielo, i boschi, la neve, le case rosse; quel mare che fa diventare tutto doppio, e lo capovolge, e lui lí sopra con suo figlio, lenti, sospesi, a solcare come niente tutto quel mondo capovolto. Per lui, era anche rivivere lo stupore della prima volta, quando il traghetto aveva imboccato il fiordo portandolo dritto da Stine; era risentire il cuore in gola come allora, quando non sapeva se di lí a poco l'avrebbe ritrovata; riprovare l'ebbrezza di quel dubbio, il brivido di non sapere come poi gli sarebbe andata la vita. Era cosí ogni volta, ogni domenica. Senza dir niente a Daniel, perché come si fa a raccontare a un figlio di quando lui non era nemmeno un'idea?

I genitori di Fil morirono una quindicina di anni dopo, prima il padre e poi, a distanza di pochi mesi, la madre. Non erano ancora cosí vecchi, ma li prese una malattia che se li portò via uno dopo l'altro. Fecero in tempo a conoscere e amare molto Daniel, che era andato tutte le estati a passare le vacanze in Italia da loro, e a dodici anni era già alto come un giunco. Era il loro unico nipote, perché Gheri, che si sposò e divorziò due volte, non ebbe figli e si diede poi a girare il globo, soggiornando spesso soprattutto in Oriente.

Nonno Guido, la sera dopo cena, leggeva sempre qualche buon articolo di giornale al piccolo Daniel, il quale ovviamente non capiva niente di politica e di economia e lo diceva apertamente al nonno, che se la rideva come un matto. Nonna Nisina invece lo riempiva solo di baci e gli diceva che assomigliava a Fil quand'era piccolo, ma che lui era venuto meglio perché aveva preso anche da quella mamma bionda ed esile come una spiga. Ogni estate, finché visse, Nisina si dedicava solo a coccolare quel nipotino. Lo faceva con una sorta di eccessivo trasporto, forse perché pensava spesso, dentro di sé, d'aver sprecato il tempo con suo figlio, d'averlo avuto cosí poco con sé... Con quella storia di farlo studiare all'estero, era rimasto in famiglia solo diciannove anni. Troppo poco, pensava. Cosa sono diciannove anni in una vita? Niente. Cos'era mai stata tutta quella frenesia, Milano, Londra, e poi ancora... A cosa era valso tutto quell'andare altrove?

Zia Giuliana fu la prima a conoscere il piccolo Daniel. Fil glielo portò in Italia che aveva solo sei mesi, se lo caricò un giorno sull'aereo in fretta e furia come se gli mancasse il tempo. Voleva che il suo bambino la conoscesse subito, quella zia cosí speciale, come se non potesse crescere bene senza prima averla vista.

Zia Giuliana andò poi molte volte a trovarli in Norvegia. Ogni tanto prendeva e si faceva «il suo giro», come lo chiamava lei. «Viaggio perché sono una ragazzina», diceva, e giú a ridere. Rideva sempre tanto, zia Giuliana, soprattutto col piccolo Daniel: lo chiamava il suo Filino, perché al figlio di Fil che altro nome poteva dargli?

In ogni suo «giro», era sempre prevista una sosta nell'Oxfordshire, dal Duca di Glensbury. Poteva fermarsi poco o tanto, ma non mancava mai di andare da lui.

Una volta Fil le chiese perché non l'avesse sposato. Li avrebbe visti cosí bene insieme... Giuliana non rispose subito. Camminavano per il paese, a un certo punto si sedettero su una panchina, al centro di una piazza.

– I sogni tardivi, Fil... Quando un sogno si realizza tardi, gli rimane dentro qualcosa di sospeso, non so come spiegarti... Per carità, ben venga! Ma non ti risarcisce mai del tutto, non ti toglie l'amaro di aver atteso tanto...

Al che Filippo, per la prima volta, si rese conto di non aver, forse, mai capito fino in fondo quella zia sempre tanto allegra e pronta al gioco, che invece si teneva chiuse in sé chissà quali tristezze. E quel giorno, sulla panchina, provò un doloroso senso d'inadeguatezza, come se nella vita avesse mancato a un compito, si fosse distratto e avesse, proprio nel momento fatidico, perso di vista la cosa piú importante. Prese la zia per mano e tornarono a casa. Cominciava a fare buio.

Giuliana Cantirami morí a novantun anni. Fece ancora in tempo a conoscere i due figli di Daniel, e a sentirsi chiamare anche da loro Giagiú.

Fil morí dieci anni esatti dopo di lei, a ottantuno anni, di una malattia breve che lasciò tutti senza parole. Soprattutto Stine, che aveva sempre quei suoi capelli corti da maschietto, oramai tutti bianchi come un lago ghiacciato che non si sgela piú, non si dava pace: ripeteva che non si erano nemmeno salutati, che era stato tutto troppo veloce, anche la vita. Quante volte glielo aveva detto, Fil, che bisogna salutarsi, prima di morire... E poi invece, guarda lí cosa le aveva combinato...

Al funerale venne moltissima gente, anche dai paesini piú lontani. Lo conoscevano tutti, Filippo Cantirami, l'italiano che era sceso dal postale una mattina d'autunno, e non se n'era mai piú andato.

Arrivò anche un gruppo di persone dagli Stati Uniti, che nessuno si aspettava. Daniel non sapeva chi fossero e come avessero conosciuto suo padre. Così se ne stava in disparte e guardava in silenzio quei signori vestiti di scuro che venivano da lontano. Bello fermo, accanto a sua madre. Si limitava a osservare quegli sconosciuti, eleganti e silenziosi americani che sembravano cosí colpiti dalla morte di suo padre e avevano fatto quel viaggio cosí lungo per venire fin lí.

Uno di loro, il piú anziano, si reggeva a malapena sulle gambe. Era basso, curvo, con dei capelli bianchi un po' ricciolini. Volle posare lui la corona di fiori sulla bara di suo padre. Sul nastro di raso viola c'era scritto: GRAZIE. J.

Grazie punto, J punto.

Solo questo.

Daniel ne rimase stupito. Non gli sembrava che suo padre gli avesse mai parlato di un amico americano che cominciava per J.

Dopo la funzione, trovò il coraggio e si presentò: – Sono Daniel Cantirami, piacere –. E vide che a quel vecchio venivano le lacrime agli occhi.

– E cosí… sei il figlio del grande Fil! – gli disse, con una voce cosí fioca che quasi non si sentiva.

Poi gli porse subito un involto, che teneva nella cartella, dicendogli che era per lui, che gliel'aveva portato apposta dall'America perché doveva averlo. Daniel tolse la carta. Era un libro. Un libro come quelli che stampavano una volta. S'intitolava *Ceiling Theory*, e l'autore era suo padre.

– Era una piccola casa editrice universitaria… che non c'è piú da anni. Ma sappi che è stato un libro importante, per noi economisti… Ne ho conservata una copia. Te l'ho portata perché, conoscendo tuo padre, ho paura che non te ne abbia mai parlato…

Daniel abbassò gli occhi. Era cosí. Quell'uomo sembrava sapere cosí tante cose di suo padre. E Daniel invece non sapeva niente di lui.

– Fil non voleva piú sentir parlare di Economia, università e tutte quelle cose lí. Ci scrivevamo delle mail, qualche volta. Lui mi mandava ogni tanto un «allegato tecnico», cosí li chiamava: appunti, pensieri, calcoli. Mi scriveva: fanne quello che vuoi. Per il resto, non è che si facesse tanto vivo con me. E nemmeno io con lui… Ma adesso, avendo saputo… Mi chiamo Jeremy. Jeremy Piccoli e, tanto tempo fa, ho avuto la fortuna di studiare con tuo padre.

A quel punto presentò a Daniel gli altri del gruppo: erano professori americani suoi colleghi, che venivano a rendere omaggio al grande economista scomparso Filippo Cantirami. E Daniel cadeva dalle nuvole, perché suo padre, per lui, era stato solo un impiegato e non un grande economista. Un normale, semplice, impiegato della ditta di merluzzi. E adesso invece quei signori, e il libro, e tutte quelle cerimonie... Guardava sua madre per cercare, anche solo con gli occhi, una spiegazione, un'intesa. Ma lei s'era scostata, stava in un angolo e teneva gli occhi bassi, e non parlava.

Jeremy rimase qualche giorno ospite di Daniel e della sua famiglia. E fu in quel poco tempo che gli raccontò la loro storia, il patto segreto, le pecore e tutto quanto. Cosí Daniel venne a sapere cose che non aveva mai saputo, di suo padre. Ne ebbe una specie di malinconico risentimento:

– Perché non mi ha mai parlato di te?

– Non te ne devi avere a male... – gli rispose Jeremy. – Io sono la sua vita mancata... La vita che tuo padre non ha fatto. Come avrebbe potuto parlarti di me? La vita che non fai, non esiste. O se ne sta da qualche parte, chissà dove...

Jeremy, poi, riprendeva a raccontare. E non era chiaro se Daniel aveva voglia o no, di sapere. Ne avrebbe fatto volentieri a meno: cosa se ne faceva di quelle storie che riguardavano suo padre quando non era ancora suo padre? Gli aggiungeva qualcosa sapere che da giovane aveva fatto il pastore, ingannato i suoi, inventato nuove mirabolanti teorie economiche? Migliorava o peggiorava la sua idea di suo padre? Lui lo sapeva quanto valeva suo padre. Un figlio lo sa da subito, che tipo di padre gli è toccato: lo sa e basta.

Non era semplice: si trattava, in un certo senso, di un tornare all'inizio. Era come se gli avessero fatto ripartire il film: lui era già alla fine e invece ecco che gli riproiettavano tutto da capo. Era strano. Ci voleva tempo, per ricostruire l'intera storia.

327

Ma forse un po' gli faceva anche bene, gli riempiva il vuoto. Quelle aggiunte gli andavano in un certo senso a tappare i buchi che si sentiva dentro, tutta quella mancanza. In fondo, un figlio non ha bisogno di sapere niente del padre quando ce l'ha accanto: ce l'ha accanto, gli basta. Ma dopo... Dopo sente il desiderio di mettere insieme i pezzi, ricostruire... È la vita quando manca che ha bisogno di parole, non prima.

Jeremy non faceva altro che dirgli: «Hai visto che bella la storia di tuo padre?» Ma Daniel non sapeva dire se era poi tanto bella. Non era in grado di giudicarla, una storia simile. Portare quelle pecore con sé nel college... Era stato un bene, era stato un male? Daniel non lo sapeva. Era stato suo padre, tutto lí. L'unica cosa certa era che, senza quelle pecore, lui non sarebbe mai esistito: suo padre non sarebbe venuto fin lassú, e Stine non sarebbe diventata sua madre, e quindi sí, senza quelle pecore lui non sarebbe mai nato, questo gli era molto chiaro.

Parlò a lungo con Jeremy, in quei giorni. Se lo portava in barca a pescare merluzzi, all'alba. Se ne stavano seduti a poppa, riparati, e parlavano. Jeremy voleva sapere tante cose del suo amico Fil, di com'era stata poi la sua vita, se si poteva dire felice. Ma Daniel non lo sapeva, questo. Come si fa? Come può un figlio dire se suo padre è stato felice, cosa ne sa un figlio?

– Sí... Ha avuto una vita normale, mi sembra. Normale... – cosí diceva Daniel.

Jeremy allora stava zitto. Si prendeva certe pause, anche lunghe. Sembrava cosí stanco, cosí vecchio. Stava minuti interi senza piú dire niente, a guardare avanti, tutto quel mare chiaro e fermo. O guardava dentro, chissà, in certi suoi anfratti segreti. E ripartiva, per esprimere ancora un dubbio, una perplessità che non riusciva a dissipare:

– È lo spreco, Daniel... Io non lo so se un uomo può sprecare la sua vita, il suo talento... Se è un suo diritto. O se invece si macchia di una grave colpa a tirarsi indietro, a rifiutarsi di fare la propria parte... Ma poi, alla fine, cos'è fare la propria parte? Cosa significa? Abbiamo una parte? Tu me lo sapresti dire? Eh, Daniel, me lo sapresti dire?

Daniel lo guardava. Era commovente, quel vecchio, che veniva a riversare su di lui le sue domande, a chiedere a lui una soluzione.

Cambiava discorso. Gli chiedeva di raccontargli un po' della sua vita, com'era stata. E a Jeremy veniva una specie di velo davanti agli occhi, come se non avesse voglia di rispondere.

Gli disse ben poco: che era in pensione, che viveva solo. Che si era sposato con una ragazza del Kazakistan, tanto tempo prima, ma non era durata. Che aveva insegnato in molti posti. E comunque sí, aveva avuto una bella vita... Non gli disse che aveva ricoperto incarichi prestigiosi sia in Italia sia in America, che aveva viaggiato molto e ricevuto premi, onori, che era diventato piuttosto ricco, e famoso, e che i suoi studi erano noti in tutto il mondo. Non glielo disse perché non era necessario. «Che bisogno c'è?» avrebbe detto Fil. Ma soprattutto, un po' si vergognava d'aver fatto lui una splendida carriera, e Fil no. Ecco, parlarne avrebbe significato in qualche modo ricordare il debito infinito con Fil. Dentro di sé, nel profondo, in un modo segreto che mai sarebbe venuto fuori in parole, Jeremy sapeva quanto gli doveva. Sapeva che in qualche misura l'aveva rubata a lui, quella sua vita. Era debitore anche verso i genitori di Fil, che non aveva mai ringraziato. Fil glielo aveva chiesto tante volte, d'incontrarli, voleva tanto che si conoscessero, ci teneva. Ma lui, con una scusa o con un'altra, aveva sempre declinato. Non avrebbe saputo cosa dire a quei genitori non suoi, che lo avevano aiutato cosí tanto senza neanche immaginarlo. Come si fa a essere grati verso persone che non lo sanno di farti tutto quel bene?

Jeremy s'era preso il peso della gratitudine e lo aveva portato intero su di sé, tacitamente, fino all'ultimo, fino a quando non l'aveva depositato, nella forma di una corona di fiori, sulla bara dell'amico. Adesso il cerchio s'era chiuso. Poteva anche lui pensare di morire, prima o poi. E a Daniel, a quel caro ragazzo figlio del suo amico Fil, non era il caso di dire proprio niente. Andava bene cosí.

Tutta la famiglia accompagnò Jeremy al porto, la sera in cui ripartí. C'era un cielo rosso fuoco che toccava il mare e poi s'inerpicava con le nubi gonfie di vento fin sulle montagne, a lambire il contorno dei boschi.

Stine, che era stata sempre taciturna in quei giorni, gli si avvicinò. Si guardarono negli occhi. Lei gli prese la mano, gliela tenne a lungo nella sua.

– Grazie di essere venuto, Jeremy, ti sono molto grata... – gli disse, sottovoce.

Tanto sottovoce che Daniel non fu cosí sicuro di aver sentito bene. Il tempo di guardare sua madre negli occhi con aria interrogativa, e il vecchio Jeremy era già salito sul ponte. E ora da lassú salutava con la mano, un attimo prima che il traghetto si staccasse dal molo e, fendendo l'acqua senza il minimo rumore, si perdesse nell'aria.

Indice

333

334